Soltando amarras y memorias:
mundo y poesía de Nancy Morejón

colección sur   204
ensayo

presidencia del festival

pablo armando fernández, césar lópez, miguel barnet, eusebio leal,
nancy morejón, waldo leyva, virgilio lópez lemus, alpidio alonso,
aitana alberti, thiago de melo, marcelino dos santos, juan bañuelos

colección sur
dirigida por alex pausides

edición auspiciada
por el instituto cubano del libro
y el festival internacional de poesía de la habana

Juanamaría Cordones-Cook

Soltando amarras y memorias:
mundo y poesía de Nancy Morejón

colección
sur
editores

consejo editorial

césar lópez, susy delgado, ariruma kowii, elikura chihuailaf,
jorge cocom pech, odi gonzáles, cristian avecillas, pedro lópez cerviño,
francisco díaz solar, rodolfo alpízar, julio llópiz, noel de la cruz,
jesús david curbelo, jacqueline teillagorry, aitana alberti

PRIMERA EDICIÓN
Editorial Cuarto Propio,
Santiago de Chile, 2009

Edición: *Ana María Caballero Labaut*
Diseño de cubierta: *Elisa Vera Grillo*
Diseño interior y diagramación: *Onelia Silva Martínez*
Coordinación editorial: *Teresa Cuesta / Marlene Alfonso*

© Juanamaría Cordones-Cook, 2013
© Colección SurEditores, 2013

ISBN: 978-959-302-122-7

Unión de Escritores y Artistas de Cuba
Calle 17 no. 354 e/ G y H, El Vedado,
La Habana

http//www.cubapoesia.cult.cu
http//www.palabradel mundo.cult.cu
cubapoesia@cubarte.cult.cu

PREFACIO

Nacida en 1944, Nancy Morejón pertenece a la segunda generación de escritores surgida en el período posrevolucionario en Cuba. Su poesía, principalmente apolítica en la década de los 60, comenzó a abordar temas sociales y políticos, de modo más formal, en la década de los 70 y a principios de los años 80, a medida que la Revolución Cubana y su ideología iban grabando su impronta en la representación de Nancy Morejón de la experiencia cubana. *Soltando amarras y memorias: mundo y poesía de Nancy Morejón,* de Juanamaría Cordones-Cook, constituye una adición significativa al creciente corpus de trabajos académicos sobre esta última fase de la obra de la poeta.

Cordones-Cook eligió un verso del poema "Trofeos IV" de Nancy Morejón como título de este libro que explora cómo la imaginación creativa de la poeta le permite liberarse de grilletes restrictivos. Al tejer con destreza las hebras del arte de Nancy Morejón, la autora ha capturado lo diverso y lo constante que marcan su trayectoria como poeta. Texto y contexto, historia y memoria, autorreflexión y conciencia social, el mundo espiritual y la vida pública son algunas de las áreas temáticas importantes del universo poético de Nancy Morejón explorado en *Soltando amarras y memorias.* Entre las características más notables de este libro se encuentra la sinceridad de la autora al abordar el contexto más amplio de la poesía de Nancy Morejón, la atención prestada a la historiografía literaria, y su sensibilidad ante la corriente lírica que recorre todo el libro y engarza los diversos momentos poéticos, desde los cargados de ideología hasta los sentimentales. El libro también posee un valor especial porque sitúa la obra de Nancy Morejón en relación con la de sus precursores y contemporáneos, y con una amplia gama de escritores y teóricos de la cultura dentro y fuera del mundo hispanoparlante.

Basándose en una variedad de fuentes del repertorio de Nancy Morejón (discursos, ensayos, dibujos), Cordones-Cook emplea abundantes referencias, meticulosamente seleccionadas, de sus textos poéticos para enriquecer el estudio. Desde el punto de vista arquitectónico, el libro se sustenta en la amplia base sociocultural expuesta en el primer capítulo y gradualmente va centrando el foco de la atención en los sucesivos capítulos hasta culminar con las reflexiones personales de la poeta sobre su vida y su obra. En seis capítulos, conectados como círculos superpuestos, la autora sigue el rastro de los temas y las imágenes de la poesía de Nancy Morejón por varias colecciones hasta lograr que *Soltando amarras y memorias* sea un todo orgánico. El epígrafe que apropiadamente sirve de prefacio a cada capítulo anuncia las conexiones intertextuales que vendrán después. Al destacar los puntos de convergencia y divergencia, Cordones-Cook enlaza la poesía de Nancy Morejón con los autores y las prácticas artísticas mundiales, regionales y locales, desde la antigüedad hasta la modernidad.

A pesar de que la autora afirma que lee la poesía de Nancy Morejón con lentes poscoloniales, *Soltando amarras y memorias* es también posmoderna en el eclecticismo de los marcos de referencia empleados en su análisis. Al conocimiento de la bibliografía y a la comprensión de la persona de la poeta y del mundo de la cultura se les da buen uso en este libro, en el cual la autora también da acceso a algunas de las obras inéditas de Nancy Morejón.

Aunque no es exhaustiva, como la propia autora tiene el cuidado de señalar, la introducción revela gran parte de la esencia de Nancy Morejón, de la persona y la poeta y del mundo en el cual ambas se configuraron. En este texto se reúnen las hebras temáticas e ideológicas que atraviesan las diferentes fases del desarrollo de Nancy Morejón como poeta y proporciona el basamento de las generalidades sobre las cuales se construyen las subsiguientes estructuras temáticas, a saber, el profundo compromiso de la poeta con los otros, su disposición conciliatoria, así como su orientación feminista, y los índices directos y sutiles de conciencia racial en su poesía.

El capítulo uno, "Revolución, cultura y raza", posiciona a Nancy Morejón como hija y beneficiaria de la Revolución Cubana. Con voz notablemente desapasionada y objetiva, la autora ofrece una visión panorámica del clima político, económico y sociocultural de Cuba, que se extiende desde la era inmediatamente posterior a la Revolución hasta la caída de la Unión Soviética y los años de George Bush (2001-2009).

La migración y la alienación (a la que Cordones-Cook se refiere como exilio "interno") son temas del segundo capítulo, "El exilio y sus umbrales". A partir de una exploración de las diferentes formas de exilio (literal y figurativo, físico y espiritual), como omnipresente experiencia humana y tema literario, pasa a abordar las especificidades de las manifestaciones de este fenómeno en Cuba y en el Caribe. Un beneficio colateral de este capítulo es lo que revela de tres mujeres, Lourdes Casal, Ana Mendieta y Sonia Rivera Valdés, a través de las cuales Nancy Morejón vivenció, de modo indirecto, el exilio y las inmortalizó en su poesía. Con cuidado y gran sensibilidad,

Cordones-Cook inserta hechos biográficos en su lectura de los poemas de Nancy Morejón dedicados a dichas mujeres; el más destacado de ellos es el homenaje a Ana Mendieta.

En el capítulo tres, "Huellas de africanía profunda", la autora se interesa en las manifestaciones de una conciencia centrada en África en la obra de Nancy Morejón, y la sitúa en el contexto de todo el Caribe. Este capítulo se centra principalmente en la representación de Nancy Morejón de la esclavitud como vivencia, advirtiendo la codificación críptica de la continuidad de la experiencia de la esclavitud en la época colonial en las formas neocoloniales de esclavitud. Una lectura detallada de los cuatro poemas dedicados a mujeres afrocubanas ("Mujer negra", "Amo a mi amo", "Persona" y "Mujeres nuevas") cierra el capítulo. El comentario de Cordones-Cook sobre "Mujeres nuevas" (2004) dilucida los ecos paródicos y feministas de la actualización de "Mujer nueva" de Nicolás Guillén (1931), implicada en la construcción de Nancy Morejón de la identidad de la mujer afrocubana no como objeto sino como agente, como hacedora de la Historia en lugar de víctima de la misma. El tema de este capítulo fluye lógicamente hacia el cuarto capítulo, "Convergencias culturales", en el cual la autora ilustra los temas de intercambio entre culturas y su síntesis en la poesía de Nancy Morejón. Por medio de la teoría de la transculturación de Fernando Ortiz usada como lente preferido, Cordones-Cook demuestra cómo Nancy Morejón sutilmente teje motivos africanos en su discurso poético, mediante el uso simbólico de figuras del panteón de las deidades africanas y su incorporación a las creencias populares afrocubanas.

El capítulo cinco, "Genealogías", se adentra en el ámbito de la vida personal de Nancy Morejón y su reflejo en los retratos poéticos personales que inmortalizan a miembros de su familia —madre, padre y abuelas—. "Genealogías" es el preludio natural de "Tertuliando con Nancy Morejón", el título del sexto capítulo, que conduce a un encantador final y emplea una nota personal. Este capítulo contiene las transcripciones de extensas entrevistas de la autora con Nancy Morejón, y emplea selecciones de poesía, estratégicamente intercaladas, para ilustrar los temas de las conversaciones. Con esa adición gráfica, Cordones-Cook añade color para atenuar la monotonía del método etnográfico. La colocación del capítulo al final del libro de ningún modo le resta importancia, puesto que glosa varios poemas y explica dos de ellos: "Mujer negra" y "Amo a mi amo". A fin de complementar este capítulo, la autora ofrece detalles biográficos actualizados de la poeta en la sección final, "Cronología de Nancy Morejón".

Soltando amarras y memorias es un ejemplo de erudición cuidadosamente documentada, que también no es preciso recomendar, pues se recomienda a sí mismo por la lucidez de su estilo que lo hace accesible al público en general y a los especialistas por igual. Sin duda alguna, recorrerá un gran camino para confirmar la posición de liderazgo de Nancy Morejón en la literatura contemporánea cubana, caribeña y afrohispana.

Claudette M. Williams PhD

Universidad de las Indias Occidentales,
Recinto de Mona
Kingston 7, Jamaica

Traducción de María Josefa Gómez

RECONOCIMIENTOS

En el correr de los años de investigación literaria y de viajes a Cuba, he desarrollado vínculos culturales y profesionales que me han proporcionado acceso a fuentes de estudio prístinas, invalorables e insustituibles en forma de largos diálogos, entrevistas grabadas y filmadas, conferencias y trabajos escritos inéditos, mensajes electrónicos y cartas. Indudablemente, el desarrollo de este estudio se ha beneficiado de estos intercambios que me han brindado una historia oral inasequible de otra manera sobre el mundo social, cultural y artístico que estas personas compartieron con Nancy Morejón. Con todos estos colegas y amigos tengo una profunda deuda. A ellos, en particular, Georgina Herrera, Inés María Martiatu Terry, Marta Valdés, Rogelio Martínez Furé y Gladys Egües, va mi profunda y sincera gratitud. También deseo expresar mi reconocimiento a Nancy Morejón, quien generosamente me brindara material y apoyo, tanto para el trabajo dedicado a su obra como a la de otros autores cubanos. Por otra parte debo puntualizar que mis opiniones no reflejan necesariamente la de estos escritores y cuando la representan aparece anotado en el texto o al pie de la página.

Asimismo deseo expresar mi agradecimiento a la Universidad de Missouri y en especial a diversos centros y departamentos de la misma por el apoyo académico prestado y las becas para financiar mis viajes de investigación a Cuba: Center for

Arts and Humanities, Office of the Dean de Arts and Science, Office of the Vice Provost of International Programs, Office of the Vice Provost of Research, International Center, Research Board y Research Council. No deseo dejar de mencionar mi gratitud al Department of Romance Languages and Literatures que me facilitara un semestre libre de obligaciones docentes para concluir este manuscrito.

Agradezco a Raúl Cordones Moreno su lectura detallada y profunda del manuscrito entero, y a Adriana Genta, Z. Nelly Martínez y Flora González Mandri la lectura de capítulos individuales y sus constructivos comentarios. Este libro no podría haber sido posible sin la fe ni el apoyo constante e indeclinable de mi esposo y compañero de vida. A Michael, una y mil veces, gracias.

En este estudio aparecen versiones modificadas o parciales de material publicado en: "Introducción" de *Looking within / Mirar adentro: Selected Poems / Poemas escogidos, 1954-2000* (2003), de Nancy Morejón, en Wayne State University Press; "Umbrales de exilio en la obra de Nancy Morejón", en *La Revista del Vigía* (2004); "Genealogía matrilineal en la obra de Nancy Morejón", en *Revista de Estudios Hispánicos* (2004); y "Una sublimación del exilio", prólogo de *Pierrot y la luna,* de Morejón, en Ediciones Vigía (2005). Agradezco la autorización para reproducir ese material.

En cuanto a los poemas citados, es necesario hacer algunas puntualizaciones. En lo referente a *Mutismos,* en la publicación original (Ediciones El Puente, 1962), los poemas no tenían título. Nancy Morejón los tituló cuando estábamos trabajando en la lectura y corrección de su obra completa para preparar la antología *Looking within / Mirar adentro: Selected Poems / Poemas escogidos, 1954-2000* (2003). He empleado esos títulos en este estudio de su obra. Además, dado que la poeta en esos momentos inscribió varios cambios en sus poemas tanto de vocabulario como de ortografía o distribución de los textos en la página, he optado por emplear aquí las versiones de los mismos incluidas en esa antología. Por otra parte, no tengo ninguno de los poemarios publicados antes de 1993. Tengo, sí, el manuscrito mecanografiado de toda su obra poética escrita hasta ese año que la poeta me hiciera llegar desde Cuba. Ese manuscrito es la fuente de las citas de los poemas escritos antes de 1993, no incluidos en la antología citada. Por ese motivo, cuando esos textos son citados, no llevan número de página.

Es necesario especificar que, en cuanto a la ortografía de vocablos relacionados a las religiones afrocubanas, como la palabra *akpwona*, solista que encabeza los cantos ceremoniales en la santería o los nombres de las divinidades, por ejemplo, Elegguá, he optado por la ortografía empleada por los estudiosos Jorge Castellanos e Isabel Castellanos en *Cultura Afrocubana,* tomo 3, *Las religiones y las lenguas* (1992). En las citas reproduzco la empleada por el/la autor/a del texto original. Por otra parte, debo aclarar que soy responsable de las traducciones del inglés, a menos que se especifique lo contrario.

INTRODUCCIÓN

African philosophy ascribes to the word a significance which it has also in many cultures, but there in poetry only. That is why African poetry made such a world-wide impression the moment it was heard beyond the bounds of Africa. African poetry is never a game, never l'art pour l'art, never irresponsible.[1]

JANHEINZ JAHN

Escribir el nombre del amor.
Escribir el nombre del hambre,
el nombre de la espera y el tumulto.
Escribir los nombres de los dioses
y el nombre de la guerra.
Gritar los nombres de los muertos
y despoblar las prisiones.
Amar la creación hasta la muerte.
Soltar amarras y volar.
Aprender a ser niña.
Necesitar dudar.

NANCY MOREJÓN
("Trofeos IV")

En su seminal ensayo *Muntu: African Culture and the Western World* (1961), el crítico alemán Janheinz Jahn explica que en la cultura africana, el hombre domina su mundo a través de la palabra: fuerza espiritual, vital y generadora que está en la raíz de toda creación y que da vida a la vez que penetra y controla todo lo que nombra.[2] Es este un proceso mágico, lo cual, de acuerdo con esta cosmovisión, equivale a escribir poesía (1961: 132-136). El poder de la palabra, al nombrar, es hechizo y exorcismo, crea imágenes que ordenan y conjuran sin determinar el futuro.

Virtuosa artífice del lenguaje, Nancy Morejón (La Habana, 1944), en su poesía, va al encuentro de ese poder mágico de creación y transformación de la palabra con un intenso sentido de responsabilidad social que nunca la abandona. En el poema del epígrafe, "Trofeos IV" (1996A: 101), Morejón nos hace conscientes de su arte, a la vez que el yo lírico, recorriendo un trayecto zigzagueante pero preciso, convoca sus temas esenciales y recurrentes: el amor y la solidaridad con los postergados y marginados; lo sagrado y el culto a los muertos; las ansias de liberación, incluyendo la dimensión de frescura y descubrimiento en la infancia; y la prudente duda, quizás como vehículo de conocimiento o estrategia de escritura. Estos temas, fungiendo de surtidores en el rítmico empleo de los infinitivos, se proyectan más allá de lo impersonal y resultan en una convocatoria estética y social que se afirma como prescripción y consigna.

Premio Nacional de Literatura 2001 y Miembro de la Academia Cubana de la Lengua, Nancy Morejón es una de las más distinguidas escritoras afrodescendientes de la lengua española. Su perfil intelectual marca en las letras cubanas un hito quizás más significativo que el de Nicolás Guillén, pues ha aportado a las letras cubanas y latinoamericanas toda una problemática y temática nunca antes tocada, menos por una mujer.

Nacida en una humilde familia en Los Sitios, barrio obrero de Centro Habana, Morejón es una escritora cuyo fecundo quehacer literario abarca la poesía, el ensayo, la crítica y la traducción. Su trayectoria poética se inicia con *Mutismos* (El Puente, 1962), *Amor, ciudad atribuida* (El Puente, 1964) y *Richard trajo su flauta y otros argumentos* (UNEAC, 1967). Luego sigue un silencio editorial poético de doce años que se rompe con *Parajes de una época* (Letras Cubanas, 1979), seguido por más de treinta poemarios entre los que se destacan *Octubre imprescindible* (Unión, 1982), *Elogio de la danza* (UNAM, 1982), *Piedra pulida* (Letras Cubanas, 1986), *Baladas para un sueño* (Unión, 1991), *Paisaje célebre* (Fundarte, 1993), *La Quinta de los Molinos* (Letras Cubanas, 2000) y *Carbones silvestres* (Letras Cubanas, 2005).

La poesía ha llevado a Nancy Morejón a su mayor reconocimiento, pues, en este género la complejidad y amplitud de sus estéticas y temáticas han sido más pródigas y difundidas.[3] Antologada y traducida a más de doce idiomas, incluyendo el alemán y el sueco, el gallego, el macedonio, el búlgaro y el griego, su obra ha entrado a circular por el mundo más allá de fronteras lingüísticas, culturales e ideológicas. Viajera infatigable, en sus ires y venires, Morejón ha venido diseñando con sus huellas un mapa que recorre nuestra América desde Canadá a la Argentina cruzando los océanos múltiples veces para llegar a Europa y África convertida en embajadora de las letras y las artes del pueblo cubano. Así, más allá de toda política oficialista, ha venido construyendo puentes de comunicación, de entendimiento y de buena voluntad que, en última instancia, burlan el bloqueo de los Estados Unidos (Mazzei, 2006).

Con espíritu primordialmente conciliatorio, Morejón va siempre en pos de la paz,

> [...] no sólo como palabra sino en su espléndida capacidad de transformación, en su dimensión necesaria, cuando la

conducimos por un sendero en donde se encuentra con el casi imposible sueño de erradicar la miseria y la filosofía del despojo; de oponer todo acto creador a la destrucción y a la guerra (Morejón, 2002A: 318).

En Morejón encontramos una fecunda escritora cuya poesía revela un compromiso profundo con la realidad social y política, con la acción concreta del individuo dentro de la sociedad, además de solidaria con los postulados ideológicos de su entorno. Gran parte de su creación se nutre de sus raíces: del imborrable capítulo de la trata y el látigo, y del entrecruzamiento y fusión de componentes africanos e hispanos. Llevando consigo ese dolor inmemorial del siglo XVI sublimado en el arte, la poeta ha logrado plasmar en su obra lo que Cesare Pavese dice es la poesía: "una defensa contra las ofensas de la vida".[4]

Como antes Aimé Césaire, quien unió a su gente con su historia proclamándose un *griot* contemporáneo, Morejón ha ido en pos de memorias silenciadas inscribiendo un vínculo tangible con el pasado y con la cultura que este ha generado.[5] Entretejiendo artísticamente lo personal con lo histórico y lo mítico, se ha constituido espontáneamente en mediadora, depositaria y guardiana de la historia, las genealogías y las tradiciones orales de su mundo, proyectándose como una *griotte* afrocaribeña.

Desde sus primeros poemas, la voz lírica de Morejón ha mostrado una vocación literaria intelectualizante, de abstracción y ensimismamiento autoconsciente que en diversos registros reflexiona sobre la naturaleza de la creación artística, la escritura, la poesía, la inspiración, el lenguaje o la temática. Concibe el punto de partida del acto de escribir como un impulso irracional, lo que la libera de restricciones; permitiéndole volar, cruzar todo tipo de fronteras, y dejarse llevar por una sensualidad visionaria en sus palabras, escritas tal y como si "consonantes y vocales se echaran a la mar sólo por el gusto de ir bogando y de refractar en un eco distante las coordenadas de Eros y Tánatos".[6] Al crear, la poeta se interna en una selva oscura, mundo secreto y libre de límites, donde se agazapan las palabras como animales preciosos (Morejón, 1996D). De ese ámbito alucinante, símbolo del inconsciente, salen furtivamente sus palabras colmadas de significaciones remotas y de secretos ignotos.

Por otra parte, sus poemas descubren una veta lírica con amplia capacidad evocativa que, liberada del peso de lo mundano, dirige la mirada hacia su intimidad. Recorriendo una amplia gama de estados interiores, crea un espacio escritural privado que va desde la espiritualidad a un tierno amor filial, o a una ardiente e inquietante sensualidad, que por lo mismo se manifiesta velada en imaginativas metáforas.

En su aventura de la escritura, Morejón logra arrancar las palabras de sus vínculos corrientes. Apunta hacia significaciones indecibles por el lenguaje jugando con el escamoteo o la multiplicación de significados del signo, para reintegrar a la palabra la pluralidad de sentidos inherente a la poesía. En el proceso, inscribe el misterio de lo aludido entre líneas y de lo no dicho. En sus palabras, trata "de expresarlo todo [...] para no expresar nada", aunque confiesa que frecuentemente hay "una razón escondida"[7] en sus poemas. Su proceso creativo está salpicado de indeterminación y ambivalencia: abre fisuras en el discurso poético, convocando una lectura activa que va a descubrir un ingrediente lúdico de seducción intelectual y una sensualidad siempre despierta, insinuada, nunca totalmente dicha.

Al enfrentarnos a su fabular poético, debemos entender, como Morejón misma señala al referirse a la pintura de Manuel

Mendive, que "ver es no confiarse de las apariencias, sino enseñar al ojo a servirse de las armas elementales que taladran las simples o complejas apariencias" (1988C: 151). Recordando el proverbio Yoruba que dice que "un gran silencio hace un gran ruido", para leer a Morejón debemos escuchar el silencio, debemos escudriñar e ir al encuentro de la oblicuidad, leer al trasluz y entre líneas, en los huecos de la escritura y de las propias palabras. Así, frecuentemente encontraremos una verdad escondida que unos pocos sabrían desentrañar, lo cual en última instancia quizá sea lo que menos le preocupe a la poeta.

A su labor poética, Nancy Morejón suma la de ensayista y traductora. Ha publicado siete volúmenes de ensayos sobre la cultura y las letras caribeñas, innumerables artículos de prensa, además de traducciones de la literatura francófona.[8] Poeta por excelencia, Morejón traspone sus estrategias expresivas líricas a sus ensayos. Con un elegante manejo de la prosa, se aproxima a temas candentes de la realidad, la cultura y la historia filtrados por un lente siempre artístico. Sus libros de ensayos y las docenas de artículos en la prensa, aún sin compilar, se arraigan en una tradición popular, a la vez que culta y cosmopolita en sus referencias e intertextualidades. Inscribe reflexiones hondamente lúcidas sobre la identidad caribeña y sus urdimbres, "la cuestión racial, la discriminación, la marginación, el imaginario popular, las fuentes orales, la naturaleza, el paisaje cubano y antillano y los procesos que se desprenden del concepto de transculturación y mestizaje" (Morejón: 2005D: VII [introducción]). En su ensayística, al igual que en su poesía, Morejón detiene su intensa mirada crítica en las artes, la plástica, la música, la danza y, por supuesto, en la literatura.

Notablemente a partir de su ensayo *Nación y mestizaje en Nicolás Guillén* (1982), se destaca como importante teórica y crítica cultural. Morejón continúa cultivando esta orientación en conferencias, ensayos y artículos publicados en la prensa y en revistas profesionales, muchos de ellos compilados en *Fundación de la imagen* (1988), *Ensayos* (2005) y *Pluma al viento* (2005).

Siguiendo la línea de una infatigable búsqueda expresiva, una nueva veta artística de la poeta vio la luz en el 2002, cuando la crítica Aitiana Alberti descubrió y organizó una exposición de obras plásticas de Morejón.[9] El título de esta primera exposición, "Pasatiempos", alude a la disposición interior de la creadora de llenar el tiempo de pasada, mientras piensa o conversa, con líneas, círculos, signos, sobre un papel o cartulina cualquiera, desechable o reciclable. De esas cartulinas emergen, dibujados con lapiceras de felpa o grafitos, multicolores jarrones de flores, cometas, peces, lunas, y unos Pierrot y arlequines que expresan melancolía, cuando no dolor, con alguna lágrima que rueda por la mejilla. Sus dibujos revelan huellas de Paul Klee, Joan Miró y Manuel Mendive; pero los Pierrot evidencian mayor afinidad con los solitarios y tristes de Federico García Lorca a quien la poeta rinde tributo con estas creaciones.[10]

En estos dibujos, así como en las firmas y las rúbricas que suelen acompañar las dedicatorias de sus libros a sus amigos, se advierten frecuentemente marcas gráficas sin aparente sentido. Sin embargo, algunos detalles sugieren una realidad invisible y enigmática, que parece apuntar a mensajes secretos, a la manera de los trazos mágicos de las firmas de palo mayombé. Tienen en común trazos circulares o líneas rectas u ondulantes, con puntos, flechas, círculos, cuernos, lunas y más. No olvidemos que, como sugiere Miguel Barnet, en las religiones afrocubanas, cada firma guarda en esos signos un tesoro de creencias e ideas secretas, que la trata no pudo borrar (2001: 113-117). Al respecto, Lydia Cabrera ha destacado que nadie ignora el poder de evocación e invocación de los signos, puesto que, "[e]s uno de los fundamentos esenciales para ponerse en contacto directo con los muertos y las potencias arcanas" (Castellanos y Castellanos, 1992: 423).

Reflexionando sobre su trabajo plástico, Morejón destaca un vínculo complementario con su creación poética: en entrevista con Ineke Phaf-Rheinberger, comenta: "soy, sobre todo, una poeta que también dibuja para fortalecer su percepción de la realidad, para huir de esa neurosis que aunque inconsciente siempre te alcanza [...]".[11]

Al aceptar el Premio Nacional de Literatura, Morejón declaró: "Formo parte de una familia, una comunidad, una nación de las que no he querido ni he podido apartarme, sino que las reclamo con amor en cada uno de mis gestos" (2002A). Tanto en su gestualidad personal como literaria, la tensión e interdependencia entre creación artística y vida forman una alianza inseparable. Se relacionan en una suerte de toma y daca que resulta en una escritura generada de un nudo de fuerzas personales, sociales, culturales, históricas, ideológicas y estéticas.

Con un notable sentido de pertenencia, es totalmente consciente de que su entorno humano le es esencial y vital, tanto emocional como intelectualmente, pues necesita la continuidad de su gente, su lugar y su cultura, para seguir existiendo como mujer, como afrodescendiente, como cubana y como escritora: Morejón ha optado por definir su papel como artista inmersa en ese mundo. De ahí que, desde mi perspectiva crítica, se hace imprescindible abordar su obra remitiéndome a su experiencia de vida. Como Edward Said, creo que es necesario sacar al texto del aislamiento, indagando y reconstruyendo las circunstancias, el contexto humano y cultural donde fue generado (1983: 174-175). Para ello, como vehículo teórico, he recurrido a los conceptos de filiación y afiliación desarrollados por Edward Said en *The World, the Text, and the Critic* (1983).

Said entendía que la filiación concernía a los lazos familiares, la herencia y las líneas de descendencia ligadas a la naturaleza. Incluso sin limitarse exclusivamente a los ancestros raciales o genealógicos, estos conceptos se pueden extender a la herencia cultural, mientras que la afiliación se refería a una red de peculiares vínculos creados en la sociedad por asociaciones culturales de identificación, de creencias, de ideología, de cultura, de cosmovisión o de asociación institucional, de agencias, clases sociales y otras fuerzas sociales amorfas. Con estos conceptos, Said explicaba los cambios suscitados en la sociedad contemporánea en la institución de la familia, la que por la movilidad y las migraciones que han signado nuestros tiempos, ya no podía ser el enlace fundamental entre los individuos. Concluía este teórico que, en cuanto a fuerza de cohesión social, la filiación había cedido el paso a la afiliación (1983: 174).

En este último punto, al abordar la obra de Morejón nos apartamos de Said. En su cosmovisión y concepción lírica, la poeta no privilegia la afiliación sobre la filiación, pues considera a esta última sagrada. Su escritura revela una construcción cuidadosa, amorosa y a veces dolorida de la imagen de sus progenitores familiares e intelectuales, de su mundo inmediato, pero nunca, sin embargo, en desmedro de su afiliación. Morejón ilumina y celebra el mundo de sus contemporáneos con quienes comparte visión, credo, filosofía, ideología o vocación. Por consiguiente, los conceptos de filiación y afiliación se han erigido en principios rectores de mi lectura de la obra de Nancy Morejón, y guían la escritura de los capítulos en los cuales presento la red de vínculos entre su escritura y su familia, su mundo y la historia que le ha tocado vivir.

El primer capítulo de este estudio, "Revolución: cultura y raza", presenta el contexto político y cultural desde el cual emergió la voz de Morejón con un breve panorama de los cincuenta años de la Revolución Cubana. Comienza con la política cultural, la Campaña de Alfabetización y la promoción de las artes a partir de 1959. Continúa con el proceso y la evolución de la politización de la cultura incluyendo las "Palabras a los Intelectuales", de Fidel Castro, que dieran lugar a intolerancias y arbitrariedades; la breve trayectoria de Ediciones El Puente, en las que comenzaron a publicar algunos de los que se probarán más tarde como brillantes creadores; el sonado caso Padilla; el Quinquenio Gris; los vaivenes de la política cultural, y algunos efectos del derrumbe del bloque soviético. Asimismo se examina la relación de la Revolución con la africanía más allá de fronteras, el Movimiento de Liberación Negro de los Estados Unidos, en contraste con la política racial dentro de Cuba. Se señalan los logros y frustraciones del ideal humanista martiano de lograr "una nación para todos". A medida que se desarrolla este panorama, se van incluyendo los reflejos y refracciones de esta experiencia histórica en la poesía morejoniana.

El segundo capítulo, "El exilio y sus umbrales", explora el tema de los exilios en las dimensiones histórico-sociales, simbólicas y subjetivas de los peregrinajes territoriales y espirituales poetizados por Morejón desde su primera colección de poemas hasta los más recientes. A la luz del pensamiento teórico de

Edward Said, Nikos Papastergiadis y Julia Kristeva, entre otros, se examinan textos poéticos y dramáticos que abordan diferentes manifestaciones de dislocación y orfandad producidas por el exilio individual y colectivo, tanto geográfico como cultural y sicológico. Se destacan tres figuras del mundo cubano artístico emigrado a Nueva York y su inserción en el mundo lírico de Morejón. Además se incluye la sublimación del exilio a través del arte en el drama poético *Pierrot y la luna,* y la poetización de la dimensión sicológica del exilio interior en el poema "Alexander Cook".

El tercer capítulo se detiene en las "Huellas de africanía profunda" como piedra angular en la obra morejoniana. Se aborda aquí el componente etnorracial en su creación poética dentro de sus contextos históricos, sociales y culturales como elemento de integración, al cual Morejón se aproxima produciendo una insurrección de saberes subyugados por el discurso dominante. Desde una perspectiva poscolonial —Frantz Fanon, Michel Foucault, Homi K. Bhabha, bell hooks, Barbara Christian, Patricia Hill Collins, entre otros—, se exploran los rastros de africanía en la obra morejoniana; la problemática afrocaribeña con la raíz común de la experiencia de la esclavitud; la travesía, la diáspora y la alterización del africano y del afrodescendiente. Sin faltar la trayectoria de la mujer negra desde la esclavitud, llegando hasta hoy con la carga de los estereotipos, ni tampoco el legado de Guillén, mentor intelectual de Morejón, cuya influencia es recogida y transformada por la pluma de esta poeta.

El cuarto capítulo, "Convergencias culturales", dirige una mirada al encuentro de las diversas etnias que convergieron en Cuba. A partir de las teorías de Fernando Ortiz, Homi K. Bhabha y Robert Young, entre otros, se examina el inevitable proceso de transculturación que resulta del contacto de culturas diversas, producto de las migraciones: principalmente la africana y la española, sin descartar la indígena y la oriental. Asimismo se examina la manifestación de la hibridez cultural en la sacralidad mágica de la santería, que en todas sus sonoridades y su espiritualidad forma parte de los ritmos interiores que vibran en varios de los textos poéticos de Nancy.

El quinto capítulo, "Genealogías", investiga desde tesituras feministas entretejidas con el pensamiento poscolonial, de Anne McClintock, Nancy Chodorow, Julia Kristeva, Chandra T. Mohanti y bell hooks, entre otras; genealogías tanto personales como culturales de Morejón en textos poéticos autobiográficos. Menos interesada en la cronología o en el recuento de acontecimientos que en el proceso de entender y explicar líricamente su legado etnocultural, Morejón poetiza el mundo de sus mayores, sus padres, sus abuelas, su patria y su Isla. Con el origen y la continuidad generacional en mente, este capítulo destaca su ascendencia matrilineal explorando la configuración de identidad de la poeta como proyección metafórica de su mundo. Asimismo independiente del protagonismo femenino en la familia Morejón, se indagan poemas y ensayos en los cuales aparece, ya sea central u oblicuamente, la figura del padre, como sólida y estoica presencia con un claro perfil moral, afectiva e ideológicamente significativo. Se establece la definición de una identidad relacional de la poeta, que se perfila en la búsqueda y el reconocimiento de sus ancestros conocidos y desconocidos que llegaran a ella por tradición oral, a quienes proyecta como componentes fundamentales de recuperación no solo de memorias personales sino de una genealogía colectiva.

"Tertuliando con Nancy Morejón" cierra este estudio. Se trata de una prolongada entrevista articulada por conversaciones sostenidas con la poeta por escrito y oralmente a lo largo de diez años. Las respuestas han sido ilustradas con textos poéticos de Morejón. En la articulación de las preguntas, he intentado perfilar una personalidad más allá de los textos poéticos conocidos, centrándome en la individualidad y subjetividad de la escritora a través de sus propias declaraciones. He buscado construir a la Nancy Morejón que yo conozco teniendo en cuenta el sinfín de conversaciones que hemos mantenido en el correr de los años y aspectos de su experiencia que he visto o intuido, pero no verbalizado. Algunos salieron a la superficie, otros permanecieron en un ámbito de silencio que he respetado.

El texto va exponiendo la persona de Morejón desde el ángulo propio de la escritora con datos personales que recorren panorámicamente su experiencia de vida, sus mayores y sus mentores, su visión de la mujer afrodescendiente, su evolución intelectual, su proceso creativo y su despertar al mismo. Se entreteje aquí un tapiz de temas que representan textualmente la construcción de varias subjetividades: la poeta, la hija, la vecina, la criatura de la Revolución, la mujer negra, la lectora, la escritora y, por supuesto, la artista.

Soy plenamente consciente del alcance y la proyección de la obra de Nancy Morejón. Durante más de cincuenta años, su voz poética ha venido fluyendo como los grandes ríos, pródiga y diversa, a la vez que fiel a sí misma y a sus ideas. En su trayectoria, se ha desplazado arrastrando fragmentos de su mundo y de su historia amalgamados en el humus fecundador de su vena creativa. El resultado ha sido un generoso abanico poético con una gama de temas y estéticas que consagran lo externo y lo íntimo, lo colectivo y lo personal, el pasado y el presente, recorriendo una línea estética que va desde el coloquialismo a un lenguaje prismático con metáforas e imágenes, que en sus refracciones potencian ambigüedades y múltiples asociaciones y lecturas.

El presente estudio no pretende ser ni completo ni exhaustivo. Valiéndome de un aparato teórico ecléctico con énfasis en la condición poscolonial, me he concentrado en algunos aspectos que considero imprescindibles para una lectura a fondo de esta poeta. Dejo para futuros capítulos de mi trabajo crítico las zonas de su obra que me quedan por explorar.

Notas

[1] "La filosofía africana le adjudica a la palabra una trascendencia que se da en otras culturas también, pero allí se da solamente en la poesía. Por eso la poesía africana hizo tal impresión en el mundo una vez que fue oída más allá de las fronteras. La poesía africana nunca es juego, nunca es 'el arte por el arte', nunca es irresponsable" (1961: 135, mi traducción).

[2] Sobre el poder mágico de la palabra y el nombrar en las culturas africanas, me remito a "Nommo: The Magic Power of the Word" (Jahn, *Muntu: African Culture and the Western World*, 1961: 121-140).

[3] En Cuba ha recibido tres veces el Premio de la Crítica y el Premio Nacional de Literatura en el 2001. Uno de los más distinguidos galardones internacionales que ha aceptado es el de poeta laureada con el Premio Internacional Corona de Oro para el XLV Festival Internacional de Poesía de Struga, en la República de Macedonia, en agosto del 2006. Reconocimiento notable, más aún si tenemos en cuenta quiénes han precedido a Morejón con este premio: el chileno Pablo Neruda (1972), el senegalés Léopold Sédar Senghor (1975), el griego Yannis Ritzos (1985) y el norteamericano Allen Ginsberg (1986). Respecto a sus premios me remito a la "Cronología de Nancy Morejón" incluida en este volumen.

[4] Citado por Morejón en "Apariencia y razón de una poética". Agradezco a la poeta este texto inédito.

[5] Sobre *griots* y *griottes,* me remito a *Griots and Griottes: Masters of Words and Music,* de Thomas A. Hale (1998: 322).

[6] Cita originada en su ensayo inédito "Apariencia y razón de una poética".

[7] "Apariencia y razón de una poética".

[8] Sus traducciones publicadas incluyen obras de Moliére, Rimbaud, Éluard, Prévert, Anne Hébert, René Depestre, Aimé Césaire y Paul Laraque.

[9] La poeta debutó como dibujante con una exposición, *Pasatiempos,* en la Galería René Portocarrero del Teatro Nacional de Cuba (18 de junio del 2002).

[10] El 28 de septiembre del 2006, se inauguró, en la Galería Espacio Abierto de la revista *Revolución y Cultura,* una muestra de todos los Pierrot de Morejón como homenaje a García Lorca a los setenta años de su ejecución.

[11] Agradezco a Ineke Phaf-Rheinberger el facilitarme: "Universos múltiples dentro de una tradición cubana única: Entrevista con Nancy Morejón" (2002).

Capítulo Primero

REVOLUCIÓN, CULTURA Y RAZA

> La Revolución está en mí "como la astilla en la herida", como el sol de todos los días, como la cambiante luna de mis barrios, como la profundidad de los pintores renacentistas o, quizá, como la de los pintores primitivos haitianos, siempre inventada pero siempre visible. Ningún poema mío refleja a la Revolución, ni la fotografía siquiera, ni la adula tampoco sino que la provoca en su apariencia trascendente. Soy una de sus criaturas; niña y vieja a la vez, "tengo" y no tengo, pues la grandeza del hombre y la mujer reside "en el flechazo y no en el blanco".
>
> NANCY MOREJÓN
> "La belleza en todas partes".
> Discurso al recibir el Premio Nacional de Literatura.

Umbral de un antes y un después, el Primero de Enero de 1959 marcó un momento histórico con una efervescencia revolucionaria fascinante frente a la cual nada ni nadie pudo mantenerse ajeno. Con catorce años, en el despertar de una temprana adolescencia, Nancy Morejón no fue una excepción. Su quehacer poético se empezó a gestar e inspirar en el pensar y en el hacer de la Revolución.

Deslumbrada, Morejón se comprometió sin reservas con su circunstancia sociopolítica alcanzando en su obra una profunda dimensión histórica. En el correr de los años, se ha mantenido fiel al espíritu de la Revolución, no como abstracción, sino como algo palpable cuyo esplendor la ha fascinado como "al pequeño príncipe de Saint-Exupéry" (Morejón, 1999):[1]

> el concepto de la Revolución, a pesar de haber variado, a pesar de haberse ajustado a un *aquí,* se identifica con un cariño hacia una nueva noción de la utopía en donde la justicia social no esté reñida ni con las tradiciones, ni las buenas costumbres, el arte y la belleza. Y aunque esa nueva noción nazca, evidentemente, de la de Tomás Moro, la siento como una aproximación a esas flores invernales del trópico, inauditas en su permanencia y en su abigarrada voluntad de resistir bajo un sol implacable. Por eso, a estas alturas, no puedo explicar ninguno de mis escritos —publicados o inéditos—, sin el concurso de la Revolución que los viera nacer. Formo parte de una balumba moral, a la cubana, que con mucho desenfado cantó al encuentro de un mundo sustentado por ideales de legitimidad e independencia. Sin embargo, esa balumba moral trajo consigo infinitas contradicciones que todavía perduran. Allí estoy, viéndolo todo, atravesándolo todo, como el primer día, "los ojos en el fresco", aspirando a traducir la esencia de mi entorno [...] (1999).

Revolución y cultura

Desde un principio, la Revolución alentó y promovió a nivel institucional una intensa vida cultural e intelectual. En 1961,

Año de la Educación, se inauguró con pujante dinamismo un hecho cultural trascendental, una formidable campaña de alfabetización sin precedentes que le abrió las puertas de la educación, la cultura, las artes y las letras a toda una humanidad hasta entonces silenciada, invisible y excluida. Pedro Pérez Sarduy comenta en una entrevista filmada, que en períodos relativamente cortos —unos seis meses—, los jóvenes se convertían en instructores de magisterio o de artes y letras para ir al campo cubano (Cordones-Cook, 2006C). Además, agrega Pérez Sarduy, "[e]staban los dibujantes, los carboneros que hacían carbón vegetal en la Ciénaga de Zapata, dibujaban murales en las paredes con carbón, o hacían esculturas con la arcilla de la región" (Cordones-Cook, 2006C). Por su parte, Morejón, quien participó en esa campaña, comentaba recientemente que ella y otros escritores habían ido así enseñando a leer a quienes serían los futuros lectores de su propia obra. Asimismo, la poeta ha reconocido que su formación académica se debe a la Revolución Cubana que, al hacer de la educación un derecho de todos, hizo posible la realización de su vocación literaria y su existencia como poeta (Bejel, 1991: 230).

Un factor fundamental para el auge y la difusión de la literatura a gran escala fue la creación de la Imprenta Nacional el 31 de marzo de 1959. Por vez primera se pusieron en circulación cientos de obras nacionales y universales que hasta entonces no habían estado al alcance del público cubano (Arias, 1979: 18). Por otra parte, con la Revolución, los escritores recibieron un amplio apoyo, hasta ese momento inexistente. Nunca en la historia de Cuba habían gozado de tanto prestigio. La intelectualidad asumió un papel protagónico en los destinos de la nación llegando a actuar como mediadora en los procesos de cambio. Sin embargo, ya en 1960, se había empezado a hacer sentir la disidencia entre los escritores y algunos comenzaron a abandonar la Isla, entre ellos, Lino Novás Calvo, Lydia Cabrera y Severo Sarduy.

El Estado fomentó la creación literaria mediante la acción de nuevos organismos culturales, concursos, revistas y talleres, que sirvieron de plataforma para la formación y el lanzamiento de algunos de los más celebrados escritores cubanos de la segunda mitad del siglo xx. Se crearon instituciones vigentes hasta el día de hoy: la Unión de Escritores y Artistas de Cuba (UNEAC), el Instituto Cubano de Arte e Industria Cinematográficos (ICAIC), el Instituto Superior de Arte (ISA), el Consejo Nacional de Cultura (CNC) y la Casa de las Américas. En 1960, se fundó el órgano oficial de esta institución, la revista bimestral *Casa de las Américas,* que inicialmente fuera dirigida por Antón Arrufat y Fausto Masó.

La Casa de las Américas es la institución cultural cubana más reconocida internacionalmente. Fue fundada cuatro meses después del triunfo de la Revolución por Haydée Santamaría (1926-1980), quien la presidió hasta su muerte, para ser remplazada entonces por Mariano Rodríguez (1912-1990). Desde 1986 Roberto Fernández Retamar está al frente de esta institución. En su objetivo de vincular la política radical de la Revolución a una sensibilidad humanista, la Casa de las Américas comenzó a divulgar, investigar y promover la labor de destacados escritores, artistas plásticos, músicos, cantantes, teatristas, así como de estudiosos de la literatura y las artes. Atrajo a creadores y críticos de todas partes llegando a establecer una de sus tradiciones legendarias: los concursos literarios arbitrados por las personalidades más notables de las letras latinoamericanas. La Casa de las Américas vino a brindar un espacio de encuentro y diálogo internacional cultural e intelectual de toda la América al sur del Río Grande vinculando la Revolución a "los sectores más progresistas de la intelectualidad latinoamericana"

(Fernández Retamar, 1989). Esta institución cumplía así una función necesaria para la Revolución: su internacionalización. Recordemos que prácticamente desde un principio, el Gobierno cubano tuvo que enfrentar el bloqueo de los Estados Unidos y, con ello, la expulsión de la Organización de Estados Americanos (OEA) y el aislamiento internacional. Para no convertirse en una Numancia contemporánea, Cuba necesitaba desarrollar y fortalecer sus relaciones exteriores. Lo logró. Se convirtió en la Meca cultural y artística de América Latina y en líder ideológico de la izquierda de estas naciones, contribuyendo en gran medida a desarrollar una vibrante conciencia latinoamericana.

Politización de la cultura

A partir de fines de 1960 y principios de 1961, el Gobierno Revolucionario decidió aliarse a la Unión Soviética como protección frente a los Estados Unidos. Esta fue una época de efervescencia cultural e ideológica preñada de peligros sociales y políticos. Comenzó un proceso creciente de sovietización que aparejó la fusión de la creación artística con la política. La ofensiva revolucionaria creó una burocracia cultural que radicalizó la cultura, las artes y la literatura, entrando a exigir voluntades y voces al servicio de la Revolución.

La censura no demoró en hacerse sentir. Comenzó por la cinematografía, con la película *P.M.*, producida por Sabá Cabrera Infante y Orlando Jiménez Leal, y, con la prensa escrita, con *Lunes de Revolución*. La película *P.M.*, que destacaba la vida nocturna afrocubana, fue acusada de no incluir imágenes revolucionarias y de disminuir los ideales y los logros de la Revolución (Matas, 1971: 438-439). *Lunes de Revolución* (1959-1960) era el suplemento cultural del diario *Revolución* —el primero de esta naturaleza en la Cuba revolucionaria—, y había promovido la proyección de esta película en un programa de televisión. Todo esto desató una violenta polémica histórica de deplorables repercusiones, cuya primera manifestación fue la censura total de *P.M.* y *Lunes de Revolución* quedó así en una posición política precaria frente a la burocracia cultural.

Dirigida por Carlos Franqui, *Lunes de Revolución* contaba con un equipo editorial de primera línea: Guillermo Cabrera Infante, su fundador y jefe de redacción, secundado por Pablo Armando Fernández, Heberto Padilla y José Baragaño. Asimismo, esta revista había atraído a un destacado grupo de escritores, Virgilio Piñera, Antón Arrufat, Humberto Arenal, Severo Sarduy, Edmundo Desnoes y Ambrosio Fornet, entre otros (Johnson, 1953: 142). El suplemento logró gran aceptación con una tirada de 250 000 ejemplares. Movido por altos valores culturales y fervor revolucionario, a la vez que dotado de un espíritu irreverente y sarcástico, el suplemento incluía tanto temas ideológicos como de arte vanguardista. Llegó a publicar textos esenciales para la Revolución, obras de Fidel Castro, el Che Guevara y Camilo Cienfuegos. Incluso, Fidel Castro y el Che Guevara elogiaron sus logros; sin embargo, desde la ortodoxia ideológica aferrada a la hegemonía cultural, *Lunes de Revolución* resultaba irritante por ser considerado demasiado extranjerizante además de estetizante.

El 16 de junio de 1961, los directores de *Lunes de Revolución* fueron convocados a la Biblioteca Nacional a una reunión en apariencia amistosa. Una vez allí fueron acusados severamente de no tener en mente los intereses de la Revolución por carecer de una perspectiva realmente socialista y por sostener tendencias culturales dudosas que traían división (Menton, 1975: 128-129). Este fue el principio de la primera crisis ideológica de la Revolución. Los efectos de esta reunión no tardaron en manifestarse. Poco tiempo después, *Lunes de Revolución* dejó de publicarse y de sus editores, tres fueron enviados al exterior en cargos diplomáticos, Carlos Franqui, Guillermo Cabrera Infante y Pablo Armando Fernández. Por su parte, Heberto Padilla fue destinado a Europa como corresponsal periodístico. Esta crisis aparejó la sustitución de Antón Arrufat como director de la revista *Casa de las Américas* por Roberto Fernández Retamar, así como se promueve la convocatoria de un congreso nacional de escritores que habría de marcar un punto de transición crítico en los derroteros de la intelectualidad cubana (Casal, 1971A: 6).

"Palabras a los Intelectuales"

Pocos meses después del ataque a Cuba en Playa Girón, el 30 de junio de 1961, Fidel Castro se reunió con los artistas y escritores cubanos más representativos en el teatro de la Biblioteca Nacional para discutir aspectos y problemas esenciales de la cultura, el arte y el papel del creador en esta sociedad emergente. Allí pronunció sus históricas "Palabras a los Intelectuales", en las que trajo a colación el problema de la libertad para la creación artística expresando, paradójicamente, temor a sofocarla. Castro planteó una política de producción cultural controlada por la ideología, pues argüía que una revolución política y económica debía ir acompañada de una revolución cultural. El arte y la cultura debían pasar a ser patrimonio del pueblo. El verdadero artista revolucionario sería quien pensara "para el pueblo y por el pueblo" y quien además estuviera dispuesto a sacrificar su vocación creativa en aras de la Revolución.

Castro adjudicaba máxima discrecionalidad al Estado atribuyéndole el derecho de regular, revisar y censurar la creación artística que había de ser examinada "a través del prisma del cristal revolucionario". Sin dejar lugar a dudas en cuanto a la línea que se debía seguir, propuso un categórico principio:

> La Revolución [...] debe actuar de manera que todo ese sector de artistas y de intelectuales que no sean genuinamente revolucionarios, encuentren dentro de la Revolución un campo donde trabajar y crear [...] dentro de la Revolución, todo; contra la Revolución, nada. Contra la Revolución nada, porque la Revolución tiene también sus derechos y el primer derecho de la Revolución es el derecho de existir, y frente al derecho de la Revolución de ser y de existir, nadie (Castro en Arias, 1979: 19).

El clima creado por esta tajante línea cultural exigió que los intelectuales asumieran su responsabilidad social definiéndose con una lealtad y solidaridad absoluta a los nuevos principios. Partiendo de la base de que nada ni nadie podía interponerse frente al derecho de ser y de existir de la Revolución, el compromiso social y político se convirtió en fundamento *sine qua non* para los creadores. Un orden político absoluto invadió y controló todas las manifestaciones culturales imponiendo un tajante control sobre intelectuales y creadores. Como resultado, se le exigió al artista sometido a una censura inapelable, que respondiera a las exigencias del Estado con una creación primordialmente politizada (Arias, 1979: 24).

Sin embargo, parecería que dentro de las filas de la dirección política de la Revolución no había una línea homogénea ni unánime sobre el tema. Al respecto, Lourdes Casal indicó: "el Che

Guevara rechazaba los intentos de censurar la creación literaria y acomodarla a los moldes estéticos de un realismo 'socialista' controlado por funcionarios. Y al mismo tiempo que rechazaba el dirigismo vulgar, advertía contra los peligros de los reflejos del 'idealismo burgués en la conciencia', que esconde actitudes escapistas 'tras la palabra libertad'. [...] confiaba, sin embargo, en que el proceso era cuestión de tiempo" (Casal, 1971A: 7). El arte iba a dejar de ser primariamente tal, para reclamar y asumir otras funciones. Pasó a ser instrumento político de la Revolución, lo cual, llevado a extremos, habría de tener consecuencias perjudiciales en el ámbito cultural cubano.

Durante el Primer Congreso Nacional de Escritores y Artistas, celebrado en agosto de 1961, se ratificó y consolidó como ineludible la responsabilidad y el compromiso de los artistas y escritores de promover el desarrollo de la nueva conciencia político-social nacional, que habría de conducir al establecimiento de la nueva sociedad. Al mismo tiempo, se incorporaron las masas populares a la marcha renovadora de la Revolución. En este mismo congreso, para coordinar la creación artística, se creó la Unión de Escritores y Artistas de Cuba (UNEAC) con Nicolás Guillén como presidente. A su vez, la UNEAC fundó dos publicaciones periódicas, *Unión* y *La Gaceta de Cuba*, esta última con mayor interés literario.

Esta política cultural dio lugar a interpretaciones extremistas e intransigentes de las "Palabras a los Intelectuales" de Fidel Castro. Había comenzado un proceso de endurecimiento. Individuos oportunistas propugnando la hegemonía cultural, reclamaron para sí una ortodoxia interpretativa e instauraron una política dogmática de exclusión y silenciamiento de grandes valores de la cultura cubana, llegando a articular una de las más lamentables contradicciones de la Revolución.[2]

La imposición a los creadores de las pautas del realismo socialista con una estética al estilo soviético, coartaba la espontaneidad creativa y, con ello, la originalidad, mientras aparejaba los obvios riesgos de producir una literatura restringida por una agenda política que presionara a los creadores hacia la autocensura, los dogmatismos y los esquematismos. Durante los años siguientes se fue intensificando el control sobre la producción intelectual. En 1965, bajo la iniciativa de Raúl Castro, se crearon los campos de trabajo forzado denominados eufemísticamente Unidades Militares de Apoyo a la Producción (UMAP), a los cuales, en los tres años que duraron, fueron a parar sospechosos de disidencia y homosexuales. En una suerte de ortodoxia sexual, se estaba institucionalizando la homofobia al configurar un peculiar tejido de la censura política con la moral, para justificar el primer tipo de censura por el segundo.

El caso Ediciones El Puente

La primera generación literaria de la Revolución estaba constituida por los escritores que tenían alrededor de treinta años en 1959 y que ya habían empezado a escribir, pero que alcanzaron madurez intelectual con el triunfo del proceso revolucionario (Casal, 1971*B*: 448-449). Entre ellos se contaban: Roberto Fernández Retamar (1930), Fayad Jamís (1930-1988), Pablo Armando Fernández (1930), Heberto Padilla (1932-2000), Rolando Escardó (1925-1960) y José Álvarez Baragaño (1932-1962).

Nancy Morejón pertenece a la segunda generación de la Revolución constituida por poetas nacidos entre 1940 y 1950, que entraron a existir como tales con la Revolución y que, sin haber participado activamente en el combate liberador por motivo de edad, abrazaron apasionadamente sus ideales, sus problemas y sus conquistas.[3] En esta promoción, también se destacaron poetas como Miguel Barnet (1940), Belkis Cuza Malé (1942), Gerardo Fulleda León (1941), Pedro Pérez Sarduy (1943), Guillermo Rodríguez Rivera (1943), Luis Rogelio Nogueras (1944-1985), Víctor Casaus (1944), Lina de Feria (1944) y Raúl Rivero (1945), entre otros, quienes, con una fecunda producción literaria, expresaban con entusiasta convicción su solidaridad en la lucha por la liberación de los pueblos oprimidos.

En la primera mitad de los 60 se produjo un magnífico empuje editorial con diversas y encontradas orientaciones literarias, estéticas e ideológicas (Zurbano, 2006: 114). Los jóvenes creadores se fueron aglutinando alrededor de editoriales o revistas que facilitaban la publicación de la obra que empezaban a crear. Morejón frecuentaba el grupo de jóvenes escritores que se había congregado alrededor de las Ediciones El Puente (1960-1965), editorial gestada bajo la iniciativa y dirección de José Mario Rodríguez Pérez (Cuba, 1940-España, 2002), conocido en el mundo literario simplemente como José Mario. Al asumir los gastos de la editorial, con fondos que recibía de un pequeño negocio familiar, José Mario inició su labor en 1960 acompañado por Isel Rivero y Ana María Simo.

Aunque con énfasis en la poesía, El Puente publicó todos los géneros literarios.[4] En narrativa, dio a conocer a Ana María Simo y Mariano Herrera, entre otros, y, en teatro, algunas de las obras más célebres de la época, entre ellas *Santa Camila de La Habana Vieja*, de José Ramón Brene, además del drama de Nicolás Dorr y de José Milián. Incluso Gerardo Fulleda León, uno de los dramaturgos más reconocidos de la actualidad, preparó en colaboración con Eugenio Hernández Espinosa la primera antología de "Teatro Novísimo", manuscrito perdido, ya que nunca se llegó a publicar.[5] Entre las publicaciones de poesía de esta casa editorial se encuentran obras de Belkis Cuza Malé, Georgina Herrera, y el primer libro de *Poesía Yoruba*, de Rogelio Martínez Furé, que se agotara al segundo día de aparecer en las librerías. También publicó *Isla de güijes* (1964), de Miguel Barnet, y *Mutismos* (1962) y *Amor, ciudad atribuida* (1964), las dos primeras colecciones de poemas de Nancy Morejón.

Gerardo Fulleda León sostiene que José Mario había sido "el gran descubridor de talentos" (2005: 4). La editorial publicó a un grupo heterogéneo de jóvenes valores de intereses convergentes que emergían de los márgenes sociales: negros, mujeres, homosexuales, entre quienes se encontraban algunos de los escritores más brillantes surgidos después de 1959. Nancy Morejón asimismo ha comentado que El Puente, sin ningún tipo de prejuicios, era "una editorial abierta, en el sentido más tradicional del término" (Bejel, 1991: 238-239) que ofrecía una vía alternativa atrayendo a escritores "no favorecidos por los tabloides culturales de la época" independientemente del color o preferencia sexual (Chávez, 2005: 16). Liberados de tabúes, estos escritores se desplazaban en un arriesgado tránsito removiendo las aguas del ambiente literario en medio de la efervescencia revolucionaria.

Sin profesar una disposición homogénea, ni formar una escuela literaria, pues no había una línea estética determinada entre ellos, los escritores vinculados a esta casa editorial escribían y experimentaban expresándose en una multiplicidad de géneros y estéticas con espíritu innovador e independiente. Aspiraban erradicar "definitivamente la complacencia intelectual, el mal gusto y la mala fe" (Espinosa, 2005: 11). Mientras entablaban un diálogo con voces poéticas del pasado desde el contexto presente, buscaban libertad estética, a la vez que rehusaban la poesía propagandística de ocasión, que era lo que la Revolución promovía cada vez más abiertamente, limitando así el vuelo creativo de los artistas. Estos jóvenes escritores pretendían un equilibrio entre una poesía vuelta sobre sí misma y una poesía propagandística. Asimismo asumían actitudes artísticas y poéticas que en general estaban al margen de la cultura oficial, sin que por ello se hubiera manifestado nunca en contra de los ideales revolucionarios (Cuadra, 1993: 34). Al respecto, Georgina Herrera y Gerardo Fulleda León comentaban que por momentos eran un poco los "muchachos alocados", los inofensivos "enfants terribles" de la época (Cordones-Cook, 2006*A* y *B*).

A consecuencia de una política cultural llena de confrontaciones ideológicas excluyentes que legitimaban ciertas formas de hacer literatura mientras excluía otras, los escritores y artistas asociados con El Puente fueron acusados de ser individualistas, de practicar estéticas escapistas no comprometidas con los ideales revolucionarios.[6] El propio Jesús Díaz,[7] desde *La Gaceta de Cuba,* los acusó de existencialistas disolutos y negativos, imputación que en un entorno abierto es insignificante, pero no así en tiempos turbulentos de dogmatismo creciente.

Era esta una época de tensiones en cuanto a la relación creador/sociedad. Nancy Morejón ha comentado: "La intolerancia que iba a consolidarse tiempo después, estrenó sus primeras armas con nosotros" (Chávez, 2005: 16). Asimismo, Jesús J. Barquet ha señalado que este grupo de escritores fue "de los primeros en sufrir la represión oficial por su carácter independiente y, en algunos casos, su diferente orientación sexual" (2002*B*: 52). A ello se sumaba la ascendencia africana de varios de los miembros del grupo, a quienes se acusó de favorecer un movimiento al estilo del Black Power. Tampoco se miró con buenos ojos la amistad de algunos de ellos, José Mario y Manuel Ballagas, con Allen Ginsberg (1926-1997), poeta del movimiento *Beat* de los Estados Unidos. Habiendo sido invitado a Cuba como jurado en el género de poesía para el Premio Casa de las Américas de 1965, Gingsberg escandalizó con su uso de drogas, su abierta homosexualidad y su total irreverencia a algunas personalidades de la Revolución. Todo esto fue explosivo. Como corolario, Ginsberg fue expulsado de Cuba, y los escritores asociados con él cayeron en mayor desgracia con la cúpula revolucionaria. Los acontecimientos se precipitaron.

Sintiéndose presionada por la falta de papel y una advertencia del Gobierno para intervenir la imprenta, la casa editorial El Puente perdió su independencia intelectual. Se sintió forzada para entrar a formar parte de la UNEAC, en la que encontró la hostilidad de parte de un sector muy dogmático. El proceso culminó con su expulsión de la UNEAC y la clausura de la editorial en momentos en que se preparaba una revista, *El Puente, Resumen Literario*, cuyos números uno y dos ya estaban prácticamente listos (1965).

Algunos de los miembros del grupo fueron hostigados por la policía. José Mario fue interrogado y detenido más de quince veces y fue llevado como muchos otros a uno de los campos de reclusión de la UMAP. Allí permaneció nueve meses, para luego, en 1967, irse al exilio a Madrid.

Muchos de estos escritores, presionados a dispersarse por quienes imponían criterios de valorización estética a partir de principios ideológico-políticos, como José Mario, pasaron al exilio. Así acabaron excluidos del canon y borrados de los anales literarios, convirtiéndose en lo que Norge Espinosa llamó "fantasmas literarios" (2005: 13). Entre los que permanecieron en Cuba, algunos fueron condenados a prisión, mientras otros, que sufrieron un tipo de ostracismo editorial o laboral, fueron condenados al silencio y optaron por replegarse sobre sí mismos. Sin embargo, siguieron escribiendo y guardando en una gaveta. En algunos casos, tarde o temprano reaparecerían rehabilitados e incluso consagrados por el mismo sistema que los eclipsara, ya fuera por haberse adaptado a los moldes impuestos por el restrictivo proceso revolucionario, o por cambios en la política cultural, o por ambos.

Innegablemente, durante años hubo un estigma asociado con El Puente, al punto que Nancy Morejón, en una entrevista publicada en La Habana, comenta:

> [...] había como una especie de mala voluntad, y contra la mala intención no puedes hacer nada [...] porque éramos considerados algo así como seres endiablados. Te digo que a mí en el Consejo Nacional de la UNEAC me da trabajo levantar la mano para decir algo, porque me parece que va a salir alguien y me va a decir: "Cállese usted, porque los de El Puente [...]". Ahora te puedo contar, pero antes no se hablaba de esas cosas [...] (Grant, 2002: 19).

Como sugiere Morejón en su último comentario, últimamente este estigma ha desaparecido. Hecho confirmado por la publicación del *dossier* dedicado a "Re-pasar El Puente" en el número especial de *La Gaceta de Cuba* (Número 4, julio-agosto del 2005), que ponía al día un capítulo de la historia literaria de la Revolución. El Puente había estado durante años signado por una ley de silencio y secreto, especie de cortina de humo que, sin cancelar, enturbiaba el ámbito público con oscuros y problemáticos vacíos, con proyecciones de lo no dicho, pero sabido.[8] Hoy en día, varios de los escritores publicados por El Puente ocupan altos cargos en la burocracia cultural: Miguel Barnet es

Presidente de la UNEAC, Nancy Morejón es Presidenta de los Escritores de Cuba y Gerardo Fulleda León es Presidente de los Dramaturgos Cubanos de la UNEAC.

El Caimán Barbudo

Frente a El Puente había surgido *El Caimán Barbudo,* suplemento cultural mensual en forma de tabloide del periódico *Juventud Rebelde,* órgano oficial de la Unión de Jóvenes Comunistas. *Juventud Rebelde* había congregado a su alrededor a un grupo de jóvenes entre quienes se contaban Luis Rogelio Nogueras, Víctor Casaus, Guillermo Rodríguez Rivera, Raúl Rivero y otros. Incluso Lina de Feria, inicialmente asociada con El Puente, entró a formar parte de este grupo editorial, llegando en un momento a asumir la dirección del suplemento *El Caimán Barbudo.*

Fundado en 1965 bajo la dirección de Jesús Díaz, "detractor de El Puente", *El Caimán Barbudo* se convirtió en vocero de la ortodoxia cultural y la homogeneidad ideológica del oficialismo. En su primer número, *El Caimán Barbudo* publicó un manifiesto que resultó ser el único de los poetas posrevolucionarios, "Nos pronunciamos", en el que expresaban sus aspiraciones a hacer una poesía no sobre la Revolución sino "desde la Revolución". Proponían una poesía didáctica circunstancial y simplificada, sobre el aquí y el ahora, articulada por una estética conversacionalista con total compromiso político, absolutamente divorciada de las tendencias heterodoxas innovadoras vanguardistas abrazadas por algunos de los escritores asociados con El Puente, cuya obra el propio Jesús Díaz, desde *La Gaceta de Cuba,* tendenciosamente calificaba de baja calidad artística y políticamente erróneas. La ironía en todo esto es que los creadores de la gran literatura hispanoamericana de la segunda mitad del siglo XX, del *boom* y de la posmodernidad, quienes en su gran mayoría abrazaran la Revolución Cubana y que a su vez fueran celebrados por las instituciones culturales de la misma, se apropiaron y transformaron algunas de las mismas estrategias literarias de la vanguardia que fueran condenadas en algunos escritores de El Puente.

El caso Padilla. ¿Quinquenio Gris? ¿Decenio negro?

En una escalada alarmante, ese endurecimiento vino a justificar una política cultural de intolerancia ideológica que, imponiendo principios y comportamientos dogmáticos y sectarios, generaría "un extenso rosario de sufrimientos en la vida cultural cubana", en lo que Reynaldo González llamara "una pesadilla sin perdón ni olvido" en su artículo que lleva ese título (2007). Todo ello haría crisis públicamente en el "caso Padilla". Este caso fue la culminación de una serie de posiciones de independencia intelectual asumidas por Heberto Padilla ubicado en el centro de otras polémicas ideológicas: su colaboración con *Lunes de Revolución,* así como también la controversia de 1967 alrededor de la defensa de *Tres tristes tigres,* extraordinaria novela de Cabrera Infante, quien era considerado un traidor de la Revolución, frente a *La pasión de Urbino,* obra de discutible valor artístico escrita por Lisandro Otero.[9] A este clima desfavorable, se agrega la publicación en 1968 del poemario *Fuera de juego,* de Heberto Padilla, obra ganadora del primer lugar del Premio Nacional de Poesía de la UNEAC. En marzo de 1971, esta obra, primer texto disidente de la Revolución, fue acusada de contrarrevolucionaria. En consecuencia, su autor fue llevado a prisión iniciando así un prolongado período de intransigencia y sectarismo.

Con este caso, respondiendo a "una visión del mundo basada en el recelo y la mediocridad" imbuida de intransigencia y sectarismo, se cancelaron la independencia de pensamiento y los debates ideológicos.[10] Todo ello tuvo una significativa resonancia en el mundo entero. Provocó una ruptura entre un segmento de la intelectualidad internacional y el gobierno de Castro, hasta el punto de que un grupo de lo más granado de esa intelectualidad —Italo Calvino, Simone de Beauvoir, Marguerite Duras, Alberto Moravia, Juan Goytisolo, Jean-Paul Sartre, Mario Vargas Llosa, Susan Sontag y otros que sumaron un total de cincuenta escritores—, le escribió una carta a Fidel Castro contentiva de su preocupación por el aprisionamiento de Padilla.[11]

Fue entonces que, después de treinta y ocho días de cárcel, el 27 de abril de 1971, Padilla fue presentado en público delante de sus amigos en la sede de la UNEAC para hacer una humillante confesión pública de "sus crímenes", que concluyó con la denuncia de su entonces esposa Belkis Cuza Malé y sus compañeros allí presentes Díaz Martínez, César López y Pablo Armando Fernández, quienes fueron sometidos, a su vez, a una autocrítica en el más sórdido estilo estalinista. Los intelectuales europeos y latinoamericanos, ahora sesenta y dos, indignados, enviaron una segunda carta a Fidel Castro en la que expresaban su vergüenza ante el deplorable e ignominioso acto celebrado en la sede de la UNEAC y el *mea culpa* de Padilla, tanto por su contenido como por su forma. Padilla fue puesto en libertad, pero una vez fuera de la cárcel, fue condenado a un ostracismo sin tregua.

Sus amigos más allegados fueron destinados a oscuros trabajos municipales durante varios años. Pérez Sarduy indica que Pablo Armando Fernández, debido a su estrecha amistad con Padilla y a la protección que le había ofrecido a su amigo al salir de la detención, pasó nueve años trabajando en la imprenta de la Academia de Ciencias, catorce sin publicar en Cuba y trece sin salir del país (Cordones-Cook: 2006C).

Por su parte, Antón Arrufat fue hostigado por los burócratas de la cultura. Habiendo ocupado inicialmente cargos como dirigente cultural con el Gobierno Revolucionario, Arrufat fue condenado a un exilio escénico-literario por la publicación de su obra *Los siete contra Tebas,* ganadora del Premio de Teatro "José Antonio Ramos" de la UNEAC, en 1968. Esa obra fue prohibida en la Isla por su implícita crítica a la Revolución.[12] Excluido del mundo literario y teatral y destinado por el Gobierno Revolucionario al silencio y la invisibilidad, Arrufat pasó catorce años trabajando en una oscura biblioteca municipal sin que le fuera publicada ni una línea.[13] Respecto a la marginación y al destino de los intelectuales, Arrufat testimonió:

La burocracia de la década [...] había configurado [...] la muerte en vida. Nos impuso que muriéramos como escritores y continuáramos viviendo como disciplinados ciudadanos [...]. Nuestros libros dejaron de publicarse, los publicados fueron recogidos de las librerías y subrepticiamente retirados de los estantes de las bibliotecas públicas. Las piezas teatrales que habíamos escrito desaparecieron de los escenarios. Nuestros nombres dejaron de pronunciarse en conferencias y clases universitarias, se borraron de las antologías y de las historias de la literatura cubana compuestas en esta década funesta. No solo estábamos muertos en vida: parecíamos no haber nacido ni haber escrito nunca (Barquet, 2002B: 19).

Días después del bochornoso *mea culpa* de Padilla en la UNEAC, Fidel Castro, en su discurso de clausura del Primer Congreso Nacional de Educación y Cultura, celebrado entre el 23 y el 30 de abril de 1971, definió una política cultural ortodoxa en una dirección más monolítica aún. Insistió en el objetivo de consolidar en la literatura la expresión de una nueva conciencia sociopolítica. Reafirmó los derechos y deberes de la Revolución de condenar toda expresión artística que no comulgara con el espíritu revolucionario y que difundiera posiciones ideológicas incompatibles o adversas al socialismo. El arte no podía estar en manos de una élite sino que debía ser un instrumento de las masas, y por lo tanto habría de ser valorado "en función de su utilidad para el pueblo" (Casal, 1971A: 118-119). El resultado fue que para existir como escritor, ser reconocido como tal y ser publicado, había una sola alternativa: seguir los preceptos de la Revolución con una escritura depurada de innovaciones y apegada a la estética del realismo socialista que promovía, con el didactismo ideológico, el facilismo literario en menoscabo de la calidad artística.

En ese discurso, Fidel Castro reafirmó que el escritor debía ser un "escritor de verdad, poeta de verdad", todo lo cual se reducía a ser un "revolucionario de verdad" (Casal, 1971A: 118). Con este objetivo, se habrían de revisar los criterios empleados para otorgar premios en concursos nacionales e internacionales controlando la fe revolucionaria, las credenciales ideológicas tanto de jurados como de concursantes (Menton, 1975: 149-151). Complementando esta intransigencia, Castro consolidó la política de rechazo del homosexualismo:

Los medios culturales no pueden servir de marco a la proliferación de falsos intelectuales que pretenden convertir el esnobismo, la extravagancia, el homosexualismo y demás aberraciones sociales en expresiones del arte revolucionario, alejados de las masas y del espíritu revolucionario (1977).

Los enjuiciamientos estéticos que respondían a la radicalización ideológica impuesta en el campo de la política cultural de la Revolución, desembocaron en un período de endurecimiento de la censura, que Reynaldo González ha descrito con indignación como "Una pesadilla sin perdón ni olvido", plagada de "purgas universitarias, [...] razzias, [...] instrumentalización de los prejuicios homofóbicos, [...] intolerancia ideológica" (2007). Durante el Primer Congreso del Partido Comunista, en 1975, se confirmaron los objetivos de control de la producción intelectual, todo lo cual condujo a una caza de brujas y al repudio de los homosexuales quienes, sujetos a una férrea censura, quedaron relegados a los márgenes sociales (Johnson, 1993: 145-146).

Este período, que diera lugar a toda clase de abusos cuyos ecos llegan hasta hoy en día, había sido designado por Ambrosio Fornet como "Quinquenio Gris" (1971-1976). En su conferencia del 30 de enero del 2007, "La política cultural del período revolucionario: Revisitando el *Quinquenio Gris*", Fornet repasó la historia cultural de la década de los 70 cuando decenas de personalidades artísticas y culturales habían sido separadas de sus centros de trabajo.[14] Trajo a la memoria a otros escritores, quienes, como César López, Premio Nacional de Literatura, que estuvo sin publicar entre 1968 y 1982, consideraban que esa denominación era no solamente eufemística, sino ofensiva por atemperar la culpabilidad de los responsables y disminuir la dimensión de los agravios sufridos hasta fines de la década y que, por lo tanto, ese período debía ser más bien conocido como el Decenio Negro.[15] Quinquenio Gris o Decenio Negro, estos años de amargo estalinismo cultural, con censura de obras de arte, clausura de publicaciones, silenciamiento y persecución de intelectuales, fueron largamente acallados, pero no borrados. Las heridas habían calado profundamente.

Treinta años después ese silencio fue roto inesperadamente cuando aparecieron rescatadas del olvido en la radio y la televisión cubanas, personalidades protagónicas de la represión de los 70: Luis Pavón Tamayo, Armando Quesada y Jorge Seguera. El 7 de enero del 2007 apareció en Cuba en el programa de televisión "Impronta", dedicado a quienes habían dejado una huella en la cultura cubana, Luis Pavón Tamayo, quien presidiera el Consejo Nacional de Cultura (CNC) entre 1971 y 1976 llevando a cabo una política oprobiosa de persecución de creadores e intelectuales.

Unas semanas antes habían sido entrevistados en el Instituto Cubano de Radio y Televisión (ICRT), Jorge Seguera, director de la televisión cubana de aquellos años oscuros, y Armando Quesada, quien purgara el movimiento teatral cubano y cerrara el Teatro Guiñol, incluso con la quema de muñecos y marionetas. En enero y febrero del 2007, época de transición e incertidumbre política, este hecho constituyó para muchos intelectuales una señal no solamente peligrosa, sino también ofensiva de escarnio a quienes padecieron las arbitrariedades de los 70 (González, 2007).

Todo esto dio lugar a una airada y casi explosiva reacción de la intelectualidad cubana fuera y dentro de la Isla. Se empezaron a oír primero por correo electrónico, luego por internet y en la propia Habana voces de alerta, voces doloridas, en muchos casos irritadas, con denuncias tremendas de quienes se habían mantenido callados durante todos estos años. Mauricio Vincent acusó a Pavón Tamayo de ser "el principal ejecutor de la política que censuró y marginó en esos años a cientos de intelectuales y artistas cubanos, incluidas glorias literarias como José Lezama Lima y Virgilio Piñera —que murieron sin ser reivindicados en 1976 y 1979, respectivamente—, y empujaron al exilio a otros muchos" (2006). Al respecto, Antón Arrufat, en "Preocupaciones compartidas", declaró vehementemente que Pavón Tamayo, habiendo expulsado de sus trabajos a cientos de artistas

los llevó ante los tribunales laborales, los despojó de sus salarios y de sus puestos, [...] los condenó al ostracismo y al vilipendio social, [...] pobló sus sueños con las más atroces pesadillas, [...] anuló la danza nacional, mutiló funciones del guiñol, [...] llevó al exilio a artistas dispuestos a trabajar en su país y dentro de su cultura, [...] persiguió a pintores y escultores despojándolos de sus cátedras y de la posibilidad de exponer sus obras, el gran censor de músicos y trovadores, allí estaba quien enseñó a los artistas cubanos un ejercicio apenas practicado en nuestra historia, el de la autocensura, inventor y propiciador de la mediocridad [...] (2007).

Refiriéndose a esa experiencia de censura y persecución y a los ejecutores de esa política cultural, el dramaturgo Gerardo Fulleda León comentó: "Bastante mal nos hicieron aquí y a la propia Revolución, que decían defender con sus abominables hechos, ante la opinión pública internacional por los desmanes de entonces. No es hora de temor, o de silencio, sino de unidad para evitar cualquier intento de retrotraer los tiempos y que la historia intente repetirse. La caja de Pandora la abrieron ellos y son quienes deben temer a nuestro dolor, excusarse ante nuestras cicatrices y callar" (2007).

¿Distensión?

Por otra parte, entrada la segunda mitad de la década de los 70, paradójicamente parecería que se había empezado a atisbar la necesidad de un cambio de dirección en la política cultural. El 30 de noviembre de 1976, en la clausura de la Asamblea Nacional del Poder Popular, se anunció la creación del Ministerio de Cultura encabezado por Armando Hart.[16] De inmediato, Hart convocó a escritores, artistas plásticos y músicos asegurando que ahora se iba a hacer "borrón y cuenta nueva". Una de las medidas fue terminar con la persecución de homosexuales. Por otra parte, a fines de los 70, comenzó un tímido diálogo con algunos cubanos exiliados seguido por visitas de estos hijos pródigos a la Isla.[17] El clima cultural había comenzado a cambiar.

Vinieron años de efervescencia. Si al inicio de la década, en abril de 1980, la estampida provocada por el éxodo masivo de 120 000 cubanos por el puerto de Mariel provocó un impacto en lo social, en lo artístico se observaba el arribo de nuevas generaciones con conceptos estéticos distintos en busca de la renovación. Se produjo un renacimiento de las artes plásticas con jóvenes creadores que empezaron a cuestionar las premisas estéticas del arte cubano que exigía un compromiso absoluto a los ideales de la Revolución. Esta generación se inclinaba hacia una de las estrategias más cosmopolitas de creación cultural, el posmodernismo. Esta nueva orientación creativa se manifestó ampliamente en la poesía, la plástica, el teatro, la música y la danza, propiciando así un diálogo entre estos diversos lenguajes artísticos (Rojas, 2006: 451). Algunos de estos jóvenes desafiantes, con el tiempo optaron por emigrar. Para mediados de la década, paulatinamente se empezó a distender la represión intelectual con una rectificación de errores en el llamado "período de rehabilitación", cuando, en desagravio, tuvo lugar una apertura renovadora a nivel individual conducente al rescate, la revaloración y reivindicación de obras y escritores de la más alta calidad artística que por esteticistas y herméticos habían sido condenados al olvido, José Lezama Lima y Virgilio Piñera, los más notables entre otros.

Como parte de esta rehabilitación, se reintegraron a la escena cultural pública de la Isla, a autores censurados por más de diez años, entre otros, Antón Arrufat, Pablo Armando Fernández y César López.[18] De todos modos, si bien se estaba produciendo una cierta apertura acompañada de un renacer creativo en la literatura, la represión se siguió manifestando con altibajos.[19] El Estado siguió controlando el arte en un proceso que condujo a muchos de esa generación a exiliarse en el extranjero lo que produjo, a principios de los 90, otro fuerte empuje migratorio. Con fluctuaciones y conatos represivos, indudablemente se había venido dando una apertura del canon artístico en la Cuba revolucionaria. Esa flexibilización del control político sobre la creación artística se hizo evidente en el cine, con *Fresa y chocolate* y *Guantanamera,* de Tomás Gutiérrez Alea y Juan Carlos Tabío, y en el teatro con *Alto riesgo* y *¿Quién engaña a quién?,* de Eugenio Hernández Espinosa, obras que respectivamente se atreven con temas tales como la homosexualidad y el jineterismo, además de actitudes abiertamente críticas que en otro momento hubiera sido imposible presentar públicamente.

El desmantelamiento del socialismo en la Europa Oriental y el derrumbe del bloque soviético de 1989 con la consiguiente pérdida de subsidios para la economía cubana, condujo a la Isla a una situación de abastecimiento tremendamente difícil en el llamado "Período Especial en Tiempos de Paz" (1990-2000). Esta época de crisis con carencias sin precedentes, trajo reformas económicas y reajustes políticos acompañados de un recrudecimiento de la disidencia. En ese marco tuvo lugar la crisis de los balseros de 1994 cuando Fidel Castro anunció públicamente que se retirarían los guardacostas de las fronteras cubanas y se permitiría marcharse del país a quien lo deseara. Por otra parte, la hostilidad del gobierno de los Estados Unidos continuó *in crescendo* con la sanción en el Congreso de la ley Torricelli (1992) primero, la ley Helms-Burton (1996) después, y el gobierno con George W. Bush (2001-2009) a la cabeza, que trajo un férreo endurecimiento del bloqueo, lo que resultó en una guerra fría sin cuartel.

Las necesidades y penurias del pueblo cubano desencadenaron un acelerado proceso de transformaciones trastornando a la sociedad en sus fibras más íntimas, en sus valores humanos básicos. Época de crisis moral, signada por una lucha a brazo partido por la subsistencia de una generación acorralada, generación sin opciones, "generación jinetera", marcada por simulacros, adaptaciones camaleónicas, que con discursos múltiples llegaron a orquestar el denominado por Gerardo Mosquera, "baile de máscaras" (Mueller, 2008).

Reflejos y refracciones de la Revolución en la poesía de Morejón

Inmersa en una atmósfera intelectual que no solo proponía sino que imponía ideas filosóficas, estéticas y políticas, Nancy Morejón fue absorbiendo las pautas ideológicas de su circunstancia histórica, hasta el punto de que, como ella misma ha manifestado, no podría explicar ninguno de sus escritos sin la Revolución que los vio nacer. En su aspiración a traducir la sustancia de su entorno, el espíritu de la Revolución y sus contradicciones asoman en sus textos a veces abiertamente, otras entre líneas, reflejando y refractando la circunstancia política.

La Revolución había establecido una política cultural que intentaba arrancar a la clase dominante "el privilegio de la belleza" imponiendo una estética al servicio del hombre común. Reclamaba temas sencillos, momentos de la vida diaria, en un lenguaje de fácil captación que ennobleciera lo popular al añadir giros conversacionales. Esta expresión se distanciaba del hermetismo y la experimentación, de la poesía de abstracciones de los herederos de *Orígenes*, cuya estética era acusada de evasionista y de ignorar los valores de la Revolución socialista. Acusación que respondía exclusivamente a un juego de poder político, pues el hermetismo puede responder tanto a una ideología conservadora como revolucionaria. De todos modos, en períodos de tan acendrado dogmatismo, esta acusación no era cosa ligera, más bien constituía un pecado capital, postura que se revertiría en los 80 con la revaloración literaria del Origenismo que entonces pasó a ser percibido no como movimiento "de evasión sino de resistencia cubana en una época oscura".[20]

Atenta al mundo que la rodeaba y respirando los aires del momento histórico, con las voces y "los ruidos de Los Sitios"[21] en los oídos, Morejón vino a descubrir el asombro y la poesía de lo cotidiano. Desde allí comenzó a crear una lírica con imágenes y detalles precisos orientada hacia lo anecdótico de la vida diaria. Iba recogiendo la inmediatez de su mundo, mientras daba testimonio de la cultura popular cubana. Esta estética se fue empezando a perfilar en *Amor, ciudad atribuida* (1964), en el poema "Los buenos días", por ejemplo, pero es en *Richard trajo su flauta y otros argumentos* (1967) en el que se manifiesta claramente el tránsito del simbolismo y el hermetismo angustiado de sus primeros poemas al coloquialismo y a temas que hasta hoy no la han abandonado: la familia, sus antepasados, la espiritualidad afrocubana, la política, el paisaje, la ciudad, el amor, y la autoconciencia poética. En "La cena", Morejón brinda tributo a la cálida intimidad del hogar impregnada de oralidad mientras muestra la poesía de esa cotidianidad:

> ha llegado el tío Juan con su sombrero opaco
> sentándose y contando los golpes
> que el mar y los pesados sacos han propagado
> por su cuerpo robusto
>
> yo entro de nuevo a la familia
> dando las buenas tardes
> y claveteando sobre cualquier objeto viejo[22]
>
> (2003: 214-216)

El mundo personal de Morejón siempre ha trascendido las paredes de su hogar dándole cabida a amigos y vecinos, con quienes ha cultivado profundos vínculos afectivos. Precisamente en "Richard trajo su flauta", texto que presta el nombre a este poemario, la poeta se interna en una cotidianidad plena de afectividad de una entrañable amistad. Recuperando el festivo y musical entorno de una tertulia en casa de su vecino de Los Sitios, Richard Egües,[23] Morejón presenta un ámbito de convergencias de lo africano y lo español, de la alta cultura en la pintura de Picasso y la música de Mozart con la cultura popular de Nat King Cole y Duke Ellington, sin faltar la tradición espiritual de los orishas, de Elegguá, en especial, como parte integral de ese mundo en pequeños rituales de la vida diaria, los lunes con su vela y su infaltable ron:

> (es lunes y algunos de nosotros ha encendido su vela
>   gran vela semanal para eleggua
>   no hay nada que decir
> sólo tomar una botella de ron al lado de la puerta)
> ....
> los orishas nunca se hicieron eco de nuestras voces
>   sabíamos que rondaban la casa
> y que amedrentaban como güijes toda la maldición
> alguien estaba o residía
>   soberanamente
> un simple palo o bejuco era su atmósfera
> soplar por él con toda la fuerza de un negro
>   enamorado
>
> los orishas oscilaban tranquilos alrededor de los
>   dedos
> los dedos de la mano derecha disminuían el ritmo
>   lentamente
> el esperado trae su flauta
>
> todos pedíamos su presencia alrededor de la
>   mesa caoba

el oro del hogar se derrumbó sobre sus hombros
   misteriosamente
maravilloso estar entre nosotros Richard
   con esa flauta sola

(2003: 226-234)

Cuando doce años más tarde aparece *Parajes de una época* (1979), la voz lírica de esos poemas revela un aliento más combativo y solidario a causas sociales y políticas afines a la Revolución. La poeta se detiene con fervor nacionalista y reafirmación ideológica en mártires anónimos cuyos sacrificios no habían de ser en vano, como, por ejemplo, en "Apenas héroe" (2003: 130), en el que la hablante canta a los combatientes desconocidos representados por un joven "tendido sobre un libro" con "un agujero rojo repujado en su pecho", quien viene a encarnar el espíritu heroico de la juventud revolucionaria con el idealismo político ligado a las letras, mientras apunta al sacrificio de una vida que, como humus patriótico, ha de fertilizar la nación en "la vida que renazca de su naturaleza".

Por otra parte, Morejón detiene su mirada en personalidades heroicas, venerados íconos del imaginario revolucionario popular. Así es el caso trágico de Abel Santamaría, líder del movimiento revolucionario en los inicios de la lucha antibatistiana, quien fuera arrestado el memorable 26 de Julio de 1953, durante el asalto al cuartel Moncada en Santiago de Cuba, y luego torturado y asesinado. Sus ojos arrancados le habían sido entregados a su hermana Haydée Santamaría, mientras ella estaba encarcelada por haber participado en el asalto. Haciendo alusión a este hecho en un breve poema, "A una rosa", la hablante proyecta en "*Mi* hermano" (mi énfasis) un signo bisémico que la une al héroe revolucionario y sus ideales a la vez que la solidariza con Haydée Santamaría: "Los ojos de Abel Santamaría / están en el jardín. / Mi hermano duerme bajo las semillas" (2003: 123).[24]

Morejón dedica "Mitologías" (2003: 132), "a mi juicio el más logrado de estos poemas", a Camilo Cienfuegos, comandante y compañero de filas de Ernesto Che Guevara, de Raúl y Fidel Castro, junto a quienes encarnara el vibrante espíritu liberador del movimiento que llevara al triunfo de la Revolución.[25] Hijo de anarquistas españoles y de humilde extracción, Camilo Cienfuegos Gorriarán (La Habana, 1932-1959?) se había incorporado al grupo de Fidel Castro en México y lo había acompañado en la expedición del *Granma*.[26] Años después, fue uno de los fundadores del Ejército Rebelde, Comandante de la Revolución, y, desde la Sierra Maestra, participó en toda la campaña revolucionaria llegando a ser un brillante estratega militar durante la Guerra de Liberación Nacional.

Como uno de los líderes más carismáticos del movimiento, Camilo ejercía gran ascendiente popular por su carácter jovial, natural desprendimiento y excepcional carisma. Con la victoria del Primero de Enero de 1959, aclamado por el pueblo como uno de sus más genuinos héroes, fue designado jefe del Estado Mayor del Ejército Rebelde. De una lealtad sin límites a la Revolución y a su máximo líder, en octubre fue enviado a Camagüey para neutralizar lo que se dijo era una conspiración contrarrevolucionaria para arrestar al comandante Hubert Mattos. El 27 de octubre de 1959, desde la provincia de Camagüey, inició el regreso, pero nunca llegó a su destino. La versión oficial dijo que en su viaje de regreso a La Habana murió trágicamente en un accidente de aviación. Su pequeño Cesna-310 desapareció misteriosamente en el aire, en una tormenta sobre el océano. Los restos del avión nunca fueron localizados. La inesperada muerte dio lugar a sospechas y especulaciones sobre lo accidental o no del hecho. De todos modos, víctima de una misteriosa desaparición, Camilo pasó a la posteridad convertido en un mito de la Revolución. Así lo recordó el Che Guevara:

> Camilo fue el compañero de cien batallas, el hombre de confianza de Fidel en los momentos difíciles de la guerra y el luchador abnegado que hizo siempre del sacrificio un instrumento para templar su carácter y forjar el de la tropa... Camilo era Camilo, señor de la vanguardia, guerrillero completo que se imponía por esa guerra con colorido que sabía hacer (1977).

"Mitologías" comienza:

> Furias del huracán acostumbrado,
> vientos misteriosos golpeando el arrecife,
> palos de muerte y de coral
> inundaron las bahías de la Isla
> y se tragaron el aire de Camilo.
>
> Sus pulmones fueron hélices negras
> que naufragaron en un soplo,
> desde donde las turbonadas de la misericordia
> están girando,
> como troncos de manigua varados,
> enjaulados
> en una eterna comandancia boreal.
> Las chalupas y las bocas jadeantes
> navegan por los mares
> y Camilo perdido.
>
> (2003: 132)

En una polisemia sutilmente difusa, la voz lírica sugiere el enigma inexplicado de la trágica y violenta desaparición de Camilo en los golpes de "vientos misteriosos" con imágenes que como signos de sugestión apuntan hacia agresiones furiosas en huracanes, vientos, inundaciones y golpes en el arrecife o golpes de "palos de muerte" proferidos por la naturaleza que por desplazamiento calificativo parecen también apuntar hacia la acción de quienes podrían haber ultimado a Camilo. Imagen que se puede leer literalmente, pero también se podría proyectar más allá hacia una interpretación de lo que fueron especulaciones a cuarto cerrado en Cuba y al descubierto en el exterior. Se sospechaba que Camilo no había muerto en una tormenta, sino que había sido asesinado y desaparecido.

Como Che Guevara, Camilo Cienfuegos encarnaba a un héroe romántico, carácter exaltado en el imaginario popular por la inesperada muerte rodeada de cuestionamientos y misterios sin revelar. Morejón recoge esta arista al cerrar el poema con la imagen del pueblo amante, quien, en pos del cuerpo desaparecido, lo encuentra "con una flor silvestre, / amable", flor que, como Camilo, también había sido lanzada a la intemperie en la vastedad de un mar de mitologías. El título del poema apunta hacia posibles interpretaciones. Las mitologías pueden ser historias de héroes o dioses con un significado secreto que pueden esclarecer elementos fundamentales de una sociedad o nación, aunque, por otra parte, a nivel popular pueden connotar rumores. Recordemos las implicaciones de la palabra mito, el sentido de ficcionalidad, invención, así como también su derivado, la palabra mitómano, que se refiere a quien desfigura y engrandece la realidad.

En "Mitologías", Morejón emplea una imaginería por momentos irracional. Con profunda densidad metafórica, el texto abarca diferentes posibilidades. En un juego polisémico propone múltiples lecturas que como rayos refractarios en un movimiento semiótico pendular ondulante pasan ambivalente y oblicuamente de un lado a otro de diferente matiz ideológico. Con un manejo magistral del lenguaje, la poeta potencia significaciones alternativas que van apuntando hacia los silencios del discurso oficial.

Atenta al acontecer internacional vinculado a la Revolución, Morejón vuelve su mirada al Caribe, en los poemas de *Cuaderno de Granada* (1984), colección que, con gran cuidado de forma, ritmo e imaginería poética, da un testimonio lírico de la invasión a Granada en octubre de 1983.[27] Ese ataque a la pequeña isla-nación caribeña inevitablemente trajo resonancias de la invasión de Playa Girón y con ello sentimientos de solidaridad que Morejón recoge poéticamente. De acuerdo a Trinidad Pérez Valdés en "Concerning an Unforgetable Notebook", Morejón había comentado que deseaba describir el trágico fin de esos hermanos caribeños y expresar sus sentimientos de buena voluntad hacia Maurice Bishop y su pueblo (Pérez Valdés, 2001: 116). Con aliento romántico, la poeta le da la voz a un héroe dispuesto a entregar su vida por la soberanía de su patria en "El ruiseñor y la muerte":

> Si voy a morir peleando
> esa muerte no me apena,
> no me apena morir dando
> sangre que vive en mis venas.

La voz lírica enlaza imágenes violentas de la agresión de los Estados Unidos, de los *marines* que "arrancan / la lengua y la cabellera [...]", mientras se identifica con el dolor de ese mundo

"Granada, cómo te hieren / [...] / Granada, tu fosa es mía / como es mía la sementera". Configurando cadencias de musicalidad popular con versos octosilábicos que incluso se pueden recoger al ritmo de tambores, la poeta le canta al hecho histórico, a la crueldad sufrida por sus mártires y héroes caídos peleando frente al mar con un "fusil encarnado", acunado por el lirismo del infinito canto de un ruiseñor, símbolo de poesía en el imaginario morejoniano.

Con la publicación de *Parajes de una época* (1979), la poeta inició un ciclo de su creación con una temática y una estética animadas por una agenda política que se prolongaría hasta *Octubre imprescindible* (1982) y *Cuaderno de Granada* (1984). Con estos textos, Morejón estableció en su obra la alianza de lo literario y lo ideológico dando cuenta de dramáticos momentos históricos, a la vez que honrando a heroicas personalidades nacionales e internacionales. A su vez, en esa misma época dio a conocer poemas memorables con temas de africanía y de género que han recorrido el planeta en varios idiomas, me refiero, particularmente, a sus por siempre antologados, "Mujer negra" y "Amo a mi amo". Esta zona de su obra, imbuida de resonancias históricas y políticas, con correspondencias que reflejan y refractan el fondo ideológico común de la Revolución, con sus cumbres y sus valles, resulta en algún punto estéticamente despareja, particularmente cuando parece gravitar hacia un realismo socialista que no llega a abrazar totalmente, pues, en última instancia, la escritura de Morejón, aun la ensayística, perfila un espíritu esencialmente artístico.

Revolución y raza

La Revolución y el Movimiento de Liberación Negro de los Estados Unidos

Cuando en 1960, Fidel Castro fue a Nueva York para asistir a la Asamblea de las Naciones Unidas, aduciendo no haber sido bien recibido en el Hotel Shelbourne, se trasladó al Hotel Teresa de Harlem, donde fue aclamado por una multitud. Fue entonces cuando conoció a Langston Hughes, Malcom X y Kwame Nkrumah, presidente de Ghana, en lo que constituyó uno de los primeros pasos hacia una política de acercamiento con varios de los líderes más radicales del Movimiento de Liberación Negro de los Estados Unidos. La Revolución volvió su rostro hacia la causa de los negros y declaró que sus enemigos eran los mismos del Movimiento de Liberación Negro norteamericano, para contrarrestar la campaña negativa de la prensa y de varios sectores políticos de ese país (De la Fuente, 2001: 298). De todas maneras no debemos olvidar que la relación de solidaridad y admiración recíproca entre los negros de los Estados Unidos y los de Cuba tiene una larga historia que se remonta al siglo XIX, a los tiempos de la relación de Frederick Douglas y Henry Highland Garnet con José Martí y Antonio Maceo. Incluso en el siglo XX, Langston Hughes, en su visita a Cuba, había trabado estrecha amistad con Nicolás Guillén, con quien habría de participar en la Guerra Civil española.

Por otra parte, Nancy Morejón nos recuerda el íntimo e inquebrantable vínculo entre la africanía de ambas culturas. Ella había descubierto tal conexión a través de su padre, quien la había aprendido en sus intermitentes estadías en Harlem, Filadelfia, Tampa y Luisiana. Morejón sostiene que la común experiencia de la esclavitud en ambos mundos había creado una comunidad de sentimientos y un estrecho e irrevocable vínculo a pesar de la hostilidad política de las últimas décadas:

> El látigo que revoloteó de las haciendas de las Carolinas hasta las emblemáticas montañas de Santiago de Cuba fue uno solo y nos dejó esa ansia de libertad, identidad que se expresa en nuestras músicas itinerantes, en nuestro imaginario fiero y sutil. El desacuerdo político, que llega hoy a grados inconcebibles, siempre ha sido burlado por esa irreversible y perenne conexión, así como la buena fe de ambos pueblos. Nada podrá separarnos. Nada podrá deshacer esta inmensa familia forjada desde siglos atrás a ambos lados del golfo (Chávez, 2005: 19, 22-23).

La intelectualidad de los Estados Unidos estaba fascinada con la Revolución Cubana, fascinación que se propagó a los más destacados líderes negros, como Amiri Baraka (Le Roi Jones) y Malcom X. Además, con el objetivo de promover la Operación Verdad, miembros de la prensa negra de los Estados Unidos ya habían sido invitados a Cuba en enero de 1959 (De la Fuente, 2001: 296). Después de la experiencia de Castro en Nueva York en 1960, los líderes del Movimiento de Liberación Negro empezaron a ser invitados a visitar la Isla, e, incluso, algunos de esos viajes fueron sufragados por el Gobierno cubano. Asimismo, la revista *Lunes de Revolución* sacó un número especial dedicado a "Los negros en los Estados Unidos", con la colaboración de Amiri Baraka, Langston Hughes y otros líderes intelectuales afronorteamericanos. Es más, algunos de los activistas más radicales del movimiento afronorteamericano se exiliaron en Cuba y encontraron allí apoyo diplomático, político y militar, empezando por Eldrige Cleaver, uno de los fundadores del Partido de los Panteras Negras, en California (octubre de 1966), y Assata Shakur, quien fundara el Ejército Negro de Liberación.[28] Entre 1961 y 1966, Robert Williams, activista marxista radical de la Asociación de Progreso para la Gente de Color (NAACP), estuvo exiliado en Cuba desde donde dirigió la radio emisora Free Dixie, la cual alcanzaba al público estadounidense con noticias sobre el racismo y los derechos civiles.

Otros líderes negros de los Estados Unidos, entre quienes se encontraban Huey Newton, Bobby Seal y Rap Brown, empezaron a visitar regularmente la Isla y a maravillarse de las conquistas de la Revolución en cuanto a la erradicación de la discriminación racial (De la Fuente, 2001: 296-307). Stokely Carmichael declaró en un congreso en La Habana que los negros norteamericanos eran una clase oprimida, una colonia dentro de los Estados Unidos, y que su relación con el capitalismo estadounidense era la misma que la de otros colonizados con el sistema capitalista occidental (De la Fuente, 2001: 300). Estos líderes, que buscaban acabar con el racismo y el capitalismo, encontraban legitimidad en la Revolución. Incluso se llegó a decir que algunos de ellos habían tenido entrenamiento guerrillero en la Isla y que los métodos aprendidos habían sido después aplicados en las revueltas de Watts, Detroit y Newark.[29]

Esa estrecha relación del Gobierno cubano con los afronorteamericanos no tuvo larga vida. Llegó un momento en que estos últimos observaron que el racismo y la discriminación no habían desaparecido de Cuba. Se trataba de una realidad viva, pues el Gobierno no había sido tan efectivo como proclamaba serlo (De la Fuente, 2001: 301-322). Al fin, Robert Williams se desencantó de la Revolución y denunció el racismo. También

John Clytus, mientras trabajaba para el Gobierno cubano, observó varias instancias de discriminación racial contra estudiantes congoleses en La Habana (Moore, 1988: 254). Confirmando esta situación en Cuba, Onesimo Silveira declaró que estudiantes de Guinea Bissou habían sufrido discriminación en la Isla. El Gobierno Revolucionario no toleró ese descontento y envió a los estudiantes extranjeros a la Isla de la Juventud. Poco tiempo después, Robert Williams abandonó discretamente·Cuba y se exilió en China (Moore, 1988: 308-309). Llegado un momento, algunas de las actividades emprendidas por los negros estadounidenses empezaron a incomodar al Gobierno Revolucionario, pues revelaban públicamente, como señaló Carmichael, la opresión racial y cultural de los afrocubanos, todo lo cual implicaba un sentido crítico indeseable para el proyecto revolucionario.

Partícipe del mundo cultural e intelectual de la época y siempre sensible al acontecer histórico y social, Morejón dirigió su mirada poética a la situación de los negros estadounidenses, en particular en "*Freedom now*"[30] y en "Un manzano de Oakland".[31] En ambos textos, la poeta trae a colación el linchamiento que, en los Estados Unidos, más allá de los esclavos, se había extendido a los negros libres, los indígenas y los emigrantes asiáticos, o sea, a la población no-blanca. Se trataba de una práctica adoptada para favorecer y proteger la supremacía de los blancos. Después del establecimiento del Ku Klux Klan en 1867, el número de este tipo de ejecuciones de negros en los Estados Unidos había aumentado notablemente, continuándose hasta el siglo xx. Este hecho fue uno de los factores que llevó a la formación de la NAACP (National Association for the Advancement of Colored People) en 1909. Los linchamientos continuaron en el sur del país después de la sanción de la ley de Derechos Civiles en 1964. Precisamente, inspirada en ese

Movimiento de los Derechos Civiles de los 60, Morejón dedicó "*Freedom Now*" a la lucha de los afronorteamericanos. Los muestra sacrificados y privados de su condición humana al ser tratados como viles insectos: "en el sur de los Estados Unidos / [...] / ciudades misteriosas llenas de gente / que lincha negros y pisa cucarachas".

Morejón le dedica "Un manzano de Oakland" a Angela Davis, reconocida disidente negra de California, que alcanzó gran popularidad en Cuba por su activismo en defensa de los derechos humanos contra todo tipo de opresión. La poeta ubica este texto en el mundo de California, para referirse a la causa racial de los Estados Unidos, en el tiempo del racismo poco controlado. La hablante insta a un niño estadounidense a auscultar profundamente esa realidad, a hurgar en sus espectros, volviendo los ojos a esos tiempos de matanza de negros:

> Mira bien, niño del occidente norteamericano,
> la copa del manzano,
> más ancha aún que la misma costa del Pacífico:
> la que guarda en su mejor raíz
> carabelas y espectros.
>
> Y a ti, viajero, te dará sombra siempre,
> pero detén tu marcha pesarosa ante esa sombra suya.
> No olvidarás jamás que ha sido
> la triste, cruel, umbrosa, la efímera morada
> de múltiples cabezas negras colgando entre el follaje,
> incorruptibles.
> (2006: 106-107)

En 1975, Fidel Castro declaró que Cuba era una nación latino-africana. El reconocimiento de las raíces africanas de la nación permitió a la Revolución identificarse con las luchas anticoloniales de los pueblos negros de otras partes del mundo. La solidaridad con estas causas se convirtió en una bandera de su política internacional que flameó por toda América extendiéndose al África. Sin embargo, ya en 1963, Cuba había iniciado una política de ayuda al África enviando brigadas de una masiva asistencia médica a Angola, asistencia que se extendió a más de dieciséis naciones africanas, siete latinoamericanas y dos asiáticas. En cuatro décadas, Cuba llegó a graduar en las ciencias médicas alrededor de treinta mil jóvenes de África y también de otras partes del mundo.

Asumiendo que Cuba había acabado con el problema racial, la Revolución tomó el liderazgo internacional de esta causa anticolonial en el África. Los países africanos constituían una zona de vital interés para el Gobierno cubano, pues era un campo fértil para la difusión de los ideales revolucionarios y el necesario apoyo internacional. A partir de 1975, Cuba se comprometió muy activamente cuando el Presidente de una Angola recientemente independizada de Portugal, Agostinho Neto, le pidió ayuda a Fidel Castro ante la amenaza de invasión desde Sudáfrica. Se estima que en Angola las bajas de cubanos, en su mayoría afrodescendientes, superaron las cuatro mil. Interesa señalar aquí el descontento entre los intelectuales negros cubanos frente a la política exterior de la Revolución de apoyo a los movimientos independentistas africanos y a los negros de los Estados Unidos en contraste con la política hacia los afrodescendientes dentro de la Isla (Flora González, 2005: 991).

Los afrocubanos

Con el triunfo de la Revolución de 1959, se abrió un panorama de posibilidades de educación, ascenso y justicia social para toda la población. Se aspiraba a realizar el ideal humanista martiano de lograr "una nación para todos". En su reclamo de un mundo regido por enaltecedores principios éticos y valores humanos, la Revolución había despertado legítimas esperanzas al proclamar la erradicación de desigualdades e injusticias proponiendo vivienda, alimento y educación para todos sin descontar los desde siempre postergados afrocubanos.

En Cuba, una vez abolida, la esclavitud había sido transformada y prolongada por una explotación económica que redujo al negro a habitar los barrios más marginados en condiciones de hacinamiento, mientras trabajaba en empleos menores y de baja remuneración. A este panorama se agregaba que los niños negros tenían un mínimo acceso a la educación debido a la necesidad de trabajar para subsistir. En consecuencia, se dificultaba la movilidad social y se perpetuaba la marginación de los afrodescendientes.

Los teóricos de la Revolución partían de la base de que el problema racial era un problema de clase social, posición que no era compartida por la intelectualidad negra de la época. Desde un principio, el asunto de la raza fue traído a primer plano por activistas políticos, intelectuales afrocubanos, quienes esperaban la erradicación del racismo y exigían una definición del Gobierno acompañada de una acción directa para eliminarlo. Juan René Betancourt, prominente abogado, exsecretario de la sociedad Victoria de Camagüey, colaborador y defensor de la Revolución, argumentó que debía abordarse abiertamente la igualdad racial y exigió justicia para los negros cubanos destacando su ausencia en posiciones de poder. Por su parte, Castro identificaba dos manifestaciones de desigualdad y segregación, una cultural, de acceso a la educación, y otra laboral, de acceso a trabajos (De la Fuente, 2001: 262-263).

En el discurso del 22 de marzo de 1959, Fidel Castro reconoció estos reclamos al condenar social y moralmente la discriminación, prometiendo además una campaña contra las manifestaciones públicas de racismo (De la Fuente, 2001: 263). En verdad, la puntualización de "públicas" dejaba el paso abierto para actos discriminatorios privados, *soto voce*, quizá los más odiosos por la hipocresía que se agregaba a esa indignidad. Castro ignoraba las implicaciones etnopolíticas y socioculturales del sistema cubano de supremacía blanca que, desde siempre, ha seguido el modelo latinoamericano de relaciones raciales insistiendo en negar el problema con una política integracionista y benevolente que promoviera el blanqueamiento.[32]

A ello debemos agregar que la propuesta de Castro contra el racismo fue acompañada de su oposición a una ley antidiscriminatoria. Incluso en los inicios, llegó a justificar la resistencia a la integración de los negros a los clubes sociales, recordando en un discurso público que él no había prometido abrir los clubes sociales a los negros y que la gente podía elegir con quién socializar (De la Fuente, 2001: 264-266). Esta política contra el racismo ponía de manifiesto un doble discurso que revelaba las dos cara de Jano, una de las cuales no era radicalmente antidiscriminatoria.

Castro les pedía a los afrodescendientes ser más respetuosos para así no justificar las excusas a los opositores a esta paulatina integración, de modo que, en última instancia, no postulaba ninguna medida realmente revolucionaria sobre este tema, sino que en la integración gradual propuesta por un discurso en apariencia antirracista, más bien parecía proteger institucionalmente una resistencia interior conservadora estableciendo un modo de dilatar la cristalización de lo que constituía un imprescindible proceso social de cambio. A diferencia de las medidas radicales tomadas respecto a otros problemas ideológicos, culturales, sociales o económicos, en cuanto a lo racial, la Revolución propuso soluciones tibias, cambios paulatinos sin exigencias de redefiniciones violentas de los papeles y las funciones de los afrocubanos (De la Fuente, 2001: 266).

Por otra parte, Castro llamó a un debate público sobre la problemática del racismo y la discriminación reconociendo oficialmente que se trataba de un lastre que debía eliminarse. Se trataron de implementar medidas graduales de desegregación de lugares públicos para crear oportunidades para los más marginados y convertir en realidad tangible la terminación del racismo. Se nacionalizaron las escuelas privadas y se tomaron varias iniciativas de educación y entrenamiento de trabajadores domésticos. Sin embargo, en el ámbito laboral, la Revolución se mantenía reacia a imponer por ley una determinada cuota de empleados negros, mientras las altas esferas gubernamentales se mantenían ocupadas por blancos. El nuevo Estado socialista daba prioridad a las diferencias de clases por sobre las raciales, al asumir que después de solucionado el problema socioeconómico, las disparidades raciales automáticamente desaparecerían. Craso error.

En cuanto a prácticas religiosas, siguiendo la filosofía marxista que veía en la religión el opio de los pueblos, a partir de 1961 ninguna religión gozó de libertad de culto. Las religiones afrocubanas asociadas con estigmas tanto de ignorancia y barbarie irracional como de conductas criminales y contrarrevolucionarias, no escaparon a esta política. En verdad todas las prácticas religiosas sufrieron diversas restricciones que recién empezaron a distenderse a partir de 1991 en el IV Congreso del Partido, en el que se trató el tema y se llegó a autorizar a los creyentes a formar parte del Partido Comunista. Luego, con la visita del papa Juan Pablo II en 1998, se produjo una apertura religiosa aún mayor.

Ya en 1962, la Revolución proclamaba haber erradicado el racismo y la discriminación. Desde ese momento empezó a disminuir la campaña contra la discriminación acompañada del silencio sobre este asunto, hasta el punto que se convirtió en tema tabú. Además, ese silencio impedía todo activismo público, lo cual, en última instancia, facilitaba la sobrevivencia y la reproducción de los estereotipos racistas que el discurso oficial decía condenar (De la Fuente, 2001: 293-295).

Por otra parte, se creó el Departamento de Folklore del Teatro Nacional de Cuba, dirigido por Argeliers León. La cultura afrocubana encontró allí una suerte de refugio institucional. Este departamento creó el Seminario de Folklore y el Seminario de Teatro, en los cuales se fueron formando los grandes estudiosos y creadores afrocubanos de la segunda mitad del siglo XX.[33]

A mediados de la década de los 60, un activo grupo de intelectuales cristalizó lo que vendría a constituir un renacimiento afro en Cuba. Se trataba de pensadores y creadores de alto calibre que intentaban (llenar un vacío buscando) recuperar y desarrollar valores culturales negros. Algunos indagaban en diferentes manifestaciones artísticas, poesía, teatro, cinematografía, mientras había quienes se orientaban hacia la cultura, los mitos, la historia borrada y olvidada de los negros, e incluso otros hacia la antropología, la etnografía y el folclor. Entre ellos se destacaban Walterio Carbonell, Miguel Barnet, Rogelio Martínez Furé, Nancy Morejón, Sara Gómez, Pedro Deschamps Chapeaux, Alberto Pedro, Eugenio Hernández Espinosa, Gerardo Fulleda

León, Manuel Granados, Tomás González, todos negros a excepción de Barnet.

Muchos de ellos —Morejón no participó en esto— eran considerados agitadores por el Gobierno. Se decía que estaban preparando un Manifiesto Negro para el Congreso Mundial de la Cultura de enero de 1968 que cuestionaba la política revolucionaria y que afirmaba el papel histórico de los negros en Cuba (Moore, 1988: 308). Días antes de ese congreso internacional, el ministro de Educación, José Llanusa Gobel, en una táctica injustificable en la cual reconocemos el episodio de *Lunes de Revolución,* llamó a este grupo a una reunión privada en un ambiente de aparente apoyo amistoso, para que se abrieran y manifestaran sus planes (Moore, 1988: 308-309).[34] Estos jóvenes de buena fe no sospecharon lo que se avecinaba. Con total honestidad, pusieron las cartas sobre la mesa planteando una serie de cuestionamientos y reclamos sobre la situación racial. Después de escucharlos, el ministro los enfrentó y acusó de sediciosos, promotores de división, recordándoles que solamente le correspondía al Partido formular teorizaciones sobre la cultura y que el planteamiento del problema racial reflejaba hostilidad a la Revolución, por lo cual la idea de un Manifiesto Negro quedaba terminantemente prohibida.

A continuación, se cortó de raíz el activismo de estos líderes. Este grupo de intelectuales negros fue desmantelado y dispersado. Sin embargo, Walterio Carbonell,[35] sociólogo, historiador y etnólogo marxista, antiguo amigo de Fidel Castro desde los años de estudiantes en la Universidad, insistió en sus ideas. Fiel a la Revolución Cubana y destacado luchador a favor de los derechos de los negros, perseveró en la búsqueda de la representatividad equitativa de los afrodescendientes en todos los niveles de la sociedad y el Estado. Como solución a la desigualdad, Walterio Carbonell creía en un socialismo real, democrático, participativo, alejado de todo dogmatismo e intolerancia (Fernández Robaina: "Para mi maestro: el Gran Walterio").[36] Pero no fue lo que encontró. A pesar de su trayectoria de lealtad a la Revolución, sus manifestaciones ideológicas fueron consideradas subversivas y acabó recluido en una granja. Walterio Carbonell estuvo sometido a un año de trabajo forzado después del cual desapareció de la escena pública para reaparecer años después como funcionario de la Biblioteca Nacional José Martí. La desaparición de Carbonell del escenario público fue acompañada de tal secretismo y silenciamiento que internacionalmente circuló la noticia de su muerte, al punto que Juan Goytisolo publicó en la prensa española un artículo necrológico.

El resto del grupo afrocubano se dispersó en varias direcciones. Algunos aceptaron la opción de quedarse en Cuba, rehabilitarse y tomar pequeños empleos en agencias de trabajo, mientras que otros optaron por el exilio.[37] Por su parte, Nancy Morejón discretamente se mantuvo en un espacio de silencio que se materializó literariamente con una tregua editorial poética de doce años (desde 1967 a 1979). En ese clima, siguió siempre escribiendo poemas y guardándolos en su gaveta. Algunos de sus textos recién han salido al público décadas después de ser escritos. No obstante, en esos doce años, la Morejón-escritora no desapareció de la escena literaria. Publicó dos libros de ensayos: *Lengua de pájaro: Comentarios reales* (1971), preparado en colaboración con Carmen Gonce, única obra testimonial en la que presenta a través de "las gentes sin historia", la historia de Nicaro Nickel Company; y *Recopilación de textos sobre Nicolás Guillén* (1974), en el que reúne una colección de ensayos críticos sobre el poeta camagüeyano. En 1975, publicó "Mujer negra", en la revista *Casa de las Américas* en un número especial dedicado al Año Internacional de la Mujer.

Al respecto, en una entrevista, Nancy declaró con palabras que no necesitan explicación:

> Estuve sin publicar más de doce años. Al parecer, la poesía que escribí fue considerada *non grata* por una pléyade de sabuesos incompetentes abroquelados casi todos alrededor de editoriales poderosas. Sin embargo, como muestra de su incapacidad, publiqué buena parte de mi trabajo investigativo, incluso aquel que no está directamente vinculado con las llamadas bellas letras (Chávez, 2005: 15).

"La batalla de la piel"

Frecuentemente surgen preguntas sobre la existencia de estudios realizados en torno a las relaciones raciales y el racismo en Cuba en este período. Durante la República, los estudios sobre la raza generalmente tendían a glorificar la trayectoria de los afrodescendientes destacados en el ámbito militar o político en la lucha por la independencia, como es el caso del general Antonio Maceo o Juan Gualberto Gómez. Entrado el siglo xx, se han realizado investigaciones sobre la experiencia y la cultura afrocubana a partir del trabajo de Fernando Ortiz, "padre de la antropología cubana", y también de Lydia Cabrera, quien llevara al papel leyendas, narrativas orales, testimonios relacionados con diferentes aspectos de las religiones afrocubanas. Por su parte, Nancy Morejón advierte: "en tiempos recientes falta una reflexión, una meditación compiladora de la presencia y la gestión de la población negra y mulata de Cuba en la historia de las ideas independentistas".[38] Más aún, continúa la poeta críticamente, "[s]us aportes permanecen en una opacidad injustificable".

Por lo demás, sabido es que la trayectoria de la cultura cubana desde el ingreso de los esclavos en la colonia ha estado colmada de prejuicios raciales. Al respecto, Morejón señaló:

[...] una sociedad que brotó de un sistema como la esclavitud está asentada sobre el racismo y sus consecuentes traumas. No hay matices ni términos medios. La historia de Cuba y su entorno geográfico inmediato, el Caribe, está marcada por el establecimiento de una justicia social cuyo primer signo es, como proclama el barbadense George Lamming, la batalla de la piel. La Isla no fue la excepción (Chávez, 2005: 18-19).

En Cuba, a pesar de la Revolución, en la práctica, el pueblo siguió siendo racista. La historia de discriminación sufrida por el negro en Cuba ha sido poco abordada por los académicos de ciencias sociales antes y después de 1959. La Revolución consideraba que el problema racial estaba resuelto, pues se trataba de un problema de clase social. Además, la discusión de este asunto no debía abordarse públicamente porque ello significaba plantear una fisura donde no existía. Más bien, debería decirse que ese discurso podría revelar una fisura oculta. Por lo tanto, a los efectos de la opinión pública, el Gobierno Revolucionario consideraba en esos momentos que el silencio era el mejor tratamiento, ya que tal argumento constituía un acto contrarrevolucionario y, por consiguiente, atentaba contra la unidad de la nación.

Independientemente del progreso cualitativo en cuanto a la posición de los negros en la sociedad cubana y su acceso a la educación, a puestos laborales, a lugares públicos que antes no podían frecuentar, los afrocubanos han continuado tolerando una situación social marginada, abundante en restricciones, en la cual los prejuicios transmitidos de generación en generación aún subsisten.

Tomás Fernández Robaina sostiene en "La prosa de Guillén en defensa del negro cubano":

> Guillén creyó que el problema estaba totalmente resuelto, como muchos también lo creímos, pero la vida nos ha enseñado que la solución a la discriminación en contra de los negros es muy compleja porque tiene que tener presente lo histórico, lo racial, lo económico, lo genérico, lo religioso; además, esa lucha hay que efectuarla al lado de la lucha de las mujeres, de los jóvenes, de los homo-sexuales, de todos los grupos sociales urgidos de reivindi-caciones donde quiera que existan, solo así podremos tener la esperanza de una sociedad futura donde esas luchas del presente y del pasado sean historias, nunca olvidables, para que funjan como faros que indiquen lo que superó, y lo que debemos evitar (2003:145)

Si bien la Revolución redujo notablemente la desigualdad en lo relacionado con la educación, la salud y algunos aspectos laborales, no fue así en áreas tales como la vivienda (De la Fuen-te, 2001: 313). Hoy en día, los afrocubanos viven en las zonas de viviendas más deterioradas de la ciudad, como el Cerro y Luyanó.

Otros factores que inciden en la desigualdad tienen que ver con los cubanos que buscaron asilo en los Estados Unidos des-pués de la Revolución. La gran mayoría de ellos eran blancos de la alta burguesía. De modo que cuando los exiliados comenzaron a enviar remesas de dinero para ayudar a sus familiares, continuaron perpetuando las diferencias económicas existentes hasta entonces entre blancos y negros dejando a estos últimos en una situación por siempre marginal (Herrera, 2000: 123).

Cuando a fines de los 80 vino la bancarrota del orden soviético, se dejaron de recibir los fondos de la Unión Soviética y la economía cubana tocó fondo. Se perdió un 70 % de la capacidad de importación y se paralizaron las industrias y la agricultura por falta de petróleo. Con la caótica situación económica del Período Especial, se produjo una emigración masiva, mientras que aquellos que se quedaron tuvieron que reinventar a Cuba. Se buscaron otras fuentes de divisa con las inversiones extranjeras y el fomento del turismo.

Hasta el comienzo del llamado Período Especial, a principios de los 90, el turismo era un rubro tradicionalmente ocupado por una proporción representativa de afrocubanos. Pero en los 90, se dio preferencia a los empleados blancos so pretexto de "buena presencia", eufemismo para excluir a los negros y privilegiar a los blancos en un ramo laboral de mejor remuneración. Lo cierto es que el resultado ha sido que, si se entiende que en la actualidad el sueldo promedio puede ser entre 15 y 20 dólares al mes y que en el rubro turístico se puede ganar esa cantidad o más diariamente en propinas, los afrodescendientes con menos opciones cayeron en mayor desventaja.

Jineterismo

La crisis ocasionada por la desintegración de la Unión Soviética y la pérdida de apoyo económico que recibía Cuba, fue caldo de cultivo para un descontento que agudizó las tensiones raciales y sociales trayendo además la crisis de los balseros. Hubo una airada protesta callejera en el Malecón de La Habana, el 5 de agosto de 1994. Cientos de miles de ciudadanos se lanzaron a la calle manifestando su descontento por la crisis que atravesaba el país con reclamos de cambios políticos que culminaron con ataques a tiendas frecuentadas por turistas. (De la Fuente, 2001: 328-329).

En ese momento de profunda crisis económica, los negros quedaron sufriendo mayores privaciones. (Las urgencias básicas se tornaron imposibles de satisfacer). La situación se volvió tan crítica, que, en la lucha por la supervivencia, valores humanos fundamentales se empezaron a distorsionar dando origen a comportamientos otrora impensables en el marco de la Cuba revolucionaria.

Se produjo un nuevo tipo de comercio sexual practicado generalmente con turistas, el jineterismo.[39] Para muchos, la introducción de este nuevo tipo de prostitución en los 90 ha sido motivo de vergüenza en una nación que se jactaba de haber acabado con ese problema social. Recordemos que durante la República, la prostitución había proliferado a tal punto que La Habana era considerada el prostíbulo del Caribe. Con el triunfo de la Revolución, se había iniciado una campaña contra la prostitución que culminó cuando, en 1961, se hizo ilegal. Sin embargo, en las instancias actuales, los sectores más desamparados y castigados por la situación comenzaron a entregarse a este comercio sexual a cambio de consumos mínimos y acceso a los lugares solo asequibles a los turistas y a un pequeño grupo de cubanos privilegiados.

El imaginario del hombre blanco ha configurado mitos de placer racialmente definidos por estereotipos de una sexualidad africana primitiva lúbrica. De tal manera, las mujeres afrodescendientes vistas por los turistas como objetos sexuales exóticos, fueron las primeras en acudir a esta nueva forma de prostitución. En consecuencia, hoy en día, las negras son las más cotizadas por los extranjeros que vienen a la Isla. Les siguen en preferencia las mulatas. Por otra parte, este no es un fenómeno exclusivo de las mujeres, sino que es compartido con los hombres negros. Las oportunidades de trabajo sexual atraen a La Habana a hombres y mujeres de toda la Isla, aunque han predominado de las provincias del Oriente donde hay mayor proporción de afrodescendientes.[40]

Amir Valle, en *Habana Babilonia o prostitución en Cuba*,[41] excelente y revelador trabajo testimonial, presenta una descripción documentada del sórdido mundo de las jineteras de boca de ellas mismas y de su entorno de proxenetas, taximetristas, dueños de burdeles clandestinos, traficantes de drogas, incluyendo policías corruptos. Amir Valle señala que en Cuba la palabra *jinetera:*

> proviene de la inventiva natural del cubano y su sentido del humor: durante las guerras de liberación contra el dominio colonial español, los independentistas cubanos (mambises) se lanzaban contra los batallones de soldados españoles en ataques de caballería para ganar la batalla a filo de machete; en la Cuba de la década del 90, las mujeres cubanas se lanzan contra los turistas (al principio España tuvo un predominio absoluto en el envío de turismo a nuestra isla) para ganarse la vida con sus antiquísimas artes del placer, tan eficaces para la victoria como el filo de cualquier machete mambí. Los mambises eran *jinetes* que luchaban por su libertad. Ellas, hoy, dicen los bromistas en la isla, son *Jineteras* que aspiran a la libertad que

ofrece el poder del dólar. Con el paso de más de una década desde el surgimiento de este nuevo brote de prostitución a escala nacional, el término *Jineteros* se ha llegado a utilizar para todos los que intentan obtener dividendos en la complicada trama del comercio sexual, el narcotráfico y el mercado negro (Valle, 2005).

En la cultura popular y en la literatura, han ido apareciendo respuestas a esta situación. Por ejemplo, el cantautor Silvio Rodríguez, en su crónica musical de La Habana, comenta sobre los aciertos y las paradojas de la Revolución, sobre la comercialización de la sociedad cubana de los 90 y la proliferación de la prostitución en la elegante Quinta Avenida, de Miramar, donde las jineteras van al encuentro de clientes extranjeros como "flores nocturnas [...] flores de desilusión" (Rodríguez, 2003: 599-603). En el teatro, el dramaturgo Eugenio Hernández Espinosa (Premio Nacional de Teatro 2005), en su celebrada pieza teatral, *Alto riesgo*, puesta en escena en 1993, se atreve con este tema candente de la actualidad cubana. Valientemente denuncia la corrupción que ha roto radicalmente con valores y caras tradiciones cubanas fomentando el turismo sexual. Con profundo calado humano, Hernández Espinosa presenta un revelador enfrentamiento, un ajuste de cuentas de una mujer universitaria, quien, acorralada en una peculiar y desesperada situación, abandona los estudios para desembocar en el jineterismo. Más recientemente, Hernández Espinosa ha puesto en escena *¿Quién engaña a quién?* en la que presenta en tres situaciones diferentes una crítica incisiva y amarga al sistema que ha abandonado a su población y la ha entregado a este degradante tráfico humano. Por su parte, Morejón, siempre atenta a la problemática nacional, dirige oblicuamente su mirada poética a este problema en "Persona" (2003: 204-206).[42]

Discriminación

Nicolás Guillén, primer Presidente de la UNEAC, diputado de la Asamblea Nacional y miembro del Comité Central del Partido Comunista, fue proclamado por la Revolución el Poeta Nacional. En una línea de incondicional solidaridad que mantuvo hasta el fin de sus días, Guillén sostuvo, en discursos, ensayos y poesía, que la Revolución había abolido el prejuicio racial. Al respecto, es particularmente elocuente su poema "Tengo", en el cual celebra las conquistas sociales de los afrodescendientes encarnados en el yo-hablante:[43]

> Tengo, vamos a ver,
> tengo el gusto de andar por mi país,
> dueño de cuanto hay en él,
> mirando bien de cerca lo que antes
> no tuve ni podía tener.
> ....
> Tengo, vamos a ver
> que siendo un negro
> nadie me puede detener
> a la puerta de un *dancing* o de un bar.
> O bien en la carpeta de un hotel
> gritarme que no hay pieza,
> una mínima pieza y no una pieza colosal,
> una pequeña pieza donde yo pueda descansar.

El público, a un nivel nacional e internacional, deslumbrado por los logros de la Revolución y respondiendo a un autoengaño colectivo fomentado por la adhesión a la ideología y al discurso igualitario de una utopía redentora, creyó como

Guillén que se había acabado con todo tipo de discriminación. En los hechos, las relaciones etnorraciales en Cuba, como en el resto de América, se entretejen alrededor de un prejuicio racial subyacente que se da de hecho.[44] Aunque se niegue, se pone de manifiesto en la distribución de poder, de trabajo y de vivienda. No se trata de un código escrito o verbalizado, sino de una normatividad difusa, sobrentendida, que a la postre articula prácticas excluyentes del afrodescendiente. La discriminación abunda en el ámbito privado, pero también en las altas esferas del Gobierno en el que hay una notable ausencia de negros, quienes solo ocasionalmente ocupan algún cargo destacado, quizá para dar una imagen de diversidad racial y borrar sospechas de racismo. ¿Cómo explicar la escasa o casi nula representación de afrocubanos en posiciones de poder en cargos gubernamentales? ¿Cómo explicar la alta proporción de prisioneros negros en las cárceles? ¿Cómo explicar que, en su mayoría, las jineteras son negras o mulatas?

En una entrevista, Nancy Morejón ha afirmado categóricamente: "El prejuicio racial está derrotado, pero no muerto", pues, a pesar de los esfuerzos de cuarenta años de Revolución no lo han podido erradicar y aún existe en Cuba (Sapphire, 2002: 74). Incluso, en La Habana, se oyen innumerables anécdotas de ocurrencias de racismo, de barreras sociales de color levantadas en los momentos y lugares más inesperados.

Tangencialmente, Nancy Morejón se aproxima a este tema en "Imitación de Juana Borrero",[45] texto evocador de la poeta decimonónica, con profundas implicaciones sociales.[46] En este poema, la voz lírica desde una perspectiva diametralmente opuesta al hablante de Nicolás Guillén en "Tengo" reclama la entrada a un restaurante sobre la costa, símbolo de la riqueza y el lujo gozados por un grupo social cuyo privilegio descansara sobre el sacrificio y la explotación de los esclavos africanos traídos de ultramar, todo ello sugerido por desplazamiento metafórico en "los negros arrecifes" y metonímicamente por las cadenas en el fondo del océano:

> Quiero entrar a ese restaurant
> instalado, como un espejismo,
> sobre los negros arrecifes,
> sobre el vaho enmudecido
> de infinitas cadenas bajo el mar.
>
> (2003: 312)

La voz poética insiste en tener acceso a un mundo de bienestar que evidentemente no está a su alcance: "Quiero que abran la puerta repujada / y sentarme a una mesa de hierro / cuyo mantel bordado / me recuerde los encajes de mis abuelas [...]". Asimismo, en una estrofa que se inicia con imágenes que apuntan hacia Juana Borrero al mencionar "la Virgen Triste", la hablante reclama gozar de las artes y las letras, y también de la naturaleza y de los tesoros gastronómicos naturales de la Isla que hoy en día se saben reservados para los turistas y que no están al alcance del ciudadano cubano común. De ahí la imagen de culpabilidad desplazada a la "transparencia liviana":

> Quiero,
> a la sombra de una buganvilia,
> recordar un verso lánguido de la Virgen Triste
> (por ejemplo, "la memoria de los días tranquilos",
> ¿adónde fue a parar?)
> y luego devorar los langostinos de mi isla

en su sabor de fuego peregrino,
en su culpable transparencia liviana.

(2003: 312)

Parecería desprenderse de este texto una alusión a un doble estándar de la Cuba de hoy en que no todos pueden gozar de ciertos privilegios como también otrora sucedía en la sociedad clasista y racista de la segunda mitad del siglo XIX de Juana Borrero. De ahí que desde el título del poema, "Imitación de Juana Borrero", se perfila un reclamo social que cobra una actualidad penetrante en la conjugación presente del verbo querer. Esas demandas reiteradas cuatro veces, no son satisfechas. Ante estas frustraciones, se oye un grito dolorido en la madrugada de quien no se asombra de nada, sin más alternativa que una pasividad contemplativa:

pero hay un grito desde el horizonte
en el vientre salobre de la madrugada,
humedecida por un relente de tristeza.
Por ahora sólo me ha sido dado
levantar la cabeza
para aspirar la brisa de las olas,
para dejar correr la espuma blanca ante tus ojos
    secos,
tus ojos que no se asombran ya de nada.

(2003: 312)

En "Trofeos III" (1996A: 100) aparece una hablante poética de Morejón ubicada desde una perspectiva distinta a "Imitación de Juana Borrero", pero aún distante del panegírico a los logros de la Revolución del "Tengo" de Nicolás Guillén. Aquí la voz lírica enuncia con íntima satisfacción los logros de la Revolución, pertenencias esenciales para una vida plena: la nutrición básica, "un pan"; el alimento intelectual, "un libro"; el poder de la naturaleza en "los vientos" y una isla de una soberanía inquebrantable por nada externo, "ajeno", ya sea concreto, un barco, como imaginario, un fantasma:

> Tengo un pan
> y algunas luces simples en la noche.
> Tengo un libro
> y una rosa esmirriada entre las manos.
> Tengo todos los vientos
> y una precisa voz para los prisioneros.
> Tengo una isla poblada
> y ningún barco, ningún fantasma ajeno,
> la podrán disolver
> entre las aguas.
>
> (1996A: 100)

En "El café de los poetas", de *Paisaje célebre* (1993), Morejón nos entrega otra perspectiva ciertamente desoladora.[47] Encontramos aquí una visión de estrago y deterioro físico de la ciudad, todo un mundo desgastado, carcomido y en ruinas: "un océano de termitas todo el entrave de vigas altas / desde el techo mugriento" con "lunas raídas". Es un ámbito carcomido y derruido donde lo único que puede iluminar es la poesía. "En esta ciudad ya no hay café para poetas [...] ya no hay nada sino los poetas mismos", pero se trata de "poetas sin mesas, sin sillas, sin café". Sin pronunciarse críticamente, la voz lírica da tristemente cuenta de una realidad evidente a todo residente o visitante de La Habana, el estrago, la ruina, la pauperización y las carencias de ese mundo donde lo que queda es el elemento humano y la creatividad.

Jerome C. Branche, en su "Introducción" a *Lo que teníamos que tener: Raza y Revolución en Nicolás Guillén* (2003), observa surgir desde la propia cultura vernácula afrocubana a través del *rap,* una profunda protesta ante la presente situación. Advierte un contradiscurso al discurso oficialista y a la apología de Guillén a las conquistas raciales de la Revolución. Incisivamente se pregunta si, al estar comprometido con la Revolución y supeditado al elemento propagandístico del engranaje revolucionario, Guillén no habría tenido una intención disimuladora en su poema "Tengo" (13). Branche trae a colación una parodia en *rap* al "Tengo" de Guillén que los Hermanos de Causa han creado destacando tanto el racismo vigente como las restricciones, el doble estándar y las frustraciones sufridas por los afrodescendientes:

Tengo una raza oscura y discriminada
tengo una jornada, que me exige y no da na'
tengo tantas cosas que no puedo ni tocarlas
tengo instalaciones que no puedo ni tocarlas
tengo libertad entre paréntesis de hierro
tengo tantos provechos sin derechos encierro
tengo tantas cosas sin tener lo que he tenido
tienes que reflexionar y analizar el contenido...[48]

(Causa en Branche, 2003: 13)

Evidentemente, el proceso de eliminación de la discriminación no ha sido efectivo. En el III Congreso del Partido Comunista de 1986, Castro había admitido públicamente que el racismo y la discriminación todavía existían, aunque destacara que formaban parte del lastre del pasado, de la sociedad cubana antes de 1959, argumento que intentaba exonerar a la Revolución de responsabilidad frente a este mal social de un gobierno de veintisiete años.

En el discurso pronunciado durante la clausura del Congreso de Pedagogía, el 7 febrero del 2003, Fidel Castro reconoció públicamente que la discriminación sufrida por los afrocubanos es uno de los más crueles sufrimientos que afectan a la sociedad.[49] Incluso llegó a admitir que siendo la Cuba de hoy una nación surgida de una Revolución social igualitaria radical, donde el pueblo había alcanzado un altísimo nivel educacional, aún subsistiera la discriminación, discriminación que calificó de objetiva por afectar a negros, mestizos y blancos, a aquellos que históricamente han sido los sectores más marginados de la población. Castro sostuvo que se trataba de un fenómeno asociado al monopolio de los conocimientos y a la pobreza en que los afrodescendientes habían seguido viviendo

como obreros aparentemente libres en barracones y chozas de campos y ciudades, donde familias numerosas disponían de una sola habitación, sin escuelas ni maestros, ocupando los trabajos peor remunerados hasta el triunfo revolucionario [...]. La Revolución [...] no ha logrado el mismo éxito en la lucha por erradicar las diferencias en el estatus social y económico de la población negra del país, aun cuando en numerosas áreas de gran trascendencia, entre ellas la educación y la salud, desempeñan un importante papel. [...] se ha podido ver que los sectores de la población que viven todavía en barrios marginales de nuestras comunidades urbanas, y con menos conocimientos y cultura, son los que, cualquiera que sea su origen étnico, nutren las filas de la gran mayoría de los jóvenes presos, de lo cual podría deducirse que, aun en una sociedad que se caracteriza por ser la más justa e igualitaria del mundo, determinados sectores están llamados a ocupar las plazas más demandadas en las mejores instituciones educacionales, a las que se accede por expediente y exámenes, [...], mientras otros sectores, con menor índice de conocimientos, cuyos hijos suelen asistir por las razones expuestas a centros de estudio menos demandados y atractivos, éstos constituyen el mayor número de los que desertan del estudio en el nivel medio superior, alcanzan un menor número de plazas universitarias y nutren en una proporción mayor las filas de los jóvenes que arriban a las prisiones por delitos de carácter común (2003).

En los últimos tiempos, se ha empezado a abrir en Cuba un debate público sobre este inquietante problema. En diciembre del 2008, en el marco del Festival Internacional de Nuevo Cine Latinoamericano de La Habana, se presentó *Raza*, el primer documental sobre la discriminación racial dirigido y producido en Cuba por Eric Corvalán. Este documental entrevista a reconocidos artistas e intelectuales, además del viceministro de Cultura y representantes de sectores populares de la población. Desde múltiples perspectivas, todos abordan abiertamente aspectos polémicos e impostergables de esta controversia: el silenciamiento del racismo que agobia a un amplio sector de la población, los estereotipos, así como también diversas expresiones concretas de discriminación racial en la Cuba de hoy.

Ahora bien, aun considerando lo que queda por hacer para traer a los afrodescendientes a un pie de real igualdad con los blancos, además de las contradicciones de la Revolución, se ha de reconocer que benefició a negros y a mulatos en la redistribución de recursos, en el sistema educativo y en el de salud pública. Este es un aspecto esencial a tener en cuenta, pues si bien, como indicara Rogelio Martínez Furé,[50] en los años 30 y 40 hubo un grupo de poetas negros destacados, Nicolás Guillén, Regino Pedroso y Marcelino Arozarena, fue recién después de 1959, con los programas de educación y promoción de las artes que dieran lugar a una vida cultural sin precedentes, que se presenció por primera vez en una nación hispano-americana la emergencia de una brillante y pujante genera-ción de intelectuales afrodescendientes, entre ellos, Nancy Morejón, Sara Gómez, Excilia Saldaña, Gerardo Fulleda León, Georgina Herrera, Rogelio Martínez Furé, Inés María Martiatu Terry, Tomás González, Manuel Granados, Pedro Pérez Sarduy y Eugenio Hernández Espinosa. Creadores cubanos todos, que con el tiempo habrían de ser reconocidos con los más codicia-dos honores dentro y fuera de las fronteras.

Notas

[1] Agradezco a la poeta el texto inédito de "Cultura y Revolución" (1999).

[2] En su ensayo inédito en español, "Cuba y lo afrocubano, ¿una metáfora?" (1999), Morejón parece apuntar hacia algunas de estas contradicciones al referirse al escamoteo de los aportes de la cultura cubana por aquellos que habían preferido o rechazado "ciertas creaciones literarias o artísticas donde prevalecieran no solo su lugar de gestación sino sus filiaciones ideo-lógicas o, incluso, políticas".

[3] Sobre esta generación, véase "La literatura cubana de la Revolución", de Camila Henríquez Ureña (1970).

[4] Durante los cinco años de labor editorial, El Puente publicó 38 libros de autores cubanos: José Mario, Nancy Morejón, Belkis Cuza Malé, Miguel

Barnet, Mercedes Cortázar, Gerardo Fulleda León, Ana Justina, Manuel Granados, Georgina Herrera, Santiago Ruiz, Silvia Barros, Joaquín G. Santana y Ana Garbinski (poesía); Nicolás Dorr, J. R. Brene y José Milián (teatro); Evora Tamayo, Mariano Rodríguez Herrera, Ada Abdo, Jesús Abascal, Ángel Luis Fernández Guerra, Antonio Álvarez y Guillermo Cuevas Carrión (cuentos), además del poemario *Consejeros del Lobo,* del poeta peruano Rodolfo Hinostroza, y la célebre antología *Novísima Poesía Cubana,* de Reinaldo Felipe (Reinaldo García Ramos) y de Ana María Simo.

[5] De acuerdo con un mensaje electrónico de Fulleda León, en esa antología habían incluido alrededor de veinte obras: "Éramos unos veinte autores incluyéndonos ambos [Hernández Espinosa y Fulleda León], por supuesto. No creo que de hacerse ahora deban ir esa cantidad. Tendrían que estar: Brene, Maité Vera, Jesús Gregorio, José Milián, Eugenio Hernández, Nicolás Dorr, Tomás González, Mario Balmaseda, René Fernández Santana, Pepe Santos, Joaquín Cuartas, Santiago (Héctor) Ruiz, Miguel Collazo, Rogelio Martínez Furé y Gerardo Fulleda León". También menciona otros nombres incluidos en esa antología: "Rolando Buenavilla, José Corrales, Ana Justina Cabrera, René Marín, Roberto Anaya, Humberto (no Heberto, el poeta) Padilla y otros [...]" (5 de mayo del 2006).

[6] Consúltese "Re-pasar El Puente", de Roberto Zurbano (2005: 2).

[7] Narrador, ensayista, guionista y director cinematográfico, Jesús Díaz (La Habana, 1941-Madrid, 2002) fue fundador y director de *El Caimán Barbudo* y de *Pensamiento Crítico*.

[8] Sobre el secreto público generado en contextos autoritarios que abusando del poder imponen una ley de silencio en un proceso de encubrimiento de un no ver ni oír activo, véase *Defacement: Public Secrecy and the Labor of the Negative,* de Michael Taussig (1999).

[9] Para más detalles del caso, véase: "Literature and Society", de Lourdes Casal (1971B: 458-461). Lisandro Otero (1938-2008) tuvo una carrera cultural notoria como Jefe de Redacción del periódico *Revolución,* de *La Gaceta de Cuba,* Director de la revista *Revolución y Cultura,* Presidente de la UNEAC, Presidente de la Academia Cubana de la Lengua, además de Embajador de Cuba.

[10] Véase la conferencia de Ambrosio Fornet: "Quinquenio Gris: Revisitando el término" (2007).

[11] Véase esta carta en *El caso Padilla: Literatura y Revolución en Cuba*, de Lourdes Casal (1971A: 123-124) y la entrevista a Cintio Vitier, hecha por Bejel (1971: 38).

[12] Para un análisis excelente del caso Arrufat, véase *Teatro y Revolución Cubana...*, de Jesús J. Barquet (2002B).

[13] Como otros intelectuales que habían sufrido similar marginación intelectual, Arrufat recibió años después el Premio Nacional de Literatura 2000.

[14] Esta conferencia fue impartida, en un momento de grandes tensiones políticas, en la Sala Che Guevara de la Casa de las Américas, como parte del ciclo "La política cultural del período revolucionario: Memoria y reflexión", organizado por el Centro Teórico-Cultural Criterios.

[15] En "Quinquenio Gris: revisitando el término", Fornet cita a César López en una entrevista publicada por *La Gaceta de Cuba*, "Defender todo lo indefendible, que es mucho" (marzo-abril de 1998) (2007).

[16] Véase la entrevista de Stephen Clark (2000).

[17] Este tema es tratado más ampliamente en el Capítulo Segundo.

[18] Peter T. Johnson sugiere que la rehabilitación de aquellos silenciados años atrás, respondía a la necesidad de mantener internacionalmente una imagen más abierta (1993: 153).

[19] Observar el caso del general Arnaldo Ochoa, héroe de Angola y Nicaragua, quien en 1989 fue arrestado con otros oficiales para concluir en el paredón con tres de ellos. La represión se volvió a recrudecer en marzo del 2003 contra un grupo de disidentes —77 periodistas, dueños de bibliotecas privadas, etc.—, muchos de ellos comprometidos con la Revolución de otrora y en el presente con el Proyecto Varela, iniciativa de la oposición cubana que pide el ejercicio de derechos políticos, económicos y cívicos (elecciones libres). Tras una serie de detenciones, otros disidentes fueron encarcelados y condenados a años de prisión.

[20] Al respecto, se ha consultado la ponencia de Fina García Marruz para el Primer Encuentro del Círculo de Cultura Cubana sobre "Lo cubano en Nueva York", titulada "Introducción a un debate sobre la poesía joven cubana" (1981: 18).

[21] Se trata del barrio obrero de Centro Habana donde nació la poeta.

[22] El poema fue publicado por primera vez en *Richard trajo su flauta y otros argumentos* (1967).

[23] Egües (1924-2006) era una leyenda del mundo musical cubano, flautista de la orquesta Aragón y creador por excelencia que compusiera el clásico *El bodeguero*.

[24] El poema fue publicado en *Parajes de una época* (1979).

[25] Publicado por primera vez en *Parajes de una época* (1979).

[26] Yate que en 1956 transportó desde México a la provincia de Oriente en el sureste de Cuba a Fidel Castro con ochenta y dos guerrilleros entre quienes estaban Che Guevara, Camilo Cienfuegos y Raúl Castro. Solamente doce guerrilleros llegaron a la Sierra Maestra. Este pequeño contingente inició así la lucha revolucionaria contra Fulgencio Batista.

[27] Durante la presidencia de Ronald Reagan, las tropas de los Estados Unidos invadieron la pequeña isla de Granada en marzo de 1983 con el objetivo de detener la exportación de la Revolución de Cuba al resto del Caribe y Centroamérica. De allí partieron las tropas norteamericanas victoriosas en diciembre de ese mismo año.

[28] Los Panteras Negras militaban en comunidades negras contra el gobierno norteamericano. Lucharon por establecer un socialismo revolucionario al estilo cubano. Fue una de las primeras organizaciones en la historia de los Estados Unidos de lucha organizada a favor de la emancipación de una minoría racial. El programa revolucionario del partido era establecer una verdadera igualdad económica, social y política sin divisiones de género o color.

[29] En "Is Castro's Cuba a Racist Society?" (1999), Servando González comenta: "It is not a coincidence that in summer of 1967, while the Organization of Latin American Solidarity was gathering in Havana, riots were erupting almost daily in many American cities. Detailed instruction for methods on urban warfare, later applied in Watts, Detroit, Newark and other riot scenes, appeared in *The Crusader,* a Cuban-financed newsletter mailed from Canada to the U.S. Copies of Che Guevara's manual on guerrilla warfare were sold by the thousands in book stores frequented by black nationalists, such as Vaughan's in Detroit, Robin's in Philadelphia, and Michaux's in New York". [No es una coincidencia que en el verano de 1967, mientras la Organización de Solidaridad Latinoamericana se reunía en La Habana, diariamente se producían levantamientos en muchas ciudades americanas. Instrucciones detalladas para guerri-

llas urbanas que luego fueron aplicadas en Watts, Detroit, Newark y otros lugares, aparecieron en *The Crusader,* una publicación financiada por Cuba enviada a los Estados Unidos desde Canadá. Millares de copias del manual de guerrillas del Che Guevara eran vendidas en librerías frecuentadas por nacionalistas negros, tales como Vaughan, en Detroit; Robin, en Filadelfia, y Michaux, en Nueva York.]

[30] Publicado en *Richard trajo su flauta y otros argumentos* (1967).

[31] Publicado en *Parajes de una época* (1979).

[32] Sobre los modelos latinoamericanos de relaciones interraciales, véase *Castro, the Blacks, and Africa* de Carlos Moore (1988: 21 y 355).

[33] La mayoría continúa su producción artística aún hoy en día, Rogelio Martínez Furé, Gerardo Fulleda León, Eugenio Hernández Espinosa, entre otros.

[34] Es claro el paralelo entre esta táctica y la empleada con Carlos Franqui, Cabrera Infante y Heberto Padilla, al ser llamados a un encuentro supuestamente amistoso a la Biblioteca Nacional antes de tomar la drástica medida de clausurar *Lunes de Revolución.*

[35] Autor de *Crítica: Cómo surgió la cultura nacional* (La Habana: Ediciones Yaka, 1961), libro prohibido durante una larga época y que luego fue reditado para la XV Feria del Libro de La Habana en el 2006.

[36] "Para mi maestro: El gran Walterio" es un artículo inédito de Tomás Fernández Robaina, quien tuvo la gentileza de hacérmelo llegar por correo electrónico (2005).

[37] Véase *Castro, the Blacks, and Africa,* de Carlos Moore (1988: 307-316).

[38] Comentario proveniente de la nota 13 del ensayo inédito en español "Cuba y su profunda africanía".

[39] Las jineteras no se ajustan al modelo de vulgares prostitutas. Con frecuencia tienen mayor nivel educativo, algunas son profesionales, médicas, ingenieras, con un sueldo promedio de 20 a 30 dólares mensuales que no les alcanza para resolver las necesidades familiares básicas y urgentes. Sin otra alternativa, acuden al último recurso que les queda para atender sus necesidades esenciales, su cuerpo. Generalmente, estas mujeres siguen siendo aceptadas en su casa. Incluso una organización de mujeres no gubernamental y de corta existencia, MAGIN, entendía que una mujer joven e

inteligente que estaba segura de sus propios objetivos y entregaba su cuerpo para poder traer alimento a su familia, tenía que tener gran confianza en sí misma y una alta estima personal (Herrera, 2000: 124).

[40] Este es un tema tratado y reconocido tanto dentro como fuera de la Isla. Amir Valle lo ha elaborado en diversas ocasiones, me refiero en particular a *Jineteras* (2006) y a una entrevista de Manuel Gayol Mecías, editada en *Opinión Digital* (2006).

[41] Agradezco a Rafael Duharte quien dirigiera mi atención a esta monografía y a Amir Valle quien me la hizo llegar por correo electrónico. Originalmente se titulaba *Sade nuestro que estás en los cielos* o *Prostitutas en Cuba*. Este trabajo, fruto de una década de investigación que por años el autor no pudo publicar, circuló clandestinamente de amigo en amigo. En 1999 fue presentado en el género testimonio para ser considerado para el Premio Casa de las Américas, concurso que fuera declarado desierto por razones no explicadas claramente. Bajo el título de *Jineteras,* este testimonio acaba de ser publicado.

[42] Me detengo a analizar este poema en el Capítulo Tercero "Huellas de africanía profunda".

[43] Poema aparecido originalmente en *La Gaceta de Cuba* (18 de junio de 1963), publicado luego en el volumen de obras escritas entre 1959 y 1964, titulado *Tengo,* en el cual predomina "la circunstancia inmediata". Este texto proviene de *Summa poética* (1980: 193).

[44] Para un estudio de este fenómeno en Uruguay con paralelos en otros países, véase *¿Teatro negro uruguayo? Texto y contexto del teatro afro-uruguayo de Andrés Castillo* (1996), de J. Cordones-Cook.

[45] Publicado en *Paisaje célebre* (1993). Las citas provienen de la versión de *Looking within / Mirar adentro* (2003: 312).

[46] Nacida en un ambiente selecto y culto, Juana Borrero (1878-1896) había tenido una vida de privilegio que le había abierto todas las puertas. Su padre, Esteban Borrero, colaboró con Martí en los Estados Unidos en los preparativos de la Guerra de la Independencia. Su familia celebraba tertulias literarias frecuentadas por destacados intelectuales de la época. Su talento había sido muy admirado nada menos que por José Martí, a quien había conocido en Nueva York, y Julián del Casal, con quien había sostenido una breve amistad amorosa, y quien además le había dedicado el poema "Virgen triste", al cual alude Morejón en su texto. Juana Borrero se

había distinguido desde la niñez por su excepcional precocidad tanto en pintura como en literatura.

[47] El texto citado proviene de *Looking within / Mirar adentro* (2003: 120-122).

[48] Branche señala que este texto aún no había sido estrenado comercialmente como grabación, pero que había sido cantado durante el Festival Cubadisco, en La Habana, en mayo del 2001 (2003: 13).

[49] Me refiero al discurso sobre el desarrollo de la educación pronunciado por Fidel Castro en el teatro "Carlos Marx". Este texto aparece publicado en versión taquigráfica del Consejo de Estado cubano en Internet en *Digital Granma Internacional* bajo el título: "El futuro desarrollo de nuestra educación tendrá una enorme connotación política, social y humana" (2003).

[50] De acuerdo con entrevista (Cordones-Cook, 2006*D*).

Capítulo Segundo

EL EXILIO Y SUS UMBRALES

Exile is strangely compelling to think about but terrible to experience. It is the unhealable rift forced between a human being and a native place, between the self and its true home: its essential sadness can never be surmounted. And, while it is true that literature and history contain heroic, romantic, glorious, even triumphant episodes in an exile's life, these are no more than efforts meant to overcome the crippling sorrow of estrangement. The achievements of exile are permanently undermined by the loss of something left behind forever.[1]

[…] transcendental homelessness […] is the result of discovering an absolute incompatibility between the realm of totality and the realm of personal interiority, of subjectivity.[2]

EDWARD SAID

To be rooted is perhaps the most important and least recognized need of the human soul.[3]

SIMON WEIL

Introducción

Desplazamientos. Dislocaciones. Orfandad. Experiencias compartidas por muchos de nosotros que desde la antigüedad han venido marcando al individuo con traumatizantes pérdidas, transformaciones, y redefiniciones subjetivas y culturales. Las últimas décadas del siglo XX y principios del XXI parecen estar signadas más que otros tiempos por experiencias de emigración y exilio tanto individual como colectivo, tanto forzado como voluntario, tanto geográfico como cultural y sicológico.

Teorizado por pensadores de la estatura de Edward Said y Julia Kristeva, entre otros,[4] el exilio constituye una penosa experiencia de desplazamiento con cruce de fronteras que separan al individuo de un ámbito de seguridad y armonía. En un movimiento de lo familiar a lo extraño, el sujeto experimenta un profundo sentimiento de dispersión y alienación.[5] Sufre una honda nostalgia por un paraíso perdido, por todo un mundo dejado atrás donde no experimentaba ni separación ni extrañamiento, donde convivía compartiendo un legado cultural creado por una comunidad de valores, de lenguaje, de costumbres y de cultura. Más recientemente esta noción de exilio como alejamiento territorial y cultural se ha ido extendiendo para abarcar metafóricamente separaciones de índole diversa incluso sicológica.

A consecuencia de disputas internacionales, guerras civiles, religiosas y étnicas, con exterminios masivos, las resultantes deportaciones y los movimientos de poblaciones en masa, el exilio y la emigración en números inéditos constituyen una experiencia política, cultural, lingüística y emocional, muy presente en nuestra actualidad. Este fenómeno, cuyas implicaciones van desde lo social hasta lo metafísico, ha desgarrado a millones de personas al separarlas de su lugar de origen, de su familia y de sus tradiciones.[6] Amén de ser un motivo fundamental y recurrente inscrito desde la Biblia con la expulsión de Adán y Eva del paraíso, hasta los anales históricos de nuestros días, el exilio —tanto individual como colectivo—, ya sea forzado o voluntario, constituye un tema central en mitos, épicas clásicas, épicas africanas, canciones de gesta, remontándose desde *La Ilíada, La Odisea, La Eneida* y *El Cid,* hasta la literatura poscolonial contemporánea. Como parte del imaginario de nuestros tiempos, el exilio ha llegado a ser punto referencial, así como también motivación y tema de numerosas creaciones de una casi interminable lista de notables escritores latinoamericanos que sufrieron dicha experiencia: Julio Cortázar, Pablo Neruda, Luisa Valenzuela, Cristina Peri Rossi, Gabriel García Márquez, Reina Roffé y Mempo Giardinelli, entre tantos otros.

"La historia del Caribe es una historia de migraciones", afirma Morejón agregando que Cuba vive y ha vivido "bajo el signo de la inmigración desde sus más remotos orígenes" (1996A: 5). Comenzando en el siglo XX con el desplazamiento de los obreros de la región empleados en la construcción del canal de Panamá (1904-1914), así como también en las plantaciones bananeras en Centroamérica y en otras industrias en los Estados Unidos (Chomsky, 2003: 557), la emigración es un fenómeno caribeño que se ha agudizado en las últimas décadas. En el caso de Cuba, el mito del exilio motivado por circunstancias políticas se ha convertido en un arquetipo del imaginario de la nación. Su historia ha sido pródiga en acontecimientos que trajeron por consecuencia el exilio para muchos de sus ciudadanos y escritores. En el siglo XIX, Félix Varela, Domingo del Monte, Cirilo Villaverde, José María Heredia, José Martí,

Juan Clemente Zenea, y, en la primera mitad del siglo XX, Nicolás Guillén y Alejo Carpentier, entre muchos otros.

Más recientemente, la Revolución Cubana de 1959, que concitó y nucleó un intenso fervor nacionalista, también trajo división entre los propios cubanos y una renovada emigración y un exilio masivo en números inéditos en la historia de esta nación. Inmediatamente después del triunfo de la Revolución, se produjo un éxodo de la alta burguesía. El terror de los padres a la educación comunista promovió la Operación Pedro Pan, que entre 1960 y 1962 llevó a los Estados Unidos a miles de niños, quienes solamente años después serían reunidos con sus padres en el programa Freedom Flight que llegó a transportar alrededor de 250 000 cubanos.[7] Luego, en 1965, hubo una salida masiva por mar desde el puerto de Camarioca, en la costa norte de la Isla. Otra ola de emigrantes con características diferentes siguió en 1980 con el éxodo vía Mariel-Cayo Hueso, con más de 100 000 cubanos de muy diversa procedencia sociocultural —presos políticos, homosexuales, criminales y una mayor proporción de afrodescendientes— que buscaron asilo en la embajada peruana para ser entonces enviados a Miami. Por su extracción social, este grupo, llamado "los marielitos", encontró cierta resistencia entre la comunidad cubana ya establecida en los Estados Unidos.

En agosto de 1994, se produjo el éxodo de los balseros. A consecuencia de la crisis ocasionada por la desintegración de la Unión Soviética y la pérdida del apoyo económico que recibía Cuba, cientos de miles de ciudadanos se lanzaron a la calle manifestando su descontento por la crisis que atravesaba el país. En esa instancia, Fidel Castro abrió las fronteras marítimas y permitió la salida de todo aquel que lo deseara. Se produjo un éxodo de más de 32 000 personas que tomaron esta oportunidad y se lanzaron al mar hacia Miami en cualquier tipo de balsa con todos los riesgos que ello aparejaba.[8]

Como resultado de estas olas migratorias, en el casi medio siglo transcurrido, ha habido una extensa lista de escritores exiliados, formados en Cuba: Severo Sarduy, Jorge Mañach, Guillermo Cabrera Infante, Lydia Cabrera, Matías Montes Huidobro, Heberto Padilla, Hilda Perera, Reynaldo Arenas, Juana Rosa Pita, y tantos más, a quienes se suman otros emigrados de niños o adolescentes que se formaron o se terminaron de formar en los Estados Unidos: Gustavo Pérez Firmat, Oscar Hijuelos, Jesús J. Barquet, Cristina García y Achy Obejas, para nombrar solo algunos.

Respecto a esta diáspora reflexiona Odette Alonso Yodo, poeta cubana residente en México:

En un proceso que parece repetirse una y otra vez, las migraciones han extendido la cultura cubana hacia otras tierras y la historia cultural de nuestra nación se ha escrito, ahora y siempre, en cada rincón del mundo adonde se encuentre un cubano. Esos fragmentos alejados de su núcleo solo consiguen juntarse sobre la tierra común de los recuerdos y los sueños [...].[9]

El exilio ha suscitado numerosas y diversas respuestas literarias, incluso cinematográficas. Una de sus manifestaciones más tempranas y dramáticas ha sido la novela de Edmundo Desnoes *Memorias del subdesarrollo* (1966), llevada al cine por Tomás Gutiérrez Alea dos años después (Fornet, 2000: 30-31), en la cual se presenta esta problemática desde la perspectiva de quien elige quedarse mientras el resto de su familia emigra.

En tiempos en que tantos compatriotas emigraban en un inagotable fluir humano, Nancy Morejón optó por permanecer en su Habana. No obstante, sin haberlo vivido en carne propia, el problema de la separación de las familias cubanas, el desarraigo, la nostalgia y la soledad, se convirtió en una preocupación personal en la poeta, quien, movida por un innato espíritu de solidaridad y sensible a las vicisitudes del ser humano, ha entendido, como Simon Weil, que unas de las necesidades más significativas, pero menos reconocidas del individuo, son el arraigo y la pertenencia (Weil en Said, 1996: 364).

A continuación exploraremos en el mundo y en la obra de Morejón, el tema del exilio y su abordaje poético, considerándolo en sus variantes histórico-sociales, artístico-simbólicas y sicológicas. Incluiremos en primer término su vínculo con tres destacadas creadoras cubanas que vivieron en el exilio y que regresaron a Cuba abriendo nexos de comunicación entre las dos orillas: Lourdes Casal, Ana Mendieta y Sonia Rivera Valdés. A ellas, la poeta ha rendido homenaje con memorables poemas.

Continuaremos con textos que aluden simbólicamente al exilio, tanto desde la sublimación a través del arte en *Pierrot y la luna,* como en la metáfora de una experiencia sicológica en "Alexander Cook".

Creadoras cubanas en el exilio: puentes culturales

Desde principios de los años 80, Nancy Morejón ha viajado frecuentemente a los Estados Unidos donde ha trabado sólidas amistades de sentida empatía y compasión ante el desgarramiento afectivo y cultural sufrido por exiliados cubanos, artistas, escritores, universitarios, entre los que se encuentran Lourdes Casal, Ana Mendieta y Sonia Rivera Valdés, con quienes compartiera el regreso de ellas a Cuba, así como también sus primeras experiencias en Nueva York durante los años 80.

Con ellas, Morejón entabló un entrañable diálogo que quizá la haya sensibilizado hacia múltiples perspectivas de la experiencia del exilio.

Lourdes Casal

A fines de la década de los 70, había comenzado un diálogo entre los cubanos de las dos orillas gracias a la iniciativa de Lourdes Casal (La Habana, 1938-1981). Esta había emigrado y pasado a residir en Nueva York desde 1961 hasta pocos años antes de su muerte cuando completara su círculo de vida en La Habana.

Con Lourdes Casal, Nancy Morejón encontraría varias afinidades. En ambas convergerían las tres vertientes que representan el mosaico étnico cubano: la africana, la española y la china. Después del triunfo de la Revolución, tras años de ausencia, Casal fue la primera cubana en regresar a la Isla y en abrazar el credo revolucionario. Al respecto, Jesús Díaz comentó sagazmente: "Lourdes retornó. Pero verdaderamente no a La Habana, sino a ella misma, a su barrio, a su origen, a Los Sitios, al sitio permanente y sitiado en que vivimos, la patria, este sitio que también es de ella" (1984: 119).

Siempre interesada en el mundo cubano, Casal había publicado una colección de documentos sobre *El caso Padilla* (1971A). Fue una de las fundadoras del periódico *Areíto* (1974), publicación que vino a ofrecer un espacio para los cubanos dentro y fuera de la Isla. Promovió el movimiento de jóvenes cubanos que culminara con la fundación de la Brigada Antonio Maceo, para luego llevar a Cuba al primer grupo de cincuenta y cinco "Maceítos", niños y adolescentes de origen cubano, solidarios y no hostiles con el mundo de la Isla, pues no se habían ido por voluntad propia. Carentes de resentimientos, estos jóvenes regresaban como hijos pródigos de la Revolución tendiendo lazos afectivos, puentes fáciles de atravesar al cabo de los cuales no encontraban reproches sino brazos abiertos (Fornet, 2001).[10]

El papel fundamental que Lourdes Casal desempeñó en el acercamiento de los cubanos de dentro y fuera de la Isla, fue ampliamente reconocido por Nancy Morejón, quien señaló en entrevista con Ruth Behar que Casal no solo era la responsable del inicio de este diálogo tan necesario, sino su principal fuente de inspiración (Behar, 1995B: 134-135),[11] comentario curioso, sobre todo si tenemos en cuenta que la poeta le dedicó a Casal su breve poema "Alfombra", texto publicado inicialmente en *Piedra pulida* que presenta una metáfora extendida de la inspiración:

> Es como si una alfombra,
> como si alguien me pusiera
> a los pies una alfombra
> y firme ya pudiera emprender
> limpio vuelo...
>
> (2003: 302)

Si bien es cierto que la alfombra representa la inspiración poética, esta metáfora se bifurca y alcanza a Lourdes Casal quien, como en una alfombra, emprendiera vuelo y entrara en el mundo de la Cuba revolucionaria como "[l]a idea del poema / entra por la ventana" (Morejón, 2003B: 302), para inspirar y promover el inusitado y deseado diálogo entre las dos orillas.

La iniciativa de diálogo iniciado por Casal en los 70 se ha mantenido con distintos grados de dificultad desde entonces. Ha corrido especial peligro a partir del 2003 con el endurecimiento del bloqueo y la imposición de diferentes tipos de obstáculos que han dificultado el intercambio a un nivel oficial, no siendo tan efectivo a nivel personal.

Ana Mendieta

Ana Mendieta (La Habana, 1948 - Nueva York, 1985) llegó a los Estados Unidos junto con su hermana Raquel cuando aún eran adolescentes, como parte de la Operación Pedro Pan. Bajo la iniciativa del director de la Escuela Americana de La Habana, este plan había sido auspiciado por la Iglesia Católica de Miami como opción "salvadora" para los niños cubanos. Se aducía el peligro de la pérdida de la patria potestad de los padres sobre los hijos y el hecho de que los niños serían adoctrinados en la ideología comunista. Todo se magnificaba, todo se distorsionaba. Se urdían leyendas negras. Por supuesto que estos rumores no mencionaban nada sobre las situaciones traumatizantes que encararían los niños enviados a los Estados Unidos, sin sus padres, sin el idioma y con las dificultades de adaptación a una cultura diferente (Masud-Piloto, 2003: 364-365). Por otra parte, se creía que la separación sería breve, ya que se anticipaba que la Revolución apenas alcanzaría a mantenerse en el poder unos meses, a lo sumo un año. Bajo ese plan se organizó el transporte por avión de más de catorce mil niños cubanos enviados por sus padres, entre diciembre de 1960 y octubre de 1962, momento en que se acabó la Operación Pedro Pan debido a la crisis de los misiles (Walsh, 2003: 537-538). Para atender las necesidades de estos niños sin familiares en los Estados Unidos (casi la mitad) y para luego ubicarlos en orfelinatos y casas de familias, se creó la agencia Cuban Children's Program que siguió en funcionamiento hasta 1981.

Así llegó Ana Mendieta a los doce años de edad con su hermana dos años mayor. Niñas de la alta burguesía cubana y sobrinas del presidente de la República, Carlos Mendieta (1934-1935), sus padres las enviaron con la confianza de que verían a sus hijas al año siguiente. La realidad fue otra. Su madre recién pudo ingresar a los Estados Unidos seis años después y su padre demoró mucho más, ya que estuvo en la cárcel como preso político durante doce años.

Una vez en los Estados Unidos, las hermanas Mendieta fueron a parar a un orfelinato en Iowa, donde, según la propia Ana, había todo tipo de adolescente, incluyendo pequeños maleantes y criminales (Horsfield, 1987).[12] A su debido tiempo, Ana asistió a la Universidad de Iowa donde se diplomó en arte con el título de Master of Fine Arts. Después de Iowa, pasó temporadas en México, también en Roma, y, luego, en 1978, fue a residir a Nueva York. Allí comenzó un intenso activismo feminista que se hizo evidente no solamente en la temática de su creación, sino en su ejecución. En Nueva York se casó con otro artista, Carl André, unión que en apenas nueve meses alcanzó un trágico fin. El 8 de setiembre de 1985, Ana Mendieta se estrelló contra el pavimento de Manhattan al caer desde el piso 34 del edificio donde vivía. Carl André, con quien estaba en ese momento, fue acusado de homicidio, aunque después de un prolongado juicio fue absuelto por falta de evidencia (1988). Este veredicto ha sido sistemáticamente repudiado por los círculos que rodeaban a Ana.

Cuando Lourdes Casal abrió el diálogo con Cuba, Ana se le unió. Su rencuentro con su patria natal fue de profunda emotividad. Necesitaba averiguar qué había perdido. A partir de 1980, volvió regularmente. En sus repetidas visitas trabó una estrecha amistad con Nancy Morejón e incluso con la madre de la poeta, Angélica Hernández, a quien visitaba regularmente durante sus estadías en La Habana (Behar, 1995B: 134).

La obra, la persona y la vida de Ana Mendieta, marcada por el desarraigo y la orfandad, fascinaron a Nancy Morejón. En varias ocasiones, la poeta ha hablado largamente sobre Ana, sobre su vida plena de desgarramientos y contradicciones, sobre su genialidad y originalidad artística, así como sobre su misteriosa y trágica muerte. A Ana, le dedicó Morejón un poema elegíaco a la vez que celebratorio de su vida y obra, en el cual con plasticidad y movimiento esboza el arte, la vida, el exilio y la muerte de esta original creadora.

"Ana Mendieta" es un texto exquisitamente metafórico que podría parecer enigmático.[13] Sin embargo, al conocer la trayectoria, la creación y el mundo frecuentado por Ana, se torna transparente. Conmueve por sus imágenes líricas, su dinámica interna y su trágico dramatismo entregado con un ritmo marcado por anáforas y por la disposición espacial del texto que, en diferentes instancias, evoca el vuelo de un pájaro o la verticalidad de una caída.

"Ana era frágil como el relámpago en los cielos", comienza el poema, acercando a Ana a ese poder electrificante y fugaz que se da en la tormenta. A lo largo del texto, Morejón entreteje una constelación de imágenes que proyectan a Ana más allá de lo terreno, asociándola con lo espiritual (las "crucecitas vivas / que anidan en la cúpula de algunas iglesias medievales") y con lo ligero y volátil en el entorno de La Habana ("Ana, como un papalote planeando / sobre los techos rojos de las casonas del Cerro antiguo").[14]

Ana

Una golondrina de arena y barro.

Ana

Una golondrina de agua.

Ana

Una golondrina de fuego.

Ana

Una golondrina y un jazmín.

Una golondrina que creó el más lento
        de los veranos.
Una golondrina que surca el cielo
        de Manhattan

(2003: 114)

Estas metáforas de Ana y la golondrina esbozan en el pájaro un símbolo de vuelo en viajes de éxtasis desde la tierra hacia
el cielo. Ana estaba signada por el movimiento, por lo alado, por
lo etéreo y por lo efímero, características de sus experiencias de
desplazamiento, de su breve vida y de sus propias creaciones
realizadas con los cuatro elementos —el aire, el agua, la tierra y
el fuego—, simples y a la vez esenciales, frecuentemente superpuestos o combinados, pero siempre en dinámica transformación, en ese lugar fronterizo entre la naturaleza y el cuerpo, y
entre la escultura y la *performance*. Ana buscó precisamente dar
permanencia a sus *performances* mediante la fotografía y la fil-
mación de más de ochenta videos. Asimismo, en la golondrina,
pájaro migratorio, Morejón apunta al símbolo de lo transitorio
del tiempo y del *pathos* propio de la experiencia del exilio que
abrumó a Ana al sentirse expulsada del vientre de su mundo.
Ana era consciente de que esta experiencia la explicaba a ella y a
su creación. Así fue que volcó su experiencia de desarraigo en
una fuerza positiva, sin nunca adoptar la postura de víctima.
Morejón sugiere que ella buscó subsanar esos pesares "con su
mano encantada de huérfana" en una sublimación materializa-
da, mediante su imaginación, en su creación artística.[15] Así, la

reubicación y la dislocación sufridas por Ana resultaron en una transformación y redefinición de códigos y valores culturales y sociales que inspiraron su original expresión artística como híbrido performático y escultural.

Consciente de su alteridad, siempre en pos de un espacio invisible de pertenencia, con sus raíces clavadas en su Isla, Ana se apropiaba del pasado. Nunca había renunciado a su herencia cultural, pues sentía profundo apego a sus antepasados, a sus tradiciones, a su tierra de origen. Fue integrando su búsqueda de raíces en una práctica artística de aliento antropológico, con *performances* rituales de una fuerte conciencia feminista, cuyos temas centrales eran la mujer, la tierra y la naturaleza (Blocker, 1999: 90-92). Más aún, cuando a partir de 1975 convirtió su propio cuerpo en vehículo y tema central de creación en sus siluetas: figuradas a partir del perfil del cuerpo de Ana en la tierra o en la arena a orillas del mar, las siluetas proyectaban sus ideales, sus preocupaciones sociales, sus experiencias personales y espirituales, como espectros de su mundo interior siempre creativo y dinámico (Blocker, 1999: 97). Desde esta perspectiva y aludiendo a elementos esenciales en la creación de Ana, Morejón evoca esas siluetas con una espiritualidad ligada a la naturaleza, al cristianismo y a las culturas primitivas nómadas:

> Eran siluetas como de arena y barro
> caminando sobre sus pies. Eran siluetas
> como un ejército de hormigas silenciosas,
> dispersas en el viento perenne de Cuaresma
> o en una madriguera de cristal.
>
> (2003: 112)
>
> ....
>
> Una llovizna negra cae sobre tu silueta.
> Tus siluetas dormidas nos acunan
> como diosas supremas de la desigualdad,

como diosas supremas de los nuevos
peregrinos occidentales.

(2003: 114)

La poeta interpretó estas siluetas como una reafirmación de los lazos de Ana con su mundo de origen, como una recuperación de memorias de su Habana:

Ana adoraba esas figuraciones
porque le traían remembranzas,
viejas, sonoras, dulces remembranzas
de cierto callejón del Sur, en el Vedado.

(2003: 112)

Precisamente, Ana Mendieta había declarado: "Trabajo con la tierra, con la naturaleza, y hago escultura de los propios paisajes [...]. Creo que esto tiene mucho que ver con Cuba, en el sentido que me atrae la naturaleza porque yo no tuve una tierra, una patria" (Horsfield, 1987). Desde niña, Ana había estado fascinada con las culturas africanas y las taínas, y con las artes primitivas por su proximidad y su vínculo con la naturaleza y por el sentido mágico que las alimentaba. En su creación artística, buscaba algo más real con un alcance físico y espiritual. Quiso imbuir su arte de poesía y magia, de ahí que abandonara la pintura y usara como materia prima fundamental su cuerpo, sobre el cual y con el cual, ella inscribía su expresión y encarnaba frecuentemente rituales religiosos (Behar, 1995A: 10-11).

En su búsqueda de raíces, Ana se acercó a la santería. Realizó siluetas con imágenes de orishas como Olókum, Yemayá, Obatalá, Changó y Ochún. Hasta llegó a emplear en sus *performances* sangre ritual y agua con plumas, ramas, flores y barro. Así, Ana concibió en Miami una instalación de espíritu santero muy curiosa, "Ceiba fetiche" (1981). La ceiba es un árbol de larga tradición sagrada en América que se remonta a las culturas precolombinas y a la santería. De acuerdo con esta religión, los muertos van a refugiarse a este árbol-templo, receptáculo de lo sagrado, a cuyo pie los fieles depositan ofrendas para los orishas.[16]

Cuando Ana encontró en Miami una ceiba, improvisó un altar poniéndole unos pelitos en las ramas y rodeándola de cáscaras de huevo, en clara alusión a la cascarilla de los santeros.[17] Con esta instalación, la artista creó un espacio propicio para que anónimos "cazadores de imágenes" tomaran espontáneamente ese árbol como guía para seguir construyendo un altar con ofrendas —flores blancas, velas, café, tabaco y otros objetos—, como convocatoria a los muertos y a los orishas. En su poema, Morejón apunta a la imagen del altar de la ceiba con la cascarilla, para enlazarla con la vulnerabilidad de Ana:

Ana, frágil como una cáscara de huevo
esparcida sobre las raíces enormes de una
        ceiba cubana
de hojas oscuras, espesamente verdes.

(2003: 114)

En su trayectoria creativa, Ana también había acercado su arte al mundo indígena de México, pero al fin llegó a cerrar su círculo artístico en Cuba. Su última obra fue realizada, bajo los auspicios del Ministerio de Cultura cubana, en el parque de Escaleras de Jaruco, en las afueras de La Habana (1981-1985). Se trataba de una serie rupestre de esculturas talladas en la piedra del parque que representaban figuras semiabstractas primitivas, evocadoras de cuerpos humanos y símbolos prehistóricos. Morejón traza esa trayectoria superponiendo imágenes de ensoñación que van uniendo el espacio de Iowa, donde Ana pasó su adolescencia, con el parque de Jaruco (el vientre de su tierra de origen), donde la artista regresó a encontrarse a sí misma en su último viaje a la Isla:

Tus siluetas, adormecidas,
van empinando el papalote multicolor
que huye de Iowa bordeando los cipreses indígenas
y va a posarse sobre las nubes ciertas
de las montañas de Jaruco en cuya tierra húmeda
has vuelto a renacer envuelta en un musgo celeste
que domina la roca y las cuevas del lugar
que es tuyo como nunca.

(2003: 116)

Ana Mendieta tenía varios proyectos artísticos en mente, pero a su regreso a Nueva York encontró la siniestra muerte que Morejón registra mediante un lenguaje indirecto y alusivo, no solamente al patético hecho, sino a la que fue la última silueta creada por Ana:

Ana, lanzada al vacío,
Ana nuestra de la desesperanza,
esculpida tú misma en el cemento hostil
    de Broadway.

(2003: 112)

En febrero del 2004, la casa editorial Vigía, de Matanzas, reditó este poema en versión bilingüe en una originalísima *plaquette* que recrea visualmente el espíritu del texto de Morejón. En la contratapa, aparece un cuerpo estrellado representativo del atroz fin de Ana Mendieta, incluyendo una serie de elementos alusivos al ritual de la ceiba con cáscaras de huevo y detalles con tierras rojas como las que ella empleaba en sus siluetas.

Sonia Rivera Valdés

También cubana de nacimiento, Sonia Rivera Valdés llegó por primera vez a Nueva York en 1966. De allí siguió a Puerto Rico para luego regresar a Nueva York, donde reside desde 1978 y ejerce el profesorado de literatura latinoamericana en el York College. Es la segunda escritora cubana —la primera fue Lourdes Casal— residente fuera de la Isla que ha recibido el prestigioso premio literario Casa de las Américas (1997), por su colección de cuentos *Las historias prohibidas de Marta Veneranda*. Según la propia Rivera Valdés, su experiencia en Nueva York le dio otro entendimiento de la historia y la política,[18] de modo que cuando regresó por vez primera a Cuba en 1980, su visión del mundo era totalmente distinta de la que había tenido antes de partir. En su rencuentro, pudo captar diferentes aspectos de este mundo que no eran loables —la represión de la libertad de culto, la censura en las artes, el racismo encubierto, la homofobia—, aspectos que en su balance personal eran compensados —no olvidados—, por los cambios masivos en la educación, las oportunidades de realización intelectual, para quienes en otro sistema nunca hubieran tenido acceso ni a ese desarrollo, ni al acceso universal a tratamiento médico ni a alimento, ni techo. Hoy en día, Rivera Valdés es una activista cultural que incansable y generosamente promueve el intercambio entre los cubanos de las dos orillas, coopera con US-Media Project y promueve el cese del bloqueo económico y la revocación del Cuban Democracy Act.

Morejón ha dedicado a Sonia Rivera Valdés "Ante un espejo", poema escrito en Nueva York a principios de los 80 y publicado en *Paisaje célebre* (1993).[19] Aquí la poeta cala profundamente en los sinsabores del exilio a partir de la relación del emigrante con el mundo dejado atrás, entrañado en su ciudad. En este texto, interesa el vínculo de la subjetividad con el lugar, principalmente teniendo en cuenta que el espacio constituye un ingrediente fundamental en la configuración de la identidad personal y cultural, pues es donde se registran sistemas de representación y donde confluyen lo material y lo abstracto, el cuerpo y la mente (Kirby, 1993: 174). Es así que, entre el espacio físico y los parámetros más tangibles del ser y la identidad, se produce un anclaje de sentidos similar a los puntos de capitoneo.[20] La conexión metonímica del individuo con el espacio mediatiza la articulación de diversas facetas de la subjetividad, de los niveles consciente e inconsciente con formulaciones ideológicas de unidad, estabilidad y pertenencia, pero también de exclusión con efectos de dislocación y ruptura. Por otra parte, en la separación física aparejada por el exilio, ese elemento concreto es investido de intenso contenido emocional y tiende a permanecer inmutable en la memoria del individuo como objeto de nostalgia.

En "Ante un espejo", Morejón plantea una relación fundamental entre el ser y el lugar. Poetiza la angustia y la nostalgia que resulta del alejamiento y desprendimiento físico de la tierra de origen, tan entrañable, que adonde quiera que se vaya, no admite sustituciones:

A donde quiera que te muevas
escucharás el mismo pregón de la mañana;
te llevará el mismo barco andando por la misma
    ruta
de los *perennes* emigrantes.

(2003: 108-110, mi énfasis)

A pesar de la universalidad del tema, por las alusiones recurrentes al mundo dejado atrás por la emigrante, la poeta inscribe pautas específicas, como el archipiélago de "los Jardines de la
Reina" que nos llevan a asociarlo inevitablemente con Cuba. [21]

Con este texto, Morejón parece entablar un diálogo intertextual con C. P. Cavafy, uno de los poetas griegos que más ha
leído, en su poema "The City".[22] Aunque con implicaciones y
estrategias expresivas muy distintas, ambos autores poetizan la
experiencia del exilio a partir de la relación del individuo con su
ciudad como referente espacial primordial que el emigrante hace
suyo al asociarlo con vivencias y recuerdos personales. Por su
parte, Cavafy, hombre del Viejo Mundo, griego nacido en
Alejandría, exiliado en Londres y en Constantinopla, había vivido esta experiencia en carne propia, mientras Morejón, mujer del Nuevo Mundo, afrocubana, nunca ha considerado, ni
querido considerar el exilio como opción personal.

En ambos casos, la voz poética se dirige al exiliado. Mientras que C. P. Cavafy le da la voz al emigrante anónimo, Morejón no le otorga la palabra en ningún momento a su supuesta
interlocutora, sino que la hablante monopoliza esa voz. Por
otra parte, Cavafy presenta un discurso directo del exilio, al
modo de *fait accompli*. En tanto Morejón, como un superego
inmensamente sabio y profético, con sutileza proverbial, indica
posibles motivaciones en la búsqueda "de nuevos horizontes, /

de fortuna / o tal vez de una pasión sin precedentes", y hace un planteamiento hipotético al decir: "si decidieras irte de la ciudad, / de tu ciudad" (2003: 108). Dirige su advertencia a una receptora implícita incierta. Pero, ¿quién será esta interlocutora? En un primer momento, podríamos sospechar que se tratara de Sonia Rivera Valdés, a quien Morejón dedicara el poema, pero también podríamos asociarla a otros posibles emigrantes, quizás a sus propios compatriotas isleños. Incluso llegamos a preguntarnos si la interlocutora no será la imagen desdoblada de la hablante reflejada ante el espejo. Pero quienquiera que sea y dondequiera que esté esa ciudad, su ciudad, provocativa e ineludible, la asediará siguiéndole los pasos.

Nostálgica de su matriz cultural, de un tiempo desaparecido, de un sitio desvanecido, que parecería estar más cerca de sus sentimientos que ningún otro lugar, la emigrante se sume en una profunda e irreparable tristeza, una orfandad que Julia Kristeva equipararía a la provocada por la pérdida de la madre. Agobiada por un extrañamiento que la motiva con la fuerza continua y excéntrica de un deseo insaciable, la emigrante se desplaza en pos de un objeto inalcanzable buscando restaurar lazos entre recuerdos y experiencias de un pasado idealizado y de un presente insatisfactorio. Así, ha de deambular colmada de añoranzas sensualmente saturadas de fragancias, olores de seres queridos, imágenes y sonidos amados, que, como pasión no correspondida, sin pertenecerle, nunca la abandonarán. La exiliada va a sobrevivir con una mirada triste dirigida constantemente hacia su patria ausente, paraíso perdido que reaparecerá con narcisismo masoquista, como espejismo del pasado en evocaciones obsesivas. Adonde sea que vaya, vaticina la voz poética, nunca ha de cortar las raíces, pues ha de permanecer irremediablemente fijada en el mundo que dejó atrás y que la cerca con "todos sus fantasmas" (2003: 110).

En general, toda persona es consciente de una cultura, de un lugar. La exiliada es consciente por lo menos de dos radicalmente diferentes que se mantienen vivos. Con una mirada cuyos códigos de ayer interfieren con una visión íntegra del hoy, se establece un dualismo cultural en una relación dialéctica oscilante entre ambos puntos de referencia. Las experiencias en el nuevo entorno suceden sobre el trasfondo de la memoria del mundo dejado atrás que, obnubilando el presente, va a asumir siempre el primer plano.[23] Así, en este poema, conviven las flores nórdicas, con los olores de los seres ausentes y más aún de los fallecidos:

> Si los parques florecen
> cundidos de tulipanes firmes,
> entonces el bulevar trae los olores
> de tus seres queridos
> y, sobre todo, de tus muertos.

(2003: 108)

En la frontera entre la armonía pasada y la alienación presente, sin estar ni acá ni allá, en el umbral entre presencia y ausencia, la emigrante experimenta un doble exilio. Con esta postura de no aceptación de vínculos o afiliaciones a una nueva lealtad y su insuperable obsesión con la ciudad de sus recuerdos, la exiliada se comporta como si todo lo que la rodeara fuera intrascendente, sin sentido y transitorio, aferrándose a una sombra, al recuerdo de una imagen utópica que intenta mantener intacta. Como si la esencia de su identidad perteneciera solo al pasado, a ese otro lugar, esta queda suspendida. Del mismo modo que la extranjera de Julia Kristeva, la exiliada es una soñadora "que le hace el amor a la ausencia, que se solaza en esa ausencia" (1991: 10, mi traducción), para terminar haciendo de su exilio un fetiche.[24] La hablante de "Ante un espejo" entiende que su interlocutora se ha de debatir en una lucha agónica entre su presente, que más que indiferente le resulta inaceptable, y la visión utópica de aquel, su lugar de origen único e irremplazable. El perfil de su ciudad la asedia y, en su acecho, sigue agitándose en su memoria sin dejarla anclar en otro lugar. Presagia la voz poética, "Nada podrá depositarte en ningún sitio", pues no han de quedar ni "otro país, ni otra ciudad posibles" (2003: 110).

La hablante concluye que, con el paso del tiempo, la receptora del mensaje lírico, en una encrucijada de otredades, ha de dilapidar su energía y su ser en una nada, en un vacío, pues, como la extranjera de Julia Kristeva, "no tiene nada, no es nada" (1991: 12, mi traducción). Infructuosamente se ha de marchitar triste y alienada de su entorno original. Augura la voz poética: "Habrás desgastado tu vida un poco inútilmente" (Morejón, 2003: 108), para continuar advirtiendo que cuando esté vieja y narcisistamente intente reconstituir su identidad buscando unidad en la confirmación de su imagen ante un espejo, "como el de Cenicienta", ese cristal le devolverá, en su lugar, una triste sonrisa y "en sus pupilas secas" aparecerán "dos rocas fieles y una esquina sonora" de aquella su insoslayable y eterna ciudad, siempre deseada, eternamente idealizada y, por eso mismo, irrecuperable (2003: 110).[25]

Lourdes Casal, Ana Mendieta y Sonia Rivera Valdés volvieron a su añorada tierra, hermanadas a sus compatriotas isleños. Regresaron para establecer lazos entre su tierra de adopción y su patria isleña, puentes emocionales, culturales e intelectuales que reunirían y unirían familias recuperando antiguas amistades y creando otras en un recurrente ir y venir entre un acá y un allá. Es al tomar conciencia de las experiencias de exilio de rencuentro de estas creadoras que el poema de Morejón "Arcoíris y delfín", de *La Quinta de los Molinos* (2000), viene a cobrar un sentido diferente (2000B: 43). Más aún cuando descubrimos que ese poema había sido publicado treinta y seis años antes, en el volumen *Amor, ciudad atribuida* (1964), como "Arcoíris", sin el delfín ni los versos 3, 4 y 5 de la segunda estrofa (la diferencia entre las dos versiones está indicada en negritas):

ARCOÍRIS **Y DELFÍN**

A cualquier hora
de cualquier día,
de un mes de cualquier año,
unos de aquel lado,
otros de este lado,

pero todos a la intemperie
menos el puente y yo
y el delfín que salta entre uno y otro
y la memoria del Estrecho Dudoso,
    el golfo
y otra vez el delfín

que hemos ido formando
un arcoíris indivisible,
hijo sin mácula de esa luz blanca
y de sus ánimos bajo el firmamento.

(2000B: 43-44, mi énfasis)

El poema claramente se refiere a la separación del exilio, "unos de aquel lado, / otros de este lado". Con un puente, la hablante y el delfín forman un arcoíris que une esos mundos separados. La persona poética se ubica, como el arcoíris y el puente, paradigma de transiciones y movimiento entre lugares distintos, en posición de crear una unión "indivisible" de lo separado. La poeta, en la versión del poema de *La Quinta de los Molinos* (2000), agrega el delfín, animal de gran destreza y velocidad en el agua, que en algunas culturas simboliza salvación y conversión. En la mitología clásica, salva a los náufragos y conduce a las almas de un estado de temor y angustia a otro de contemplación e iluminación. El delfín salta "la memoria del Estrecho Dudoso" uniendo las dos orillas a la manera de estas exiliadas que van y vienen de la Isla al continente. La inclusión del delfín en la nueva versión del poema sugiere y recrea líricamente la experiencia de los cubanos exiliados que sirven de puentes humanos y saltan como delfines entre las dos orillas. No podemos dejar de observar que la hablante también se incluye en esta práctica de unión: "todos a la intemperie / menos el puente y yo / y el delfín" (2000B: 44).

Curiosamente, si consideramos la trayectoria de Morejón escribiendo, traduciendo, viajando, desarrollando y consolidando lazos profesionales y de amistad por los cuatro puntos cardinales del planeta, comprendemos que, superando todo tipo de diferencias, ella ha creado y sigue creando puentes, y, también como un delfín, se ha deslizado entre las aguas de culturas y mundos diversos con espíritu contemporizador, siempre uniendo en un diálogo humano e intelectualmente enriquecedor. Como "infatigable tejedora de sueños y arquitecta de puentes entre Cuba, el Caribe [...] y el mundo", Morejón ha promovido y sigue promoviendo el entendimiento entre mundos dispares.[26] Precisamente en palabras pronunciadas en la Embajada de Francia en La Habana, con motivo de recibir una condecoración de la República de Francia, la poeta expresó:

> Como André Breton ante los lienzos de Wifredo Lam; como Édouard Glissant ante las esculturas sin igual de Agustín Cárdenas, así contribuí a crear puentes, puentes indestructibles, orgullosos de su estruendo finisecular, de sus aguas que nos traen la hermosura de la primavera. Debajo de esos puentes pasa el agua de las palabras que nos hacen recapacitar y defender el derecho a instaurar un diálogo incesante. La cultura no necesita otra cosa sino aire, intercambio, movimiento perpetuo, como los puentes.[27]

Sublimación del exilio

Nunca ajena a expresión artística alguna, Nancy Morejón ha participado tanto en el mundo de las artes populares como de la alta cultura, la música, la plástica, la danza, el drama y, por supuesto, las letras. Ha colaborado con pintores, escultores, artesanos, bailarines, dramaturgos, actores, músicos y cantantes, en espectáculos que frecuentemente han servido de marco para la lectura de su poesía. Desde su adolescencia, cuando frecuentaba la casa editorial El Puente, ha estado vinculada y trabajando de cerca con destacadas personalidades de la escena cubana.[28] Ha escrito crítica de teatro y ha sido asesora del Teatro Nacional de Cuba. La dramaturgia es un ingrediente

presente en su vida diaria y también en su creación en poemas dramáticos o dramas poéticos que ha escrito, de los cuales
solamente ha dado a conocer a su público lector *Pierrot y la
luna* (1996C), obra que plantea simbólicamente la problemática de la dislocación y alienación del exilio.[29]

Escrita de un solo aliento el 31 de diciembre de 1990,
Morejón ofreció esta obra como obsequio a sus amigos, artistas
todos, *habitués* de la Peña de Marta Valdés que se reunía frecuentemente en un antiquísimo patio del barrio El Vedado, en
La Habana (Valdés, 1999: 319-320). La compositora Marta
Valdés sugiere que ese diverso ambiente artístico inspiró la escritura de esta obra.[30]

Articulada mediante múltiples referentes artísticos, *Pierrot
y la luna* potencia una puesta en escena de alto nivel artístico
tanto por su escenografía, efectos musicales y visuales, como
por el discurso y la selección de personajes. Lleva como indica-
dor de género el subtítulo *divertimento*.[31] La música constituye
un elemento central en la pieza no solo por las indicaciones
para acompañamiento musical de las didascalias, sino porque
el texto inscribe patrones de rima y métrica con cadencia y
consonancia que potencian variaciones melódicas. Por otra
parte, los parlamentos en prosa intercalan poemas destinados a
ser cantados.

La obra se encuentra suspendida entre dos géneros, el drama y la poesía. Une a un cierto grado de la objetividad del *epos*,
un alto nivel de la subjetividad y el simbolismo de la lírica, en un
lenguaje de vivencias esenciales, características todas que, según Hegel, son inherentes al drama poético.[32] Por su parte, Wole
Soyinka, reflexionando sobre este subgénero, señala que se trata de un drama profundamente metafórico que "extiende su
significado inmediato y la acción de sus protagonistas en un
mundo de fuerzas naturales y de concepciones metafísicas" (1992:

43, mi traducción). Como drama lírico, *Pierrot y la luna* no destaca ni la acción ni el movimiento escénico, sino que, por su riqueza de metáforas, amplía la interpretación hacia el nivel metafísico y simbólico de un ser enfrentado a fuerzas externas alienadoras movidas por el desarraigo.

En un lenguaje conversacional entretejido con imágenes visionarias que, sin despojarse de significaciones, acumula densidad expresiva, su discurso va apuntando en una dirección: el conflicto del exiliado frente a situaciones que no puede controlar en un mundo que al desconocerlo, ni le responde ni le confirma. Asimismo, Morejón le rinde homenaje a Nueva York, una Nueva York mítica, "patria de emigrantes", y a las artes plásticas, literarias y teatrales. En un acto con cuatro personajes —Pierrot y la Muchacha, acompañados de la Luna y Buster Keaton—, la pieza transcurre en la isla de Manhattan. Pierrot, personaje esencialmente poético de una genealogía que se remonta al teatro callejero de la antigüedad, desciende de una tradición europea de comediantes ambulantes de la *Commedia dell'Arte*.[33] Es un eterno melancólico, incomprendido por el materialismo del mundo que le rodea. Integrado al imaginario popular francés, viene del mundo de los desplazados. Desde el siglo XVIII, se asocia con la canción infantil *Au claire de la lune* que alude directamente al claro de luna y al arte de la escritura de Pierrot, motivos recogidos por Morejón como subtexto de la pieza.[34]

Portador de simbolismo artístico, el Pierrot lunario ha fertilizado la imaginación literaria y musical de dramaturgos, poetas, compositores, y de pintores impresionistas, posimpresionistas y modernos de los siglos XIX y XX.[35] Precisamente en un parlamento al principio del texto de Morejón, la Luna hace referencia al vínculo de Pierrot con los pintores impresionistas.[36]

En esta pieza, Morejón revive al mítico Pierrot lunario, filtro artístico del *pathos* del ser humano, como personaje marginado por el avance del materialismo y la superficialidad. La escena se abre al anochecer, en la isla de Manhattan, con rascacielos y una antigua torre de piedra y musgo de estilo inglés al fondo. En una atmósfera de ensoñación estéticamente desrealizada con música de flautas y cuerdas, se oye "un violín quebrantado". Pierrot y la Muchacha aparecen acodados en un puente entre dos orillas. Desde ese momento, el tema del exilio entra oblicuamente al texto, cuando los protagonistas contemplan la torre inglesa del fondo adonde había sido desterrado y enclaustrado un rey como castigo por su amor a una bella muchacha.

En medio de "la selva de rascacielos" de Nueva York, Pierrot busca el arcoíris que en la edad de oro sirviera como escalera entre el cielo y la tierra. En su centro espera encontrar "un bello pájaro de luz", símbolo morejoniano de la creación lírica que, como tal aquí, ha de conducir a lo inefable, a "un mundo innombrable de sombras y misterios". Errante y sumida en una melancólica agonía de soledad interior, la Muchacha desea estar en la luna, eterna acompañante del imaginario de los artistas, asociada con la vida interior del ser y la búsqueda de la otredad en el espejo. Para enseñarle a la Muchacha que no es necesario ir hasta los cielos para encontrar el bienestar en cualquier lugar, Pierrot redobla su tamborcillo y comienza a bailar con ella orientándola paulatinamente por el mantra de ese ritmo hacia otra escena.

Gran parte de la acción transcurre sobre el puente, paradigma que, como hemos visto, tiende a dar continuidad a territorios físicos y culturales originalmente desvinculados. Como espacio intersticial, el puente, observa Wole Soyinka, representa un espacio de abismos metafísicos entre el hombre y Dios, el cielo y la tierra que apunta hacia estados interiores agónicos (1992: 32). Por su parte, la Muchacha vive la agonía del desterrado, anda angustiada por la ciudad sin rumbo fijo en pos de un refugio donde recuperar una armonía perdida. Junto a Pierrot, canta en el puente una balada siguiendo un ritmo y metro de clara intertextualidad con el romance anónimo "El enamorado y la muerte", de donde provienen los versos en bastardillas:

> *Yo me estando reposando,*
> *durmiendo como solía,*
> un sueño soñaba anoche
> contra la muerte dormida.
> Las puertas se me cerraban
> y las puertas se me abrían
> cuando vi entrar una dama
> por los palacios del guía.
> Iba vestida de blanco
> cuando abrió la celosía;
> iba como un ermitaño
> buscando casa y comida.
> Me rogó que la atendiera
> mientras bordaban las ninfas:
> *"Si no me abres esta noche,*
> *ya no me abrirás, querida".*
>
> (1996C: 56-57)

La voz poética de la balada se muestra obsesionada con umbrales, con un afuera y un adentro, con imágenes de puertas que se cierran y se abren. Mientras, una dama de blanco, simbólica de la muerte, deambula en un peregrinaje inacabable en busca de albergue, golpeando puertas que no se abren. Esta dama, doble autorreferencial de la Muchacha, ha perdido su centro y anda desorientada y nostálgica de un sentido de pertenencia.

Por su parte, la Muchacha, embargada de orfandad, se siente traicionada, pues "[q]uien [la] trajo a esta ciudad / nunca volvió a bendecir[la]". La abandonó por otra y ella "hoy deambula con cualquiera / como a quien el cielo toca" (Morejón, 1996C: 58-59). En su peregrinar, la Muchacha va buscando otras alternativas. Suspira por estar en la Luna, la cual entra en escena, como personaje, preguntando por el poeta de Granada, Federico García Lorca, mientras lo evoca solidarizado con la causa de los afronorteamericanos clamando "por las cenizas de los negros flotando en el corazón de los sauces del Mississippi...?" (Morejón, 1996C: 57).

La Luna pregunta por Buster Keaton, a quien la Muchacha evoca como una figura larga y "translúcida en la noche de luciérnagas", en un sueño repetido, de un largo paseo que había tomado con él por el puerto de Nueva York.[37] En la caminata, habían seguido por los callejones hasta enredarse en "los desperdicios y los fuegos fatuos de la ciudad" (1996C: 57). Al ver a un financista de Wall Street, Buster Keaton le susurra a la joven recién llegada "cuídate mucho; los elefantes son contagiosos", imagen irracional frecuente en la escritura de Morejón que aquí sugiere cautela para no dejarse contaminar por los valores materialistas del poderío financiero.[38] Luego, Buster Keaton se va perdiendo en la bruma de las alcantarillas, mientras, con una sonrisa entristecida, irradia un esplendor patético. Solo aparece, en escena, esta vez en persona, silencioso y cubierto por una luz "cenital", le hace una pantomima a la Luna y, antes de hacer mutis, disfruta con ella de un *blues* entonado por un saxofón, al estilo de los que Morejón ha escuchado en el subterráneo de Nueva York. Cuando después del sueño, la Muchacha se pregunta por Buster Keaton, la Luna responde aludiendo a un poeta dilecto de Morejón de la ciudad de Nueva York, Walt Whitman, quien va "[b]ogando sin parar en una balsa hecha de troncos del sur y comandada por el sabio poeta de Manhattan que lo llamaba 'Mi capitán, oh, mi capitán'..." (1996C: 57).

Suspendida en el umbral del puente, la Muchacha es consciente de las orillas en contrapunto, y, al no optar ni por una ni por otra, se resiste a ser asimilada dentro de un orden dominante. Movida por los procesos de transformacion propiciados por el desplazamiento, la Muchacha se va orientando como una artista diaspórica hacia una potencialidad creativa generada desde el umbral entre dos mundos.[39] Para superar y trascender su tristeza esencial, se inclina hacia las pautas artísticas sugeridas por las alusiones a Buster Keaton, Federico García Lorca y Walt Whitman. Se va a abstraer, en una dimensión interior, por vía de la creación hacia la reterritorialización de su imaginario cultural eclipsado.

Morejón inscribe en *Pierrot y la luna,* una combinación del desasosiego nostálgico, el aliento creativo y la soledad errante del exiliado.[40] En pos de una armonía perdida, la Muchacha considera con Pierrot alternativas hacia una transformación del signo negativo del exilio en uno positivo, al sugerir como solución un camino que la conduzca, como a Ana Mendieta, a la sublimación de esa agonía mediante la creación y el arte. Para superar y trascender su tristeza esencial, Pierrot insta a la Muchacha a irse con él:

quiero subir y volver a subir hasta encontrar ese instante entre el violín y el arco que nos hará reinar sobre esta selva de rascacielos. A la sombra del poeta de Granada. Estoy aquí, amada mía, para abrigarte y emprender nuevo rumbo hacia rutas desconocidas (1996C: 58).

Así, juntos han de evadirse, como personajes de Marc Chagall, en un tránsito espiritual creativo ascendiendo hacia espacios desconocidos, al amparo de García Lorca, en pos de un punto e instante resplandeciente de armonía primordial por vía del arte.[41]

Morejón ha marcado esta obra con un signo de conciliación. Entretejiendo una amplia gama de linajes artísticos, ha armonizado géneros literarios, tradiciones teatrales de Europa y América, con personajes de la *Commedia dell'Arte* y del cine mudo, enmarcados por las artes plásticas y las musicales, textos literarios, pictóricos y cinematográficos, distantes entre sí pero que se iluminan recíprocamente. El resultado ha sido un texto híbrido, fluido y terso, lo cual no constituye un fenómeno aislado, sino que forma parte de un proceso más amplio de hibridez cultural manifestado tanto como tema o como estrategia literaria en la creación morejoniana.

De otros exilios: "Alexander Cook"

Sicoanalistas de diferentes denominaciones han observado en la emigración una metáfora de la vida, del desarrollo del individuo que, a partir del nacimiento, en su evolución, sufre diferentes experiencias de distanciamiento de lo familiar a lo desconocido. Los argentinos Rebeca Grinberg y León Grinberg han comparado el viaje del emigrante a bordo de un barco en un mar tempestuoso hacia su nuevo mundo, con el período agitado y tumultuoso del tránsito de la niñez a la adolescencia (1989: 75). Los emigrantes en su cruce a bordo del barco han dejado la posible seguridad de la tierra firme y se dirigen hacia un mundo que no conocen. Lejos de la estabilidad de la costa familiar están en alta mar en un espacio liminal movedizo. Esa sensación de inestabilidad e inseguridad no se desvanece al llegar a tierra firme, sino que, al contrario, parece no terminar.

Esta dimensión sicológica del exilio interior no escapa a Morejón. En "Alexander Cook", texto inspirado en un poema de identificación personal de un niño de once años, "Alexander",[42] la poeta profundiza metafóricamente en el proceso de extrañamiento, tal como es experimentado en el tránsito de la niñez a la pubertad:

Estoy ante la nada
como aquella adolescente
que vivía en mí sin intentarlo ni saberlo.
La nada es un relámpago
y un aviso de muerte, quizás;
la muerte de otro ser que ha vivido
    en nosotros mismos.
La nada es un amanecer bien frío
despojado de seres
rodeados de un rumor de hojas vivas
apalabradas en su luz matinal.
Qué espléndida la nada, ahora,
alzándose sobre los hombros de Alexander Cook
y su infinita bola blanca
cayendo ante nosotros,
ante su infancia que termina poblada de preguntas,
cayendo al vacío,
otra vez a la nada...

                    (2000B: 76-77)

Ante el misterio y la orfandad subyacentes en el poema referencial, la hablante vuelve su mirada a su propia historia personal, su experiencia de extranjería y exilio interior en el umbral de la adolescencia. Con sus primeros versos: "Estoy ante la nada / como aquella adolescente / que vivía en mí sin intentarlo ni saberlo", Morejón poetiza su lectura del poema, mientras la voz lírica se identifica con el sujeto poético del texto referencial, "Alexander".

La hablante reflexiona sobre ese punto de transición cuando ella misma había dejado de sentirse una y había pasado a sentirse fuera de sí. Entonces había descubierto su diferencia y enfrentado su propia alteridad, mientras, como Julia Kristeva afirmara, reconocía a la extranjera que vivía en ella misma y, por ende, en los demás.[43] En esa instancia, para esta voz poética, la desolación y el vértigo ante sus abismos se habían manifestado en una *nada*.

La nada es un estado profundo de la conciencia que se da sin imágenes, lo cual no implica necesariamente una negación absoluta, sino una indiferenciación entre objetos y manifestaciones. Constituye una realidad no objetiva. Esta zona del ser abstracta se filtra en los intersticios abismales de la existencia para dejarse ver por un instante en instancias de transición, crisis y metamorfosis cuando el ser aterrado y fascinado se apresta a dar el salto de los grandes cambios.[44]

Aquí, "[l]a nada es un relámpago" y también "un aviso de muerte" que llega anunciando la desaparición de otro ser que la habitaba. El relámpago y la muerte son metáforas que, en su contigüidad metonímica, dan cuerpo a imágenes de lo inefable de la nada. La muerte, ingrediente fundamental en los ritos de iniciación, de acuerdo con Barbara G. Walker, aparece en la etapa de transición hacia la toma de conciencia del ser que conduce a la asunción de identidad (1983: 213). Asimismo marca el fin de una época, aunque también está íntimamente ligada a la vida.[45] Ambas constituyen aspectos complementarios de un mismo ciclo, ya que las fuerzas positivas no pueden existir sin las negativas y se complementan recíprocamente en una etapa de renovación. Heráclito de Efeso ya había indicado en la muerte la fuente de la vida y con ello la potencialidad para la resurrección espiritual e incluso material. En cuanto al relámpago, en varias mitologías —la griega, la asiria, la babilónica y aun la bíblica—, representa un símbolo fálico de luz y fecundación.

En "Alexander Cook", el relámpago en asociación a un aviso sobrecogedor de separación y muerte lleva a la hablante al descenso a un abismo que anuncia el fin de una vida, el fin de la niñez, para, en su aspecto ascendente positivo, fertilizar su mundo y alumbrar a ese otro ser, la adolescente que vivía en ella. Alumbramiento y renacimiento también potenciados al principio por el relámpago y luego por la claridad de la luz matinal del día, en un "amanecer bien frío". La muerte prepara al ser para la transformación necesaria que ha de dar lugar a la regeneración y la renovación resultante de la repetición cíclica de la naturaleza, aspectos también sugeridos en la "infancia que termina poblada de preguntas / cayendo al vacío, / **otra vez** a la nada..." (mi énfasis), y en las imágenes surrealistas de vida y de seres humanos vivos que se desprenden palpitantes de un "rumor de hojas vivas, / apalabradas en su luz matinal" (2000*B*: 76).

En la segunda parte del poema, la hablante, desde su pasado, vuelve la mirada hacia el presente de Alexander Cook. Observa su encuentro con los misterios del mundo desconocido del adolescente. Se advierte entonces un cambio de perspectiva frente a la nada que se alza "sobre los hombros de Alexander Cook". La voz poética ya no comunica ni el sobresalto del relámpago ni el aviso de la muerte, sino que, filtrada por la experiencia y la reflexión, la nada ha pasado ahora a ser admirable en lo "espléndida". La persona poética expresa la perplejidad de Alexander Cook frente a la transición al terminar su niñez que cae, no en paracaídas como el mago antipoeta Altazor de Vicente Huidobro, ni como un Ícaro con la cera de sus alas derretidas, sino como algo prometedor en una esfera casi celestial, una "infinita bola blanca". En una experiencia de exilio sicológico, en su tránsito de la infancia a la adolescencia, Alexander Cook pierde su unidad e integridad primera "ante su infancia que termina poblada de preguntas", de cuestionamientos, para desplomarse en la profundidad de un espacio interior hacia un abismo insondable del yo, "al vacío, / otra vez a la nada...", que, en un fin abierto a infinitas repeticiones, proyecta una alegoría de la experiencia humana, del devenir de la vida en que el ser cae para renacer desde el pasado, en el presente, hacia el futuro.

Nota

[1] Imaginar el exilio puede ser extrañamente cautivante pero terrible de experimentar. Constituye una fisura insubsanable entre un ser humano y su patria, entre el sujeto y su verdadero hogar; su tristeza esencial nunca puede ser superada. Y, si bien la literatura y la historia presentan episodios heroicos, románticos, gloriosos, hasta triunfantes en la vida de un exiliado, estos no son más que esfuerzos destinados a superar el dolor desgarrador de ese extrañamiento. Los logros del exilio son permanentemente socavados por la pérdida de lo que quedó atrás para siempre.

[2] [...] orfandad trascendental [...] es el resultado del descubrimiento de una incompatibilidad absoluta entre el ámbito de totalidad y el ámbito de la intimidad personal, de la subjetividad.

[3] Estar arraigado es quizás la más importante y menos reconocida necesidad del alma humana.

⁴ Para el desarrollo de la noción de exilio, se han consultado los textos citados en la bibliografía de Juana Canabal Autokoletz, Michael M. J. Fisher, León Grinberg y Rebeca Grinberg, Julia Kristeva, Margaret Paul Joseph, Nikos Papestergiadis, John Durham Peters, Domnica Radulescu, Edward Said y Maeera Y. Sheiber.

⁵ Edward Said ha propuesto diferentes formas de exilio diferenciando entre exiliados, refugiados y emigrantes (1996: 362). A los efectos de nuestro estudio, empleamos la noción de exilio para referirnos a la experiencia de separación compartida por todos esos diferentes tipos de exiliados, incluyendo el fenómeno del exilio interior que veremos más adelante.

⁶ Para un lúcido desarrollo de esta noción del tema del exilio en comparación con los conceptos de nomadismo y diáspora, véase "Exile, Nomadism, and Diaspora: The Stakes of Mobility in the Western World" (1999), de John Durham Peters.

⁷ Sobre la Operación Pedro Pan y sus efectos, comentaremos con más detalle al referirnos a Ana Mendieta en este mismo capítulo.

⁸ Un ejemplo más reciente de notable inventiva es el de un pequeño grupo que vació la carrocería de un auto y la rellenó de neumáticos para que les permitiera flotar y cruzar el estrecho de la Florida. Lo intentaron varias veces, las dos primeras fueron detenidos y en la última llegaron a su destino.

⁹ Agradezco a esta poeta el manuscrito que leyó en Tegucigalpa en la XV conferencia de AILFH: "Poetas cubanas del exilio y la diáspora: Bastiones de un mismo borrón" (21 de octubre del 2005).

¹⁰ De este encuentro resultó un trabajo testimonial colectivo del grupo Areíto coordinado por Lourdes Casal, *Contra viento y marea* (1978), texto que había de recibir el Premio Casa de las Américas. Incluso, como homenaje póstumo a Lourdes Casal, se publicó una colección de sus poemas, *Palabras juntan revolución* (1981), que sería reconocida en Cuba con los mayores honores al ser premiada también por Casa de las Américas.

¹¹ Parte de lo extraordinario de la acción de Casal se debió al duro escenario que debió enfrentar la iniciativa en su momento —finales de los años 70—, debido al ambiente hostil y agresivo que imperaba. Un ejemplo de esto lo vivió la dramaturga cubano-americana Dolores Prida, quien, con su elenco, llevó a escena una de sus obras a La Habana. A consecuencia de ello,

recibió serias amenazas, no solamente sobre su vida sino también la de sus colaboradores, amenazas que lamentablemente se materializaron con la muerte de una de sus actrices.

[12] En el video documental realizado por Kate Horsfield, Nereyda García-Ferraz y Branda Miller, *Ana Mendieta: Fuego de Tierra* (1987), se presenta un retrato de Ana con anécdotas y comentarios de su hermana, familiares, amigos y artistas residentes en La Habana, entre quienes aparece Nancy Morejón.

[13] Publicado originalmente en *Paisaje célebre* (1993), aquí empleamos el texto de *Looking within / Mirar adentro* (2003: 112-116).

[14] Para la simbología en este poema se han consultado *A Dictionary of Symbols*, de J. E. Cirlot (1972), y *The Woman's Encyclopedia of Myths and Secrets* (1983), de Barbara G. Walker.

[15] Para un enfoque en la transferencia de valores culturales de lo negativo a lo positivo, véase *Modernity as Exile*, de Paspastergiadis (1993: 101).

[16] Sobre la tradición afrocubana de la ceiba, se ha consultado *La religión afrocubana*, de Mercedes Cross Sandoval (1975: 113-115).

[17] La cascarilla es un polvo hecho con cáscara de huevo triturada y empleada en algunos rituales de santería como elemento conductor universal de aché.

[18] Agradezco a Sonia Rivera Valdés el manuscrito inédito "De verdad, ¿por qué salí de Cuba?", de marzo de 1993.

[19] Las citas de este poema provienen del texto publicado en *Looking within / Mirar adentro* (2003: 108-111).

[20] La noción de puntos de capitoneo proviene del sicoanálisis de Jacques Lacan. Según Lacan, el mensaje tiene una dimensión diacrónica que se produce mediante elementos discretos representados por significantes relacionados como puntos de almohadillado o capitoneo que se unen y se sostienen por un hilo que une los diferentes elementos para producir sentido.

[21] Parque nacional cubano ubicado al suroeste de la Isla que recibiera su designación de parte de Cristóbal Colón.

[22] Nacido en Alejandría, Egipto, Konstantinos Pétrou Kaváfis, C. P. Cavafy (1863-1933), vivió el exilio en Londres y en Constantinopla. Como es-

critor no tuvo reconocimiento en vida, pero ha sido celebrado póstumamente como el poeta griego más original e influyente del siglo xx. Este poema que aparece en *Collected Poems* (1975), reza: "You said: 'I'll go to another country, go to another shore, / Find another city better than this one. / Whatever I try to do so is fated to turn out wrong / And my heart lies buried like something dead. / How long can I let my mind moulder in this place? / Wherever I turn, wherever I look, / I see the black ruins of my life, here, / Where I've spent so many years, wasted them, destroy them totally'. // You won't find a new country, won't find another shore. / This city will always pursue you. / You'll walk the same streets, grow old / in the same neighbourhoods, turn grey in the same houses. / You'll always end in this city. Don't hope for things elsewhere: / There's no ship for you, there's no road. / Now that you've wasted your life here, in this small corner, / You've destroyed it everywhere in the world" (27). ["Tú dijiste: 'Iré a otro país, iré a otra orilla, / Encontraré otra ciudad mejor que esta. / Lo que quiera que intente está destinado a terminar mal / Y mi corazón se encuentra enterrado como algo muerto. / ¿Hasta dónde puedo dejar que mi mente se amolde a este sitio? / Adonde quiera que gire, adonde quiera que mire, / Veo las negras ruinas de mi vida, aquí, / Donde he pasado tantos años, desperdiciados, destruidos totalmente'. // No encontrarás un país nuevo, no encontrarás otra orilla. / Esta ciudad siempre te perseguirá. / Caminarás las mismas calles, envejecerás en los mismos vecindarios, encanecerás en las mismas casas. / Siempre terminarás en esta ciudad. No esperes por cosas en otro sitio: / No hay barco para ti, no hay camino. / Ahora que has desperdiciado tu vida aquí, en esta pequeña esquina, / la has destruido en todo lugar del mundo". (Traducción de la Autora).

[23] Sobre la visión simultánea y en contrapunto del exiliado, se ha consultado "Reflections on Exile", de Said (1996: 366).

[24] Sobre el narcisismo masoquista del exiliado y su obsesión fetichista, véase "Reflections on Exile", de Said (1996: 364).

[25] Me refiero a la etapa del espejo del modelo sicoanalítico de formación de la subjetividad que precede el ingreso al orden simbólico de la cultura, orden desconocido al que se accede por obra de la Ley-del-Nombre-del-Padre, cuando el individuo busca confirmación en la imagen reflejada en el espejo.

26 De acuerdo al discurso de la Embajadora de Francia en Cuba, S.E. Marie-France Pagnier, en la ceremonia de entrega de la Orden Nacional del Mérito de la República de Francia a Nancy Morejón que tuvo lugar en su residencia de Miramar, La Habana, el 12 de febrero del 2004. Agradezco a la poeta este texto inédito.

27 Agradezco a Morejón el texto inédito de "Aceptación de la Orden Nacional del Mérito de la República de Francia" (12 de febrero del 2004).

28 Me refiero a dramaturgos de la estatura de Rolando Ferrer, Roberto Blanco, Luis Brunet, Vicente Revuelta, Eugenio Hernández Espinosa y Gerardo Fulleda León, director de la compañía Rita Montaner, y la uruguaya Sara Larocca.

29 Todas las citas de este texto provendrán de la edición de esta obra publicada en *Afro-Hispanic Review*, Volume 15, Number 1, Spring 1996 (56-59). Más recientemente, *Pierrot y la luna* apareció en una *plaquette* realizada por Ediciones Vigía y presentada en Matanzas durante la XV Feria Internacional del Libro (febrero del 2006).

30 Marta Valdés se propuso poner en escena esta obra encomendando la musicalización al compositor Pavel Urquiza, quien compuso canciones que luego pasarían a integrar el repertorio de la Peña (Valdés, 1999: 319-320). Lamentablemente, el proyecto se frustró en La Habana. En la práctica, siempre ha sido difícil llevar a escena el drama poético tanto en Cuba como en otras latitudes. Las grandes salas no le han abierto las puertas y cuando se ha hecho posible la representación del drama lírico se ha dado en pequeñas salas de *amateurs* (Thoughless, 1968: 1). En un momento, surgió la oportunidad de llevar la obra al escenario en Zaragoza, España, bajo la dirección general de Felipe Alegre, con la compañía El Silbo Vulnerado, compañía que se dedica a poner en escena textos de poesía. Tal como había sido concebida por Marta Valdés para ser dirigida musicalmente por ella misma, se había proyectado una puesta en escena que haría "luz, sonido, atmósfera y movimiento" la teatralización potenciada por el texto dramático tanto en sus aspectos poéticos como escénicos (Valdés, 1999: 320). La puesta en escena se iba a realizar en el puente de Jaulín, un antiguo pueblo medieval, al aire libre y a la luz natural de la luna, con marionetas gigantescas y la participación de los artistas cubanos. Ese proyecto aún no ha cristalizado.

[31] El *divertimento* es una composición musical ligera propia del siglo XVIII que consiste en una serie de pequeñas piezas orquestadas como una *suite* y que se interpreta en celebraciones al aire libre, en jardines.

[32] Véase, en *Introducción a la estética*, "La poesía dramática" (volumen 12: 513), de Hegel (cit. en Pavis, 1990: 368).

[33] Para la trayectoria de Pierrot, véanse: *The Triumph of Pierrot: The Commedia dell'Arte and the Modern Imagination* (1986), de Martin Green y John Swan, y *Pierrot* (1960), de Kay Dick.

[34] La canción reza: "Au claire de la lune, mon ami Pierrot. Prête-moi ta plume pour écrire un mot. La chandelle est morte, je l'allumerai. Ouvre-moi ta porte pour l'amour de Dieu". ["Oh, claro de luna, amigo Pierrot. Préstame tu pluma para escribir una palabra. La luz se ha acabado, yo la alumbraré. Ábreme la puerta por amor de Dios" (mi traducción)].

[35] Me refiero a Alfred Jarry, Théophile Gautier, Charles Beaudelaire, Guillaume Apollinaire, y Frantz Peter Schubert, Claude Debussy y Erik Satie. En cuanto a la la pintura, Pierrot fue arquetipo de las artes a través de Auguste Renoir, Edouard Manet, Henri de Toulouse Lautrec, Henri Rousseau, Georges Rouault y Pablo Picasso.

[36] Desde hace unos años, Pierrot ha pasado a integrar el imaginario de Nancy Morejón en otro lenguaje artístico en sus dibujos con su figura acrobática vestida de blanco y su identidad legendaria evocadora de creación y ludismo. En lo que resulta un juego liberador con imágenes que brotan de su mano que recorre un papel inscribiendo los vagos rumores de su inconsciente, la escritora ha recogido este tema como motivo central en su creación plástica dibujando unos melancólicos Pierrot con expresiones en blanco y negro o en colores vivos.

[37] Celebrado actor del cine mudo, Joseph Frank (Buster) Keaton (1895-1966) nació en el ambiente del vaudeville, en el mundo de las tablas que lo había de conducir a la cinematografía. Llegó a crear películas que han pasado a ser clásicos por su gran valor artístico: *The Three Ages, The General, Our Hospitality,* entre otras.

[38] Interesa señalar que el elefante en el mundo político de los Estados Unidos simboliza al partido más conservador, el Republicano.

[39] Para un desarrollo de la evasión del exiliado por el arte, véase "Reflections on Exile" (1996), de Edward Said, y *Modernity as Exile: The Stranger in John Berger's Writing*, de Nikos Papastergiadis, en su referencia a Joseph Brodski (1993: 96-100).

[40] Véase *Múltiples moradas*, en el que Claudio Guillén describe dos categorías de escritura del exilio, la nostálgica y la creativa, señalando así a los escritores que miran hacia adentro y se concentran en la pérdida y aquellos que miran hacia fuera para crear (1998: 29-30).

[41] Para la opción del arte, véase "Reflections on Exile", de Said (1996: 362).

[42] Ese poema reza: "Alexander / Humorista, misterioso, expresivo y talentoso. / Hermano de Chris, Nick y Angélique. / Amante del fútbol, la geografía y la familia. / Quien se siente estresado, asustado y solo. / Quien necesita amor, amigos y ayuda. / Quien le teme a la soledad, a las alturas y a la oscuridad. / Quien da amistad, ayuda y respeto. / Quien quisiera ver un ángel, Dios y el Cielo. / Residente de los Estados Unidos. / Cook. (30 de agosto de 1999)" ["Alexander / Humorous, mysterious, expressive, and talented. / Brother of Chris, Nick, and Angelique. / Lover of soccer, geography, and family. / Who feels stressed, scared, and lonely. / Who needs love, friends, and help. / Who fears being alone, heights, and the dark. / Who gives friendship, help, and respect. / Who would like to see an angel, God, and Heaven. / Resident of the United States. / Cook"]. (August 30, 1999) (en Morejón, 2000B: 76).

[43] "El extranjero está en mí, por lo tanto todos somos extranjeros", asegura Julia Kristeva ("The foreigner is within me, hence we are all foreigners") (1991: 192).

[44] Según el rabino Joseph ben Shalom, que vivía en Barcelona en el siglo XIII, una de las revelaciones de Dios merecedora de mayor atención es la nada mística que aparece en los intersticios abismales (Cirlot, 1972: 229-230).

[45] Para una lúcida explicación de la simbología de la muerte, véase *Dictionary of Symbols*, de Cirlot (1972: 213-217).

Capítulo Tercero

HUELLAS DE AFRICANÍA PROFUNDA

When I say black, it is not meant in the biological sense, nor is it for racial applause. When I say black, it is the name of a profound and unique historical experience.[1]

GEORGE LAMMING

Our struggle is also a struggle of memory against forgetting.[2]

FREEDOM CHARTER (South Africa)

Awake! Arise! No longer sleep nor slumber, but distinguish yourselves. Show forth to the world that you are endowed with noble and exalted faculties.[3]

MARIA STEWART

Introducción

No deseando limitar el alcance de la creación de Nancy Morejón al identificarla exclusivamente bajo el rótulo de poesía negra, pero reconociendo que la africanía constituye una piedra angular en su obra y en la definición de su propio ser, en este capítulo abordamos el componente etnorracial en su creación dentro de sus contextos históricos, sociales y culturales. Sin embargo, no lo presentamos como hecho biológico ni elemento de disociación, sino como elemento de integración al cual la poeta se aproxima con una perspectiva de la Historia con mayúscula, atendiendo también la otra historia, la olvidada, la de las marginadas y subyugadas mujeres anónimas de otrora.[4] Esto no ha de sorprender, más aún teniendo en cuenta la centralidad de la impronta africana en el caudal histórico y cultural de la nación, y en la construcción de la identidad y la nacionalidad cubana, ya que, según la propia Morejón, es "imposible definir la cultura cubana sin la presencia y la acción del negro; imposible, pues, definir la cultura caribeña, por extensión, sin la presencia y la acción del negro" (1988D: 184).

Morejón inscribe la africanía en el meollo de su poesía como componente fundamental, aglutinador y universalizante del tránsito violento sufrido por los africanos durante la diáspora que vino a implantar en América por siglos un sistema de esclavitud que ella describe como "sinónimo del establecimiento de la más cruel dislocación, cuyo pilares fueron: la filosofía del despojo, la dependencia —escoltada ella misma por el contrapunteo del tabaco y el azúcar—, y el prejuicio racial" ("Cuba y lo afrocubano").

Siempre en su justo lugar, las huellas del componente afro surgen en la creación de esta poeta tanto explícita como implícitamente, entrelazadas con intertextos históricos de antiguos traumas y memorias culturales, colectivas y personales. Pueden verse en un poema épico como "Mujer negra", en el que describe íntegramente la trayectoria histórica de los esclavos africanos y sus descendientes desde la perspectiva de una mujer. También pueden regresar en imágenes que por parciales no dejan de ser desgarradoras, como las evocadas por la sal del mar, en "Botella al mar",[5] donde "viene un galeón diminuto / y unos negros / amordazados / dando alaridos", o en las imágenes esbozadas en finos detalles visuales, siempre reveladores, como en "Cotorra que atraviesa Manrique",[6] en el que parece pintar con la mirada aguda y el trazo delicado de Landaluce[7] un boceto en las siluetas de dos habaneras que balanceando y contoneando rítmicamente su cuerpo, van siguiendo los aires caribeños, mientras se abren paso en medio del bullicio callejero del barrio de Los Sitios: "Dos negras se aproximan /desde la multitud, /en un vaivén de hamacas vivas, /columpiadas por el viento del Golfo" (2003: 106).

Orgullosa de su condición racial, Morejón empezó a asimilar su conciencia de africanía en su propio hogar, con su familia, con su padre, Felipe Morejón, y su tía paterna, Aida Santana. En sus viajes como marino mercante, su padre había visitado los Estados Unidos donde había entrado en contacto con otras manifestaciones de la experiencia racial, todo lo cual habría de alentar las primeras intuiciones de Morejón. Así la poeta inscribe en "El hogar" signos de africanía al representar la intimidad amarga de un entorno amado, el hogar de un estibador, hogar "de trabajos y lágrimas" pleno de carencias y sufrimientos, bajo el amparo de la divinidad Yoruba de la maternidad y el mar, Yemayá.[8]

Nicolás Guillén (1902-1987) tempranamente había destacado en la obra de Morejón su espíritu negro unido a una acendrada cubanía, aunque también animado de universalidad, en "Nancy":

Pienso que su poesía es negra como su piel cuando la tomamos en su esencia íntima y sonámbula. Es también cubana (y por eso mismo) con la raíz enterrada muy hondo hasta salir por el otro lado del planeta. [...] Yo amo su sonrisa, su carne oscura, su cabeza africana (1974, tomo 2: 334-335).

De joven, Morejón había trabajado muy de cerca con Guillén. Habían compartido toda una época y un mundo cultural. De él, la poeta había asimilado su oficio de la escritura, la disciplina de trabajo intelectual, "el espíritu de la lengua domesticada y el concepto de nacionalidad [...]" (Cordones-Cook, 1996: 61). Fue precisamente a través de Guillén y durante las tertulias matinales de este con Eliseo Diego, cuando se batían en duelo poético recitando a los grandes clásicos españoles, que se despertó en la poeta el amor a la lengua española y su literatura (Morejón, 1996: 7).

Morejón ha reconocido en Guillén a un maestro no tanto en lo formal, sino más bien en la conciencia y valoración de lo hispano-africano y en el compromiso ideológico y social imprescindible del artista. La influencia literaria de Guillén en la creación de la poeta se manifiesta a partir de su tercera colección de poesía, *Richard trajo su flauta y otros argumentos* (1967), cuando la voz lírica se interna en el legado cultural de sus mayores, en textos sobre su familia, su madre, sus abuelas, quienes, ligadas a símbolos de la cultura afrocubana, han de continuar reapareciendo en su obra hasta una de sus colecciones poéticas más recientes: *Carbones silvestres* (2005).

Asimismo, Morejón no concibe su obra sin el *Sóngoro cosongo* de Nicolás Guillén. Sin textos tales como "El apellido", no hubieran existido, ni su emblemático "Mujer negra", ni tampoco "Nombres"; y sin los clásicos guilleneanos "Sensemayá", "La balada del güije", "Los ríos" y "Mujer nueva", tampoco existirían, respectivamente, ni "Hablando con una culebra", ni "Güijes", ni "Mississippi", ni "Mujeres nuevas". Sin embargo, como veremos más adelante, con frecuencia Morejón se aparta de su maestro y, abriendo brecha, se lanza por caminos no transitados por él.

Por otra parte, Guillén valoraba la labor crítica de Morejón, hasta el punto de que él mismo la había invitado a estudiar su poesía. El resto es historia: con el tiempo, ella vendría a ser una de las reconocidas expertas de su obra. Fue Morejón quien coordinó el volumen de artículos *Recopilación de textos sobre Nicolás Guillén* (1974) para la Colección Valoración Múltiple de la Casa de las Américas, y, más tarde, publicó una extensa monografía, *Nación y mestizaje en Nicolás Guillén* (1982), referencia obligada de los estudiosos del poeta camagüeyano y del tema de la transculturación en Cuba.

Renacimiento negro en el Caribe

En las décadas del 20 y del 30 del siglo pasado, las raíces africanas en las artes, la cultura y el lenguaje comenzaron a ser investigadas como parte de un empuje más amplio de redefinición de Cuba como nación mulata (De la Fuente, 2001: 3). En esos años, habían llegado al Caribe y a toda América los aires del interés en el mundo africano surgido con la vanguardia artística europea de principios del siglo XX. Reflexionando sobre este clima cultural, Jerome C. Branche, en *Colonialism and Race in Luso-Hispanic Literature* (2006), señala como ejemplos de ese auge africanista la estética cubista de Pablo Picasso, en *Les Demoiselles d'Avignon,* así como también el característico sello africano de las máscaras, la música y la danza acompañadas de tambores de los dadaístas en el Cabaret Voltaire de Zurich en los años 20 (163-165). Este auge africanista en Europa, dentro de la mentalidad subyacentemente colonizada y eurocéntrica de nuestra América, influyó alentando y legitimando los trabajos creativos y ensayísticos relacionados con la africanía.

En "Cuba y lo afrocubano, ¿una metáfora?", Nancy Morejón también observa, en esa misma época, un empuje cultural de revaloración de lo negro en las Américas con un notable desarrollo musical:

> Simultáneamente, florecía un aluvión de música sinfónica, folklórica y popular que agrupó nombres tales como Amadeo Roldán, Alejandro García Caturla, Miguel Matamoros, Eliseo Grenet, Moisés Simons,[9] Ernesto Lecuona, Ignacio Piñeiro,[10] Bola de Nieve, Arsenio Rodríguez. Estas expresiones —nacidas muchas al amparo del propio Ortiz—, fueron conocidas en aquel entonces como el más legítimo espejo de lo *afrocubano*.

> Son los tiempos del paso por La Habana del poeta Langston Hughes que regresaba como marino mercante desde África a Nueva York y que precedería en breve a la triunfal estancia aquí del poeta de Granada, Federico García Lorca. La explosión de lo afrocubano, alrededor de 1930, indudablemente tiene como referencia al movimiento llamado Harlem Renaissance del que Hughes fuera emblema.

El Harlem Black Renaissance contaba entre sus destacados creadores con W. E. B. Dubois, Countee Cullen, Zora Neale Hurston, todos ellos liderados por Langston Hughes. Con espíritu de celebración, renovación y regeneración de toda la diáspora africana, este movimiento buscaba recuperar y afirmar una identidad, una historia y una cultura, a la vez que liberar al mundo afro del estigma que lo había plagado.

Además de encontrar eco en Cuba entre notables creadores musicales, este acercamiento a lo negro también se manifestó en las artes plásticas, con la pintura de Wifredo Lam, por ejemplo. En las letras, se reveló con pujanza en una generación de poetas negristas: Emilio Ballagas (1908-1958), Ramón Guirao (1908-1949), Marcelino Arozarena (1912-1996), entre quienes descolló Nicolás Guillén (1902-1989), con una obra lírica que recogía el tema del mestizaje y la saga de la esclavitud en textos epigramáticos tales como "Vine en un barco negrero", "Llegada" y "Sudor y látigo". Este fenómeno se extendió al ensayo y la narrativa con Fernando Ortiz (1880-1969), Lydia Cabrera (1899-1999), Rómulo Lachatañeré (1909-1952) y Alejo Carpentier (1904-1980), entre otros. Pero no se trataba de un fenómeno aislado, pues en el resto del Caribe y la América hispana fueron apareciendo escritores que abordaban la problemática negra en todas las zonas donde hubo una diáspora africana: en Puerto Rico, Luis Palés Matos (1898-1959); en Haití, Jacques Roumain (1907-1944); en Martinica, Aimé Césaire (1913-2008), Frantz Fanon (1925-1961) y Édouard Glissant (1928-2011); en Venezuela, Juan Pablo Sojo (1908-1948); en Colombia, Manuel Zapata Olivella (1920-2004); en Ecuador, Nelson Estupiñán Bass (1912-2002); en Perú, Nicomedes Santa Cruz (1925-1992). Incluso en una tierra geográficamente distante y con pequeño porcentaje de negros como el Uruguay, surgió un grupo de intelectuales afrodescendientes, Nuestra Raza, que, aunque de corta vida, llegó a formar un Partido Autónomo Negro.

No podemos dejar de señalar que, en esos años de eclosión cultural y creativa afroamericana, había comenzado a difundirse el movimiento ideológico y literario de la intelectualidad negra francófona, la *négritude,* iniciado en París por Aimé Césaire (Martinica, 1913-2008), en colaboración con sus compañeros de estudios Léopold Sédar Senghor (Senegal, 1906-2001) y Léon Gontran-Damas (Guayana Francesa, 1912-1978). El concepto de *négritude* mencionado por vez primera en 1939, en *Cahier d'un retour au pays natale,* de Césaire, daba voz a la lucha y formación de una identidad de la cual la Revolución Haitiana de 1804 fuera claro ejemplo.[11] Aún más, Césaire, invocando la figura de Toussaint Louverture, consideraba que esa revolución había sido la primera expresión de la *négritude.*

Surgido como reacción a la alienación caribeña, a la inferioridad y al estigma adjudicados a todo lo asociado con lo negro por el colonizador europeo, este movimiento ideológico y cultural denegaba la subyugación del negro. A la vez, con espíritu de reivindicación, establecía una valoración y orgullo de los orígenes de la identidad africana diaspórica, no exentos de esencialismo racial.

En las décadas que siguieron, este concepto fue motivo de fuertes debates ideológicos. Se argüía que las ideas postuladas por la *négritude* podían simplemente interpretarse como la antítesis del modelo europeo de supremacía racial (Ashcroft, 1995: 21). Por su parte, Wole Soyinka, volviendo su mirada a Jean Paul Sartre, sostenía que este movimiento a partir del pensamiento cartesiano había sustituido "Pienso, luego existo" por "*Siento,* luego existo" (mi énfasis), con lo cual ratificaba y perpetuaba los prejuicios del colonizador europeo (1992: 135-136). Categóricamente, Soyinka señaló que la *négritude,* basada en la tradición intelectual europea, adoptaba los binarismos del pensamiento occidental y afirmaba características propias de la identidad y la cultura negras, que de una manera reflejaban estereotipos eurocéntricos. De todos modos, no se puede pasar por alto que la *négritude* tuvo un sentido reivindicador de valoración y concientización del legado africano. Incluso, el propio Soyinka tiempo después reconoció el valor pionero de este movimiento al propiciar en la diáspora el desarrollo de la conciencia de africanía.

La problemática sociocultural antillana ha representado para Morejón un modo de sentir e imaginar el mundo.[12] Su poesía y sus ensayos perfilan una estética de espíritu afrocaribeño que va en pos de los auténticos pilares de su gente, su cultura, sus creadores y su esplendorosa cantera mitológica, en el paisaje de sus islas, sus playas, sus mares y sus montes, considerados como categorías míticas.

Amplia y abarcadora, la noción del Caribe de Morejón comprende una civilización configurada por complejos y diversos componentes culturales con diferentes lenguas, ya sea española, francesa, inglesa u holandesa. "El Caribe ha sido una torre de Babel que ha estado condicionada por sus correspondientes movimientos migratorios", asegura la poeta (2005C: 312). Los múltiples componentes étnicos de la región —indígenas, africanos, europeos y asiáticos—, más allá de la diversidad y las distancias geográficas poseen una esencia en común que así como la caracterizan también la definen (Morejón, 1988D: 177). Se trata de la esclavitud, larga experiencia histórica de subyugación y explotación centrada principalmente en la plantación azucarera esclavista de todas las colonias del archipiélago. Esa memoria ha tenido repercusiones en un cúmulo de diversas manifestaciones culturales. Ha venido inspirando la imaginación literaria, plástica y musical de la región para formar hoy día parte de un continuo de la modernidad afroamericana.[13] Al respecto, Morejón declaró:

> Cuba forma parte del Caribe, no es solamente una vecindad, un accidente geográfico. Lo caribeño es una civilización que se expresa en diferentes idiomas pero con culturas que siempre se tocan, que siempre se encuentran y que nacen del mismo tronco (Viñoles, 2003).

Al aproximarnos a la escritura de Morejón, observamos que su imaginario está poblado por señeros escritores antillanos del siglo XX —Jacques Roumain, Aimé Césaire, Édouard Glissant, Stephen Alexis, Edward Brathwaite, George Lamming, Alejo Carpentier y Nicolás Guillén, entre otros—, ya sea como tema de profundos ensayos analíticos o dejando sus huellas en imágenes, dedicatorias o epígrafes de su poesía, todo lo cual sugiere una continuidad de tradiciones caribeñas a la vez que iluminan especularmente tanto la obra de la poeta como la amplitud de su mundo cultural.

Como estos escritores antillanos, Morejón abraza y asume en toda su plenitud la heterogeneidad y la homogeneidad del crisol caribeño en cuanto a síntesis humana y social, con sus vicisitudes y avatares históricos, así como con sus tradiciones culturales y literarias marcadas por una profunda africanía. La poeta ha llegado a proclamar como Simón Bolívar en el siglo XIX: "aquí somos más África que Europa" (1988D: 180). Asimismo, su pensamiento teórico entronca con el discurso de estos intelectuales tanto en su interrogación sobre orígenes y conceptos de nación y estética, como en su reacción contra el mimetismo europeizante de quienes, incapaces de auscultar su propio mundo y de identificar los profundos y legítimos valores americanos

mestizados con los africanos, han buscado imitar la supuestamente civilizada y superior metrópoli.

Mar / travesía / diáspora

Refiriéndose al mar Caribe, Antonio Benítez Rojo ha observado: "es el reino natural e imprescindible de las corrientes
marinas, de las ondas, de los pliegues y repliegues, de la fluidez
y las sinuosidades" (1989: XIV). El mar, presencia ubicua y
diferenciadora, marca la identidad del antillano separando,
pero también uniendo a sus pobladores en medio de sus
avatares y tempestades.

El mar Caribe fue, y sigue siendo hoy, ámbito de disemina-
ción de emigrantes, de separación y dislocación, pero asimismo de encuentros y reconexiones, de continuo intercambio de
lenguas, de culturas, de etnicidades. Por esa vía llegaron a las
Antillas los invasores españoles. Les siguieron otras potencias
europeas que también vinieron a conquistar y a someter las
poblaciones y culturas indígenas del lugar —siboneyes, taínos
y caribes—, quienes habían emigrado en olas sucesivas de la
tierra firme que es hoy Sudamérica. Por el océano, fueron traídos los esclavos africanos. A ellos se unieron después de las luchas de la independencia y de la abolición de la esclavitud, olas
de emigrantes orientales y otros caribeños que cruzaban las
aguas de isla en isla.

Ruta obligatoria de la travesía, en su inmensidad infinita,
el mar constituye una categoría mítica recurrente en la obra de
Morejón. Naturalmente vinculado con el transplante de los
esclavos, es símbolo de amargas historias ancestrales de parti-
das, pasajes y llegadas, así como de orígenes, ambivalencias y

reversibilidades, que se extienden desde África a América (Dietrich, 1999: 20).

Sabido es que la travesía constituía una experiencia monstruosamente cruel que llegaba a convertir al esclavo en bestia de carga. Frecuentemente, al subir a bordo de los barcos negreros, los esclavos eran marcados en las mejillas con hierro candente como ganado, y, si se quejaban, eran brutalmente castigados y torturados.[14] Después de ser marcados, eran obligados a desnudarse, desnudez que, como señala bell hooks, indefectiblemente concentraba la atención en la vulnerabilidad sexual de la mujer, quien era brutalmente violada (1989: 18). No había piedad para las niñas, quienes tampoco escapaban a la violación.[15] En consecuencia, muchas de estas mujeres llegaban a América en cinta. Más aún, durante el viaje la deshumanización llegaba a tal grado que los esclavos eran obligados a practicar antropofagia, ya que si en la expedición faltaba comida, se mataban esclavos para usarlos como alimento de sus pares.

Las bodegas de los galeotes iban repletas de un cargamento de esclavos amordazados y hacinados, los cuales, forzados al pasaje atlántico, eran desembarcados y arrojados como una mercancía cualquiera por los puertos de las Américas. Esa experiencia es el referente de algunos poemas de Morejón, como, por ejemplo, "Humus inmemorial", en el que perfila la figura arquetípica de la esclava despojada de su condición humana, víctima de la violación, hecha madre brutalmente, convertida junto con sus descendientes en bestias, en animales explotados y consumidos, tratados como desechos humanos.[16] "Moza, madre que hallas tu vientre / por entre fieras y osamentas", reza "Humus inmemorial", invocando a una madre mítica, origen sacrificial de generaciones (Morejón, 2003B: 162). Este texto apunta desde el título a un proceso de regeneración de esa humanidad esclavizada que se proyecta hacia el futuro como el humus que, con el correr del tiempo, enriquece la tierra con elementos vivos residuales en fermento, para ir forjando con sus descendientes una estirpe benéfica para la sociedad.

En "Junto al golfo", el aire asfixiante del archipiélago caribeño palpita en la sombría experiencia del pasado con ecos de un texto de Nicolás Guillén en "los galeotes dramáticos" del epígrafe.[17] Morejón da aquí una vuelta de tuerca inesperada, insertando elementos anacrónicos para hacer conscientes a sus lectores de la redición de la depredación y el despojo en el presente. Incluye, sobre el trasfondo de la trata de esclavos, el uso del *napalm,* sustancia empleada en la Segunda Guerra Mundial contra Alemania, aunque hoy en día es más conocida por su uso por el ejército de los Estados Unidos en la guerra de Vietnam. Al poner el *napalm* en manos de un corsario, la poeta proyecta la experiencia colonizadora a nuestros días, mientras apunta acusadoramente al explotador contemporáneo, que no puede aludir a otro que el amenazante vecino del Norte, "en el fondo del golfo":

> Islas sobre islas. Islas del canto.
> Islas. Canto del mar sobre las islas.
> Y mis ojos que bogan
> por los bordes humeantes de las hierbas.
>
> Caribe de la asfixia, tu pasado perdido,
> tu habla y tu pulmón.
> ....
> pero veo
>   "los galeotes dramáticos",

el corsario sombrío
con su arco de napalm
en el fondo del golfo.

(2003: 286)

Morejón sostiene que la realidad de la diáspora, por el comercio triangular transatlántico, está íntimamente ligada al fenómeno de la nación, agregando que ningún caribeño de hoy en día puede ni debe perder de vista que sus ancestros fueron esclavos transplantados desde África a partir del siglo XVI para construir el monumental edificio del colonialismo en las Américas (2000B: 164-165). La diáspora dejó una huella indeleble por la fragmentación y la disolución de las familias, con sus miembros dispersos en total anonimato, sin nombres ni apellidos.[18]

El drama y efecto de esta experiencia es evocado por Morejón en el poema "Saltimbanquis".[19] En Ciego de Ávila, donde había nacido el padre de la poeta, la hablante invita a Brígida —nombre de la abuela paterna de Morejón— a unirse a una "mojiganga alborotada". Se trata de una caravana de saltimbanquis, andariegos de "almas vivas", "brujos, cantores, talabarteros, cómicos de la legua", una humanidad desordenada y desorientada que desde muy lejos se va desplazando sin destino ni horizontes fijos, mientras, perseguidos y diezmados, van dejando jirones de sí mismos en el camino. Estas imágenes ignominiosas apuntan hacia diferentes momentos del pasado, ya sea la captura de los africanos en el interior del continente y su transporte sufriendo todo tipo de atrocidades hasta las costas, o el sacrificio de la inhumana travesía del océano, o más tarde la persecución de los cimarrones.

Desde otra perspectiva, la poeta presenta en "Mundos" a una hablante migratoria, quien, encarnando la diáspora, se muestra renuente a partir y busca plantar raíces en el mar desde un gran barco, metáfora polisémica de su casa, su hogar, su isla, su nación:[20]

> Mi casa es un gran barco
> que no desea emprender su travesía.
> Sus mástiles, sus jarcias,
> se tornaron raíces
> y medusas plantadas en medio de la mar;
> a estas alturas,
>
> (2003: 290)

En su barco, la hablante flota sobre el mar como en un tercer espacio de convergencia,[21] donde no hay separación sino continuidad con transformaciones y fusión de mundos diversos, metáforas del ayer y el hoy, de África y las Américas, de Europa y el Caribe: "Viejo mundo el que amo, / nuevo mundo el que amo, / mundos, mundos los dos, mis mundos [...]" (2003: 290).

La voz poética de "Mundos" vuelve a su origen para abrazar su pasado en el amoroso hálito de un esclavo quien la invita a andar en medio de la inclemencia y el desamparo de la tempestad. Se sugiere así tanto la travesía como la experiencia de cambio, avance y solidaridad en la difícil inserción en un nuevo mundo con el arraigo de las piernas sembradas en el océano:

> "Vamos a andar", me dijo alguna vez,
> con su aliento amoroso, aquel esclavo.
> Y ambos sembramos nuestras piernas

como troncos incólumes, como nidos fundados;
abrazándonos bajo la tempestad.

(2003: 290-291)

Una vez en América, esa humanidad encadenada continuaba siendo brutalmente maltratada y desgarrada. El linchamiento era uno de los castigos sufridos por los esclavos. Frantz Fanon sostiene que esta práctica constituía una revancha sexual contra el negro, a quien el hombre blanco negrofóbico había estereotipado como símbolo fálico de exuberante sexualidad y de peligro (1967: 159-172). El amo justificaba así inscribir su poder y opresión atacando el cuerpo del esclavo, significante de diferencia y alteridad (Ashcroft, 1995: 312-322).

Remontándose al antecedente histórico del linchamiento en la colonia, Morejón presenta, en "Negro", a un esclavo que pende de la horca en una plaza pública de La Habana colonial, frente al Palacio de los Capitanes. El cuerpo africano aparece en toda su vulnerabilidad y su materialidad, en toda su diferencia y alteridad —el color de su piel, la textura del pelo—, signos visibles que a los ojos del colonizador lo hacían indefectiblemente inferior y lo destinaban a ser víctima de la violencia. Por otra parte, la hablante alude a la polarizada sociedad colonial al bifurcarse en una mirada escindida, la del amo que demoniza al esclavo y la de la hablante que lo embellece y lo espiritualiza, colocando en su cabello el nido del zunzún —un picaflor—, bello y delicado pájaro de vuelo trémulo:

Tu pelo,
    para algunos,
era diablura del infierno;
pero el zunzún allí

puso su nido, sin reparos,
cuando pendías en lo alto del horcón,
frente al palacio
                    de los capitanes.

(2003: 176)

Asimismo, en ese sacrificio, Morejón alude a la humanidad y sensibilidad incomprendida del negro esclavo: "Ya moribundo / sospechan que tu sonrisa era salobre / y tu musgo impalpable para el encuentro del amor" (2003: 176). La voz poética de "Negro" sugiere los prejuicios de una sociedad racista que acusa a los practicantes de las religiones de origen africano de haber echado sombra sobre la reputación de los cubanos en Europa, con el estigma de sus prácticas y ritos:

Otros afirman que tus palos de monte
nos trajeron ese daño sombrío
que no nos deja relucir ante Europa
y que nos lanza, en la vorágine ritual,
a ese ritmo imposible
de los tambores innombrables.

(2003: 176)

Esta voz lírica parece también apuntar a la dicotomía de José Martí entre "la falsa erudición y la naturaleza"[22] al proyectar en la mirada "civilizada" del europeo o del colonizado eurocéntrico el temor a la "barbarie" del africano, representada por "la vorágine ritual" y por el monte, signo múltiple que alude a la zona donde la vegetación crece indomesticada, donde los cimarrones fundaban los palenques y también donde se practicaban las ancestrales ceremonias religiosas de origen africano.[23]

La necesidad de recordar y reconectar constantemente es un impulso esencial de los descendientes de la diáspora, así como también de otros pueblos victimizados por la colonia. Paula Gunn Allen, refiriéndose a la experiencia de recordar en el contexto de los indígenas del territorio de los Estados Unidos, explica que se trata de una experiencia de cura y reunión, pues, en el proceso de unir y reapropiar partes desmembradas y dispersas de la memoria, se va armando una suerte de rompecabezas (1986: 43-50).[24] Guiada por esa voluntad de coherencia y entendimiento, a la vez que consciente de los desfases de la historia generados por la hegemonía cultural, Morejón va llenando los blancos y haciendo hablar los silencios.[25] Dirige su atención a fragmentos de la conciencia colectiva entregados en relatos orales, leyendas, rituales, folclore, como mediadores de una cultura apoyada en la tradición oral.[26] Como Toni Morrison, la cubana va al encuentro de esa experiencia entregándonos una reconstrucción de la historia no con hechos históricos concretos sino con imágenes, en su caso, líricas.[27]

Al respecto, Morejón ha manifestado:

He buscado sin tregua darle voz a un coro de voces silenciadas que, a través de la historia, mucho más allá de sus orígenes, su raza o su género, renacen en mi idioma. Entre las elegías de Nicolás Guillén y el gesto rumoroso de la poetisa güinera Cristina Ayala, ha fluido mi voz buscando un sitio entre el violín y el arco, buscando el equilibrio entre lo mejor de un pasado que nos sometió sin compasión a la filosofía del despojo y una identidad atropellada en la búsqueda de su definición mejor. Me ha importado la Historia en letras grandes y me importó la historia de abuelas pequeñitas, adivinadoras, las que bordaron el mantel donde comían sus propios opresores. Historia de látigo, migraciones y estigmas que llegaron por el mar y al mar vuelven sin razón aparente (2002*A*).

La poeta nos entrega una genealogía perdida de ancestros, en su mayoría sin identidad definida con una fuerza viva mágica "tan poderosa como las almas y los cuerpos de antepasados —madres y padres— quienes, asombrosamente, sufrieron en carne viva la filosofía de la depredación y el despojo y, sin embargo, [...] inculcaron los más puros sentimientos de libertad" ("Gracias, Yari-Yari", 2004).[28] Morejón realiza una arqueología poética, desenterrando sus profundas raíces para dar voz a un saber subyacente que ha estado silenciado. Produce así un efecto desestabilizador sobre la noción de verdad de la cultura dominante y configura lo que Michel Foucault llamara "la insurrección de los saberes subyugados" (1982: 81).

En "Mirar adentro", la persona poética vuelve su mirada hacia un distante mundo ancestral sepultado en el inconsciente colectivo que aún proyecta su sombra sobre el presente:[29]

> Del siglo dieciséis data mi pena
> y apenas lo sabía
> porque aquel ruiseñor
> siempre canta en mi pena.
>
> (2003: 160)

Este poema, en su estilización e intensidad, constituye un haikú, modelo de concentración verbal que produce una pluralidad de reflejos.[30] Desde el título mismo, el yo poético apunta a un mirar más allá, a un explorar y auscultar la profundidad de la memoria hacia la otra escena de un pasado "casi" desaparecido de la conciencia. Las huellas solo serán rescatadas por el canto del ruiseñor. En una dolorosa contemplación de un pasado siempre presente, Morejón se detiene en una pena acumulada por cuatro siglos que se mitiga con el canto del ruiseñor, correlato del arte, de la creación lírica.

La poesía como inspiración y creación identificada con un pájaro aparece en la creación morejoniana desde su época primera. En un texto de 1964, "Amor, ciudad atribuida", por ejemplo, la hablante expresa: "la poesía viene sola con todo lo que dejo a mi paso [...] / la poesía viene sola como un pájaro / [...] / y se posa fiera sobre mi cabeza".[31]

La imagen del pájaro y su canto como expresión creativa de la cual nunca podrá ser despojado el africano reaparece transformada luego en varios poemas como "El ruiseñor y la muerte", de *Cuaderno de Granada* (1984), o "Bäas", de *Baladas para un sueño* (1991), por ejemplo. En este último, en una redición de la relación amo/esclavo, la poeta contrapone la materialidad de las posesiones del amo frente a la inalienable espiritualidad y creatividad del esclavo:

> Eres el amo
> y eres esclavo
> de lo que posees.
> Eres el amo.
> Me has despojado de mis cosas
> pero no de mi canto.
>
> (2003: 180)

Ni el horror de la travesía ni los hierros al rojo vivo, ni los cepos, ni los grilletes de la esclavitud pudieron acallar ese canto del esclavo quien, con espíritu invencible, había de seguir resonando y proyectándose hacia un futuro mejor, como proclama la poeta: "Junto al fuego y las olas de nuestra travesía, cantaremos la misma canción, antigua como nuestra piel, a las generaciones por venir porque un mundo mejor será posible" ("Gracias, Yari-Yari", 2004).

La mujer afrocubana

Común en todas las sociedades esclavistas, ha sido que la mujer negra, maltratada y menospreciada más allá del período colonial, haya sido reducida a la oscuridad y la opacidad en lo social, lo cultural, lo intelectual y lo artístico (Omolade, 1990: 282-283). El ignorar y silenciar la capacidad de la mujer negra y sus aportes a la sociedad, ha facilitado y consolidado el control de los grupos hegemónicos contribuyendo a mantener la estructura colonial articulada en torno a las relaciones de raza, género y clase social (Collins, 1990: 5). Sin embargo, esta exclusión eventualmente habría de despertar en la mujer afrocaribeña una toma de conciencia que naturalmente traería aparejada una búsqueda de identidad unida a la necesidad de expresión.

Un aspecto esencial de la poesía de Nancy Morejón reside en haber rescatado a la mujer afro de un pasado originalmente desvirtuado por la mano del amo blanco, quien había controlado la producción del discurso histórico. Precisamente en una entrevista con Elaine Savory Fido, Morejón señaló que, hoy en día, la literatura caribeña escrita por mujeres es muy importante porque hasta ahora el mundo solamente había recibido la visión masculina que frecuentemente ha presentado a la mujer como objeto erótico (1990: 66).

En Cuba, los cultores del tema de la africanía habían sido hombres y no mujeres, con la excepción de la recitadora Eusebia Cosme y Almanza (Santiago de Cuba, 1911 - Miami, 1970), cuyo nombre trascendió fronteras.[32] Destacando el papel de Eusebia Cosme, Morejón ha comentado:

> A excepción de la recitadora Eusebia Cosme, no conozco ninguna obra de mujer en donde, por ejemplo, se reflejara o por lo menos se analizara la experiencia histórica de la esclavitud o siquiera la violación de los derechos civiles o de la sexualidad de la mujer. Con esto les digo que casi todo está por decir en este sentido. En alguna medida, he traído a la literatura cubana actual los rumores de aquellos años (1996D: 7).

Hoy en día, Morejón es la primera poeta afrocubana reconocida universalmente que aun sin proponérselo, revitalizó y lideró el discurso literario feminista del Caribe contemporáneo (Fido, 1990: 265-269). Después de abrir estos caminos, el público internacional empezó a conocer a otras notables escritoras afrocubanas contemporáneas tales como Excilia Saldaña (1946-1999), Georgina Herrera (1936), Soleida Ríos (1950) y Caridad Atencio (1963), cuya obra está empezando a ser reconocida en el mundo académico de los Estados Unidos. Pero el fenómeno de la poeta negra no se limitó a Cuba, pues se extendió de Jamaica, a Guadalupe, al resto del Caribe. En los últimos veinte o veinticinco años, también se han empezado a oír voces de mujeres afrodescendientes de todas partes de la América hispana.[33]

Morejón ha comentado que se había sentido "huérfana de madre literaria", hasta que descubrió hace unos pocos años un libro póstumo de sonetos y décimas de Cristina Ayala (1856-1920), *Mayabequines,* publicado con prólogo de Valentín Cuesta Jiménez (Morejón, 2005A: 152). Campesina, feminista y revistera afrocubana, nacida en el pueblo de Güines en el siglo XIX, Cristina Ayala es considerada por Morejón como uno de sus más legítimos antecedentes. En sus investigaciones, la poeta descubrió que Cristina Ayala, defensora de la abolición de la esclavitud y la independencia de Cuba, además de ser una independentista y animadora cultural, daba recitales de poesía en Santa Clara. Incluso había llegado a fundar revistas de aliento feminista. Su obra, como la de otras escritoras afrocubanas, como son los casos de Juana Pastor, "parda libre" nacida en el siglo XVIII, y de Dámasa Jova, quien publicara poesía a principios del siglo XX, había permanecido hasta ahora en el olvido sin ser registrada en ninguna historia de la literatura cubana (Cordones-Cook, 1999A).

Ante la repetida pregunta sobre el feminismo, Morejón ha respondido siempre que no le interesa militar activamente con ninguna causa, "ni con su ego". No cree que exista una narrativa o una poesía feminista, sino que toda creación literaria, artística, refleja fundamentalmente la condición humana (Cordones-Cook, 1996: 68-69). Personalmente, ella no tiene una visión antagónica del hombre, pues se rehúsa categóricamente a considerarlo como enemigo de la mujer. Dentro de su propio hogar, la poeta no había experimentado ninguna forma de machismo. Su padre era un hombre con una visión muy avanzada de la vida, quien nunca le había impuesto ni límites ni condiciones a su condición de mujer.

En verdad, Morejón no simpatiza con el feminismo de enfrentamiento con el hombre que a la postre trae división y separación. Tampoco se afilia al feminismo intelectualizado, ocasionalmente literario que ella percibe como ejercicio narcisista "por su proyecto de vivir en sí y para sí; con el afán de crear un lenguaje cerrado, en verdad un código solo descifrable para mujeres" (Cordones-Cook, 1996: 68). A Morejón le atrae más el feminismo "callejero", aquel que se manifiesta con fuerza enfrentando el diario vivir. Con espíritu siempre contemporizador, sostiene: "hay que educar, orientar [...] ir en la vida de par en par y de mano en mano. No se trata de hacer un gueto" (Alcantud Ramón, 2000). Por otra parte, al tanto de la importancia de sus luchas y conquistas sociales, la poeta no desconoce la discriminación sufrida por la mujer. Como es el caso de otras escritoras contemporáneas, mucha de su obra apunta hacia asuntos más amplios que iluminan y problematizan la existencia y las dificultades de la mujer.

"Mujer negra" y "Amo a mi amo"

Los poemas más antologados y difundidos de Morejón son "Mujer negra" y "Amo a mi amo". El primero surgió, confiesa la poeta, como

[...] un grito de mi conciencia lastimada por dos vías: una, por la vía familiar de mis dos abuelas y de otras mujeres de mi entorno social; otra, por la vía de las lecturas que ya para entonces había realizado de cuanta página sobre negros y negras se hubiese publicado por aquel entonces en el hemisferio occidental (2005D: 150).

Por otra parte, refiriéndose a la escritura del mismo poema, Morejón ha apuntado: "la creación es irracional e inspiradora;

es algo que viene y que luego uno perfila con sus lecturas, con sus vivencias, es decir, con la formación literaria e intelectual que haya podido alcanzar" (Cepero, 2002: 4). Precisamente, la poeta ha contado innumerables veces la inspiración y el proceso de escritura de "Mujer negra", cuando una noche, a principios de los años 70, en un momento de duermevela, tuvo una visión a través de los barrotes de la ventana de su dormitorio. Era una mujer afro que le fue contando y mostrando su vida en imágenes. Al día siguiente, al levantarse, Morejón escribió su poema, texto que llegó al público cuando Roberto Fernández Retamar lo publicó en la revista *Casa de las Américas* (1975) con motivo de la celebración del año de la mujer por la UNESCO.

Proyectando una conciencia histórica poscolonial revisionista, Morejón nos entrega en "Mujer negra" una épica fundacional afrohispánica. Narrada en primera persona en una voz lírica femenina singular, representación sinecdóquica de una conciencia colectiva, el poema parte de un capítulo infame de la historia de la humanidad, el transplante violento de millones de esclavos de la costa de África hasta América, y llega en su evolución hasta la etapa de la Revolución Cubana. La hablante narra a grandes trazos la historia oficial entretejiéndola con la silenciada del africano. Morejón le da el papel protagónico de esa experiencia histórica a la mujer negra, sugiriendo así su importancia en el mundo de los afrodescendientes, el cual, de ser un sistema patriarcal, pasó a uno matriarcal tras la destrucción provocada por la esclavización.

Arrancada violentamente del armónico tiempo y espacio de su mundo original, la hablante evoca vívidamente la travesía del Atlántico: "Todavía huelo la espuma del mar que me hicieron atravesar" (2003: 200). Recorre los hitos de la trayectoria de una heroína mítica: transita por espacios desconocidos y oscuros, cruza mares y sufre incontables vejámenes y oprobios, con ilimitadas pruebas de maltrato y abusos morales, físicos y sexuales.[34]

Sabido es que la esclava constituía no solo un objeto sexual para uso y abuso del amo, sino un vehículo de control sobre el esclavo, frecuentemente testigo del ultraje de su propia mujer. El cuerpo de la esclava, testimonio vivo de la mujer negra hecha madre por la violación de sus amos, era un receptáculo de concepción de esclavos, crisol de síntesis biológica (Flora González, 2006: 12). Vendido y violado por el amo, el cuerpo de la esclava constituía parte del engranaje fundamental de la producción de capital humano del sistema de plantación, pues generaba mano de obra gratuita para la explotación económica colonial: "Su merced me compró en una plaza. / Bordé la casaca de Su Merced y un hijo macho le parí. / Mi hijo no tuvo nombre" ("Mujer negra", 2003: 200).

Esta protagonista épica anduvo y sufrió los "bocabajos y azotes". Sin embargo, a pesar de tales padecimientos, se afincó en tierras hostiles, las hizo suyas, y llegó un momento, cuando ya no imaginó ni pensó más regresar al África, en que se sublevó y escapó al monte. Allí, encontró su liberación y pudo luchar por la independencia junto al héroe mulato del ejército mambí, Antonio Maceo: "Me fui al monte / Mi real independencia fue el palenque / cabalgué entre las tropas de Maceo" (2003: 202).

En su trayectoria, esa heroína mítica fue recogiendo fragmentos de sí misma. Emergió de los márgenes colonizados, portadora de profundos conocimientos que habrían de construir una nueva identidad. Potentizada ya como sujeto y agente de la historia, dueña de su mundo, de sus sueños y de su propio destino, abandonó la posición de objeto/víctima:

Nada nos es ajeno.
Nuestra la tierra.
Nuestros el mar y el cielo.
Nuestras la magia y la quimera.

(2003: 202)

Proyectándose desde sus orígenes sobre el presente y hacia el futuro en espacios de justicia social, "Mujer negra" inscribe una emergente conciencia femenina racial. Idealista e inequívocamente comprometida con su momento histórico y político y con un lugar definido en la mitología de la Revolución Cubana, la voz poética, mancomunada con sus pares en la construcción de un nuevo mundo comunista, se afirma celebratoria:

Ahora soy: sólo hoy tenemos y creamos.

....

Iguales míos, aquí los veo bailar
alrededor del árbol que plantamos para
    el comunismo.
Su pródiga madera ya resuena.

(2003: 202)

Morejón complementa la visión externa épica de "Mujer negra" con la representación de una dimensión interna desde la conciencia de la esclava en "Amo a mi amo". En un monólogo interior, vuelve su mirada al espacio íntimo de esa mujer, víctima y sobreviviente, mientras expone la racialización que, entretejida a la sexualidad, se produce en el seno del espacio doméstico colonial.

En una relectura del paradigma amo/esclava y de la sumisión de la esclava, el poema revela, desde la intimidad de tal relación, la precariedad del control del amo. A partir de coordenadas inscritas en textos canónicos, presenta esa dicotomía con la esclava, objeto del deseo del amo, sin otra alternativa que la de ser cómplice de quien, a pesar de la denigración y opresión que le impone, debe "amar mansa cual cordero". El cuerpo colonizado de la esclava, sujeto al pillaje sexual, encarna la desposesión total y representa el sitio de control donde el amo se inscribe con violencia, pues él "muerde y subyuga". Paulatinamente, Morejón va presentando la evolución de la esclava en su condición solitaria, desde un espacio de sujeción en que el género determina la específica relación amo/esclava.

El texto expone los elementos contradictorios de una intrincada dialéctica de poder que potencia la resistencia y la acción que la esclava buscará asumir. Desde la aquiescencia, la evolución conduce hacia una fluctuación entre el querer y el no querer, simultánea atracción y repulsión, amor y odio, ambivalencia característica de la relación colonizador/colonizado.[35] Morejón inscribe el doble discurso de quien para sobrevivir esconde bajo una máscara de sumisión un espíritu de insurrección con profundas ansias de represalias. Esa mujer esclava vive dos vidas: una para su amo y otra para sí misma. Podría haber dicho como Ella Surrey, anciana doméstica negra de los Estados Unidos:

We have always been the best actors in the world. [...] I think that we are much more clever than they are because we know that we have to play the game. We've always had to live two lives —one for them and one for ourselves (Gwaltney, 1980: 238 y 240).

(Siempre hemos sido las mejores actrices del mundo. [...] Creo que somos mucho más inteligentes que ellos porque sabemos que tenemos que hacer el papel. Siempre hemos tenido que vivir dos vidas —una para ellos y otra para nosotras.)

La dualidad perturbadora del mundo colonial, enmascarada en el sometimiento de la esclava, marca una transición que, en última instancia, conducirá a descentrar la autoridad y a desequilibrar su aparentemente monolítica hegemonía.[36] Desde la fluctuación entre la complicidad y la resistencia, el yo poético inscribe, lo que Josefina Ludmer, a propósito de Sor Juana Inés de la Cruz, denominara *la treta del débil*, táctica de resistencia que combina la sumisión y la aceptación del lugar configurado por el otro, con antagonismo y enfrentamiento, treta con la cual también "desde el lugar asignado y aceptado, se cambia no sólo el sentido de ese lugar sino el sentido mismo de lo que se instaura en él" (1985: 51 y 53). De tal manera, en todo ese proceso, la voz de la esclava de "Amo a mi amo" manifiesta una paulatina toma de conciencia que conlleva su potentización con sed de venganza:

> Amo a mi amo pero todas las noches,
>   cuando atravieso la vereda florida hacia el cañaveral
>   donde a hurtadillas hemos hecho el amor,
>   me veo cuchillo en mano, desollándolo
>   como a una res sin culpa.
>
> (2003: 198)

En un final abierto, suena el llamado ancestral de "ensordecedores toques de tambor" y las campanas que convocan el paso del sometimiento a la venganza y a la liberación de la esclava.

"Amo a mi amo" configura un contra-discurso que des-cubre falacias y subvierte textos que cosifican y desestiman a la mujer afro. A partir de la circunstancia colonial con el amo, dueño y señor de esa sociedad, va desmantelando su poder desde su interior. Al romper esos esquemas, Morejón abre brecha presentando la evolución de una esclava cuya identidad distorsionada y mutilada va marcando el tránsito desde la pasividad hacia la epifanía de una potentización. Representa las experiencias acumuladas de la mujer afrodescendiente, quien sufrió todo tipo de vejaciones, pero cuya capacidad de resistir nunca fue extirpada. Como sostiene Angela Davis, la mujer negra nunca fue sometida aunque haya continuado siendo explotada y vejada de diferentes maneras hasta nuestros días (1985: 29).

"Persona"

En el transcurso del tiempo, la población negra ha sido víctima del rechazo de su cultura, la demonización de sus religiones, la negación o ignorancia de su real identidad, mediante la imposición de imágenes creadas y fomentadas por las clases dominantes que definen al afro como inferior atribuyéndole diferentes estereotipos desde perezoso, ineficiente, sucio y feo, a criminal y primitivo, a los cuales se agrega una imagen de sexualidad desbordada basada en la creencia de una lujuria que se asumía como predisposición natural de un primitivismo genético. Frantz Fanon, en *Black Skin, White Masks* (1967), explica la alienación sufrida por la mujer y el hombre negros, víctimas de prejuicios, asentados en estereotipos negrofóbicos que han sido incorporados y consolidados en la cultura popular, en la cultura de masas, y en la creación literaria y cinematográfica.

En *Black Feminist Thought: Knowledge, Consciousness, and the Politics of Empowerment,* Patricia Hill Collins destaca que la mujer negra se ha visto acosada por estereotipos que ella denomina "imágenes de control", creadas como vehículos de ejercicio de poder y perpetuadas por una economía y política de explotación y opresión (1990: 76-91). Los estereotipos resultan de una evolución de las relaciones de poder, en las cuales la hegemonía social busca legitimar y consolidar una posición de superioridad, imponiendo imágenes de inferioridad sobre el grupo dominado para alentar y justificar acciones sociales que beneficien la manipulación del grupo dominante (Williams, 1999: 9-10). Con los estereotipos no se busca representar la realidad sino desplazarla y sustituirla, generalizando, simplificando y distorsionando. Una vez establecidos, los estereotipos son difíciles de borrar, se alojan en el inconsciente colectivo y condicionan el comportamiento de la gente fomentando la naturalización y la reproducción del sexismo y el racismo.

En una entrevista con Pedro Pérez Sarduy, "Grounding the Race Dialogue: Diaspora and Nation", Morejón denunció los estereotipos que asedian a los afrodescendientes como obstáculos para su desarrollo a la par con los otros ciudadanos cubanos (2000A: 165-166). En esa misma instancia, destacó que los negros están aún enfrentando esos obstáculos y que dado el resurgimiento del racismo a nivel mundial, urge entablar un diálogo riguroso sobre el asunto racial.

En "Persona", Morejón aborda algunos estereotipos atribuidos a la mujer negra que la objetivan en la materialidad de su cuerpo colonizado, ya sea por el atletismo o por el imaginario erótico masculino. El poema establece una dialéctica entre el cuerpo y la sociedad sin afirmaciones ni negaciones, solamente planteando cuestionamientos retóricos de un latente espíritu crítico social, que perfilan "identidades impuestas", en una galería de mujeres en quienes la hablante se busca, y con quienes comparte orígenes y posibles subjetividades y destinos.

En los primeros versos, la poeta sutilmente identifica a la hablante con la mujer negra de todos los tiempos, la otrora esclava, luchadora, revolucionaria y finalmente vencedora protagonista de "Mujer negra", a quien ubica frente a una ventana con barrotes, alusión directa a la imagen que, como comentáramos antes, inspirara el poema épico de Morejón. Pero esta mujer ya no cuenta historias, sino que, plena de incredulidad y desolación, observa con mirada crítica a través de los barrotes y los siglos un mundo cruel con la mujer afrodescendiente. Desorientada y angustiada plantea una serie de preguntas sin respuestas:

> ¿Cuál de estas mujeres soy yo?
> ¿O no soy yo la que está hablando
> tras los barrotes de una ventana sin estilo
> que da a la plenitud de todos estos siglos?
>
> (2003: 204)

A continuación, la hablante apunta hacia el estereotipo de la mujer afro deportista al buscarse en la imagen de una atleta olímpica quien deslumbrara al mundo batiendo récords asombrosos:

> ¿Acaso seré yo la mujer negra y alta
> que corre y casi vuela
> y alcanza *records* astronómicos,
> con sus oscuras piernas celestiales
> en su espiral de lunas?
>
> (2003: 204)

Desde los inicios de la esclavitud, la mujer negra ha venido haciéndose culturalmente visible como signo racial de sensualidad y promiscuidad, mientras permanece invisible en su dimensión espiritual e intelectual.[37] Tales imágenes contemporáneas revelan huellas del período colonial. Desde la travesía del Atlántico, el colonizador había inscrito en el cuerpo/texto de la mujer afro la afirmación de su poder, dando rienda suelta a una carnalidad lujuriosa. Así se fueron perfilando estereotipos de una mujer negra seductora y licenciosa.[38] Su contraparte era un hombre negro cuya supuesta lascivia innata lo convertía en violador de la mujer blanca.

Por su parte, bell hooks sostiene que frecuentemente en la colonia, el hombre esclavo, en lugar de ser aliado y protector de la esclava, emulaba a su amo, forzaba a las mujeres negras a su antojo dejándolas totalmente indefensas frente a la explotación sexual (1989: 35-37). Sin percatarse de ello, el hombre negro había internalizado y fomentado los estereotipos eróticos que convertían a la mujer negra en objeto de deseo y vehículo de placer, convirtiéndola en instrumento activo de continuidad de una sociedad plagada de desigualdad racial y estructuras de opresión.

Manteniendo intactas las relaciones de género determinadas por el color en la colonia, toda esta trágica y contradictoria experiencia del pasado ha llegado hasta nuestros días en valores y actitudes aunque con nuevos ropajes. Vera Kutzinski ha destacado la representación de la mujer afrodescendiente en la literatura hispanoamericana como objeto de la libidinosa imaginación masculina y del discurso *voyeurista* y exhibicionista, particularmente en la obra de algunos consagrados poetas negristas de los años 20 y 30, Luis Palés Matos, Jorge Artel, Marcelino Arozarena y Nicolás Guillén, entre otros

(Kutzinski, 1993: 163-198). Ese discurso poético era no solo androcéntrico sino homosocial, pues, en la construcción de esa iconografía misógina de la mujer afro, aliaba a los hombres más allá de las fronteras raciales, en un punto en que tanto blancos como negros la objetivaban y erotizaban.

En "Persona", haciendo un intertexto con Nicolás Guillén, Morejón se aproxima tangencial e inequívocamente a estos estereotipos de la mulata. Frente a una ventana, el yo lírico ve desfilar por su imaginario a mujeres habitantes del universo poético del camagüeyano:

> Estoy en la ventana
> y cruza "la mujer de Antonio";
> "la vecinita de enfrente", de una calle
>   sin formas;
> "la madre —negra Paula Valdés—".

> (2003: 204)

La negra Paula Valdés y la mujer de Antonio son personajes de poemas de Guillén. Ambos personajes provienen de poemas de *Sóngoro cosongo* (1980), "Quirino" (83-84) y "Secuestro de la mujer de Antonio" (85-86), el tema de este último a su vez fue tomado de un popular son de Matamoros. En este texto, Guillén había creado un sujeto poético que anticipaba gozosamente el encuentro erótico con una mulata a quien pensaba secuestrar. Se atisba aquí una escena de abuso ejercido sobre una mujer cautiva, quien, indefensa, había de ser gozada sin escrúpulos por el hablante. Este, por su parte, animaliza a esa mujer, pues, al referirse a sus caderas, las llama "ancas" convirtiéndola así en la hembra de un animal.[39] Como agravante, con tono de gozo jocoso, Guillén trivializa la situación: "De aquí no te irás, mulata, / ni al mercado ni a tu casa; / aquí molerán tus ancas / la zafra de tu sudor…" (1980: 85).

La voz poética de "Persona" plantea interrogantes sobre otras identidades impuestas sobre la mujer negra, a la vez que va recogiendo la impronta del sacrificio y la marginación de esa mujer, a quien, para cubrir necesidades básicas, solo le resta vender su cuerpo cosificado y vulnerable como la prostituta de antes o como la "jinetera" de hoy, en las zonas frecuentadas por turistas, las calles, los muelles del puerto y la Quinta de los Molinos:

> ¿Quién es el señorito que sufraga
> sus ropas y sus viandas
> y los olores de vetiver ya desprendidos
>   de su andar?
> ¿Qué permanece en mí de esa mujer?
> ¿Qué nos une a las dos? ¿Qué nos separa?
> ¿O seré yo la "vagabunda del alba",
> que alquila taxis en la noche de los jaguares
> como una garza tendida en el pavimento
> después de haber sido cazada
>   y esquilmada
>   y revendida
> por la Quinta de los Molinos
> y los embarcaderos del puerto?
>
>   (2003: 204)

Los planteamientos de la hablante continúan alumbrando identidades de mujeres negras, mientras funden lo individual con lo colectivo con espíritu de solidaridad social, racial y de género, por raíces compartidas concluyendo con cuestionamientos ante un presente turbio, inicuo e inexplicable:

> Ellas: ¿quiénes serán? ¿o soy yo misma?
> ¿Quiénes son éstas que se parecen tanto
>   a mí
> no sólo por los colores de sus cuerpos
> sino por ese humo devastador
> que exhala nuestra piel de res marcada
> por un extraño fuego que no cesa?
> ¿Por qué soy yo? ¿Por qué son ellas?
>
>   (2003: 204)

"Mujeres nuevas"

En *With Eyes and Soul* (2004A: 56), Morejón publicó "Mujeres nuevas", otro poema que desde el título mismo entabla un diálogo intertextual con "Mujer nueva", de Nicolás Guillén. En "Mujer nueva", Guillén había reinscrito su perspectiva homosocial perfilando una imagen carnal de la mujer negra (1974, tomo I: 120-121). Había vuelto a envolverla con una mirada voluptuosa ciñéndola en la materialidad de un cuerpo que se desplazaba seductor y sinuoso como diosa coronada por la naturaleza: "Con el círculo ecuatorial / ceñido a la cintura como un pequeño mundo, / la negra, mujer nueva, / avanza en su ligera bata de serpiente". Esta imagen sensual era perfilada por una mirada que, como en "Secuestro de la mujer de Antonio", volvía a fragmentar y a objetivar a la mujer en una fisonomía animal, en "el anca fuerte, / la voz, el diente, la mañana y el salto", sugerente progresión metonímica que se resolvía en la imagen voluptuosa de una mujer con toda su vitalidad en el fluir de un "[c]horro de sangre joven / bajo un pedazo de piel fresca".

Por su parte, en "Mujeres nuevas", Morejón abraza la vitalidad, la energía y el aliento colectivo de las mujeres negras desde una tesitura diametralmente opuesta. Inscribe su palabra como vehículo de voces multitudinarias de mujeres negras quienes, liberadas de estereotipos, asumen con brío su existencia y su mundo. Con voz emancipadora en la que convergen el pensamiento, el sentimiento y la acción, Morejón redefine a las mujeres con nuevas imágenes multiplicadas y unidas. Las revitaliza, sin dependencias del hombre, en control de sí mismas conduciendo su propio destino para construir una nación con unidad de visión y propósito. Plenas de coraje y fortaleza, estas mujeres encarnan a aquellas que vienen construyendo, como la propia poeta evocara al dirigirse por escrito a las afrodescendientes de Yari-Yari, con "una mágica fuerza viva tan poderosa como las almas y los cuerpos de nuestros antepasados —madres y padres— quienes, asombrosamente, sufrieron en carne viva la filosofía de la depredación y el despojo y, sin embargo, nos inculcaron los más puros sentimientos de libertad […]" ("Gracias, Yari-Yari", 2004).

Son mujeres que, en un reto de afirmación y de identificación, parecen proclamar al mundo: "¡Aquí venimos!, ¡Aquí estamos!, ¡Aquí somos!", al estilo de la esclava emancipada Sojourner Truth, activista feminista negra del siglo XIX cuya reputación desbordara fronteras.[40] Su voz se oyó en toda Norteamérica. En una convención en Akron, Ohio, en 1851, pronunció desafiante sus memorables palabras:

Nobody ever helps me into carriages, or over mud-puddles, or gives me any best place! And ain't I a woman? Look at me! Look at my arm! I have ploughed, and planted, and gathered into barns, and no man could head me! And ain't I a woman? I could work as much and eat as much as a man —when I could get it— and bear the lash as well! And ain't I a woman? I have borne thirteen children, and seen them most all sold off to slavery, and when I cried out with my mother's grief, none but Jesus heard me! And ain't I a woman? (Loewenberg y Bogin, 1976: 235).

(Nadie nunca me ayuda a subir a los carruajes, o a cruzar charcos de barro, o me ofrece un lugar mejor. ¿Y no soy yo una mujer? ¡Mírenme! ¡Miren mi brazo! ¡He labrado y plantado y trabajado en los establos y ningún hombre pudo ganarme! ¿Y no soy yo una mujer? ¡Pude trabajar y comer —cuando conseguía comida— y soportar el látigo tanto como los hombres! ¿Y no soy yo una mujer? ¡He parido trece hijos, y los he visto a casi todos ser vendidos como esclavos, y cuando lloré el dolor de mi madre, solamente Jesús me oyó! ¿Y no soy yo una mujer?)

Madres e hijas de la violación, nunca sometidas, desde tiempos remotos, las mujeres nuevas de Morejón marchan abriendo brecha por los campos y las ciudades: "El trino del gallo en la montaña. / El silbido del humo en la ciudad" (2004A: 56). Portadoras de la energía africana, en "[l]a flecha ecuatorial / perdida aún bajo los párpados", y el espíritu prístino de "[f]lores silvestres en el pecho", que han sido quemadas por el salitre y la dureza del mundo, van amasando un "humus inmemorial" con su coraje, su sangre, su cuerpo y sus manos para forjar una nación:

Y sus manos, que vienen de muy lejos,
desde remotas eras,

amasando la sustancia reciente
que nos hace vivir
entre el mar y las costas,
entre los peces y las redes,
entre las ventanas y el horizonte.

(2004A: 56)

Estas mujeres nuevas constituyen un contingente que ya no se desplaza como la masa desordenada, caótica, perseguida y diezmada de "Saltimbanquis", sino que marchan unidas en una caravana de hacedoras y luchadoras que durante siglos han venido abriendo camino, trabajando, tejiendo, labrando la tierra, forjando mundo y realidad. Imagen expresada con un lenguaje que extiende su significado por el ritmo y la disposición de las palabras en la página:

Estas mujeres van alzando,
marchando,
cosiendo,
martillando,
tejiendo,
sembrando,
limpiando,
conquistando,
leyendo,
amando.
Oh, simples mujeres nuevas
simples mujeres negras
dando el aliento vivo
de una luz nueva

(2004A: 56)

La marcha firme y la acción constructiva y fecunda de las "mujeres nuevas" es representada visualmente por la sucesión de gerundios dispuestos verticalmente sobre la página y acentuada por la cadencia del lenguaje que va deslizando al lector de un verso a otro. Los gerundios sugieren una energía viva, la afirmación de una acción benéfica de estas laboriosas y poderosas mujeres que en su incansable quehacer van conquistando espacios de trabajo, de vida, a la vez que van abarcando ámbitos intelectuales, construyendo mundo. Potentizadas con sentido de solidaridad y voluntad de afirmación, estas mujeres nuevas van abriendo brecha con múltiples logros materiales y morales, personales y colectivos desde su condición de hacedoras y veladoras de la humanidad.

Recorriendo caminos no transitados, Nancy Morejón convoca a nuevas imágenes de las mujeres negras. Las redefine liberándolas de estereotipos de sumisión y objetivación. Con gestos de afirmación y reivindicación que les permiten asumir y dirigir su propio destino, las ha transformado de invisibles y silenciadas del pasado, en verdaderas mujeres nuevas, en protagonistas vitales de su historia, luchadoras, libres para amar y portar "una luz nueva" que desde sus raíces más profundas siga las huellas de un "ánimo de bronce", pues, como propone la poeta en otro momento, ha de ser una "luz viva del pasado fluyente" (2003: 176).

Notas

[1] Cuando digo negro, no lo hago en el sentido biológico ni por reconocimiento racial. Cuando digo negro, nombro una experiencia histórica única y profunda.

[2] Nuestra lucha es también una lucha de la memoria contra el olvido.

[3] ¡Despierten! ¡Levántense! No duerman más, desperécense, distínganse. Demuéstrenle al mundo sus nobles y destacados atributos.

[4] Véanse: "La belleza en todas partes" (2000*B*: 8) y "Voz y poesía en Nancy Morejón", de Cordones-Cook (1996: 66).

[5] Publicado en *Paisaje célebre*. Aquí tomamos el texto de *Looking within / Mirar adentro* (2003: 348-350).

[6] Texto originalmente publicado en *Paisaje célebre* (1993), la versión empleada proviene de *Looking within / Mirar adentro* (2003: 106).

[7] Me refiero a Víctor Patricio de Landaluce (España, 1830-1889), grabador costumbrista del mundo cubano del siglo XIX, quien publicó una crónica pictórica de la población negra de la Isla con sus tipos, ritos y escenas de la vida diaria.

[8] Originalmente publicado en *Octubre imprescindible* (1983). La versión citada proviene de *Looking within / Mirar adentro* (2003: 220-222).

[9] De origen judío, este compositor creó uno de los emblemas de la cubanidad del siglo XX y de todos los tiempos, como lo es el afamado *Manisero* que ha recorrido el planeta y que, ya a finales de 1931, había obtenido la espléndida versión de la *vedette* afroamericana Josephine Baker. Mucho tiempo después, la trompeta de Louis Armstrong recrearía sus compases bajo el título de *Peanut Vender*. Véase Alejo Carpentier: *Crónicas,* tomo I, La Habana, Editorial Arte y Literatura, col. Arte y Sociedad, 1975, p. 236 (Nota del texto original de Morejón).

[10] El compositor George Gershwin convirtió el montuno del son *Échale salsita,* de la autoría de Ignacio Piñeiro, en tema fundamental de su obra *Obertura cubana* (Nota del texto original de Morejón).

[11] Para un estudio de la relación de este movimiento con la Revolución Haitiana (1791-1804), véase *Voicing Memory* (2003: 21-34), de Nick Nesbitt, y "El mimetismo del colonizado" (2004*A*), de J. Cordones-Cook.

[12] Véase "Concerning an Unforgetable Notebook", de Trinidad Pérez Valdés (2001: 127).

[13] Sobre el tema, véase "Un continuum afroamericano en la poesía de Cuba" (2001), de Ineke Phaf-Rheinberger.

[14] Véase *Ain't I a Woman...,* de bell hooks (1989: 18).

[15] La información sobre la travesía proviene principalmente de *Ain't I a Woman: Black Women and Feminism* (1989), de bell hooks; y de *Black Imagination and the Middle Pasaje* (1999), de Maria Diedrich, Henry Louis Gates Jr. y Carl Pedersen.

[16] Poema publicado en *Octubre imprescindible* (1982). La versión citada proviene de *Looking within / Mirar adentro* (2003: 162).

[17] Publicado originalmente en *Piedra pulida* (1986). La versión citada aquí proviene de *Looking within / Mirar adentro* (2003: 286).

[18] Para las nociones de desplazamiento y nomadismo y su efecto en la definición de identidad, se ha consultado *Nomadic Subjects: Embodiment and Sexual Difference in Contemporary Feminist Theory* de Rosi Braidotti (1994: 1-39).

[19] Poema publicado originalmente en *Octubre imprescindible* (1982). Cito de *Looking within / Mirar adentro* (2003: 280).

[20] Originalmente publicado en *Piedra pulida*. La cita proviene de *Looking within / Mirar adentro* (2003: 290-292).

[21] Para el concepto de tercer espacio, de *in between* que propicia la asimilación de opuestos, me remito a Homi K. Bhabha (1995: 208).

[22] En "Nuestra América", José Martí afirmó sabiamente: "No hay batalla entre la civilización y la barbarie, sino entre la falsa erudición y la naturaleza".

[23] Lydia Cabrera indica: "la creencia en la espiritualidad del monte, pues en los montes y las malezas de Cuba habitan, como en las selvas de África", los espíritus poderosos de las mismas divinidades ancestrales (1986: 13).

[24] Sobre esta orientación en la literatura afroamericana, véase *The Majority Finds its Past: Placing Women in History*, de Gerda Lerner (1979: 63-82 y 160-167).

[25] Para la reconstrucción imaginativa de la historia, se han consultado "The Muse of History" (1995), de Derek Walcott, y "Marvelous Realism" (1995), de Michael Dash; sobre la historia y la función de la imagen en esa posible reconstrucción, "Living Memory" (1988), de Toni Morrison; y sobre una filosofía de la historia enterrada en las artes de la imaginación, "History, Fable, and Myth" (1999), de Wilson Harris; y *Discourse on Colonialism* (1972), de Aimé Césaire (54).

[26] Para una elaboración de la función de la memoria en la literatura poscolonial, véase *Location of Culture*, de Homi K. Bhabha (1994: 63).

[27] Sobre la estrategia de escritura de la historia por imágenes, véase "The Site of Memory", de Toni Morrison (1990: 302).

[28] "Gracias, Yari-Yari", discurso destinado a agradecer el Premio de Poesía Contemporánea en la Conferencia de Yari-Yari Pamberi, en Conference of Black Women Writers coordinada por Organization of Women Writers of Africa (OWWA), en noviembre del 2004, en Nueva York. Este discurso no pudo ser ofrecido en persona por la poeta debido a las restricciones de visa impuestas por el gobierno de los Estados Unidos para ciudadanos cubanos residentes en la Isla. Agradezco a Morejón el compartir estas páginas conmigo.

[29] Poema originalmente publicado en *Piedra pulida*, le ha dado el nombre a la antología *Looking within / Mirar adentro* de donde proviene este texto (2003: 160).

[30] Para el desarrollo del haikú en Hispanoamérica, véase el capítulo "La tradición del haikú", en *El signo y el garabato*, de Octavio Paz (1975: 113-128).

[31] Poema originalmente publicado en *Amor, ciudad atribuida* (1964).

[32] Esta recitadora emigró a los Estados Unidos, donde tuvo su propio programa radial, y también residió en México, donde actuó en la célebre película *El derecho de nacer* que trata el problema de la asunción de identidad de afrodescendientes en México.

[33] Me refiero a Aída Cartagena Portalatín (1918-1944), Sherezada *Chiqui* Vicioso (1948) y Loyda Maritza Pérez (1963), en República Dominicana; Julia de Burgos (1914-1953) y Mayra Santos Febres (1966), en Puerto Rico; Ivonne-América Truque (1955-2001) y Edelma Zapata Pérez (1954), en Colombia; Eulalia Bernard (1935) y Shirley Campbell, en Costa Rica; en Ecuador, Luz Argentina Chiriboga (1940), y, en Uruguay, donde ya se conocía a la excepcional Virginia Brindis de Salas (1908-1958), en los últimos años han empezado a surgir otras creadoras, Myriam Tamara de la Cruz (1951) y Cristina Rodríguez (1959), entre otras.

[34] Sobre la trayectoria de la heroína mítica, me remito a *The Hero with a Thousand Faces* (1949), de Joseph Campbell.

[35] Para una teorización de la ambivalencia, véase "Of Mimicry and Man: The Ambivalence of Colonial Discourse", de Homi K. Bhabha (*The Location of Culture*, 1994: 85-92).

[36] Para una perspectiva de la ambivalencia como fenómeno que dialogiza el centro y la periferia, véase a Robert Young (1995: 161).

[37] Sobre la invisibilidad de la mujer afro en el Caribe, véase en particular "Imperfect Bodies", en *Sugar's Secrets: Race and the Erotics of Cuban Nationalism,* de V. M. Kutzinski (1993: 17-42).

[38] Para un desarrollo más amplio de la violencia sexual del amo colonial, véase *Colonial Desire,* de Robert Young (1995: 181). El tema del abuso y la violación sexual de la mujer negra ha aparecido recurrentemente en la ficción norteamericana y ha entrado a formar una nueva tradición literaria a partir de Harriet Jacob con *Incidents in the Life of a Slave Girl* (1861), y ha llegado en el siglo XX a expresiones notables en *Their Eyes Were Watching God* (1938), de Zora Neale Hurston, entre muchas otras, para culminar con *Beloved* (1987), de Toni Morrison.

[39] Patricia Hill Collins indica que el vínculo entre la mujer negra y los animales se hizo evidente en la literatura científica del siglo XIX (1990: 172). Además, señala que, hoy en día, la mujer negra es representada fragmentariamente como un animal en la pornografía.

[40] Sobre Sojouner Truth, véase: Loewenberg, Bert J. y Ruth Bogin (editores): *Black Women in Nineteenth-Century American Life,* además de *In Praise of Black Women* (2002), de Simone Schwarz-Bart con André Schwarz-Bart.

Capítulo Cuarto

CONVERGENCIAS CULTURALES

If there is a lesson in the broad shape of this circulation of cultures, it is surely that we are all already contaminated by each other.[1]

KWAME ANTHONY APPIAH

[...] en pueblo alguno de América, su historia es una intensísima, complejísima e incesante transculturación de varias masas humanas, todas ellas en paso de transición. El concepto de transculturación es cardinal y elementalmente indispensable para comprender la historia de Cuba y, por análogas razones, la de toda América en general.

FERNANDO ORTIZ

Introducción

Considerando que los continuos flujos migratorios de diversas etnias configuran un fenómeno universal y que, en Cuba, por su ubicación geográfica y su evolución histórica constituyen un factor esencial en la definición de identidad nacional,[2] Fernando Ortiz (1881-1969) concluyó, en su ya clásico ensayo "Del fenómeno social de la 'transculturación' y su importancia en Cuba": "La verdadera historia de Cuba es la historia de sus intrincadísimas transculturaciones" (1999: 80).[3]

La transculturación —neologismo acuñado por Ortiz—, surgió como vocablo más apropiado para remplazar la noción de aculturación establecida en referencia al mundo antillano, por el académico estadounidense Melville J. Herskovits (1895-1963). Ortiz había percibido en la etimología de aculturación implicaciones etnocéntricas éticas, pues tal concepto desconocía la reciprocidad de las relaciones interculturales. Respondía a una ideología colonizadora que suponía exclusivamente un movimiento unidireccional de imposición de una cultura asumida como superior sobre otra considerada inferior que a su vez era absorbida por la primera.

Remitiéndose a la trayectoria histórica del blanco y el negro, ingeniosamente metaforizados en el azúcar y el tabaco, Ortiz concibió una noción de identidad cultural que en las últimas décadas del siglo XX ha venido acaparando la atención de teorías culturales y poscoloniales bajo nomenclaturas tales como mestizaje e hibridez, ambas metáforas biológicas extendidas a la cultura. La transculturación es un concepto fundamental para comprender la sociedad, no solamente cubana sino latinoamericana, constituida por aluviones de razas y etnias que se cruzan en relaciones de poder desigual, resultando en múltiples identidades.

Con un *ethos* igualitario, Ortiz observaba que la convergencia de culturas dispares producía una cópula que, desencadenando un proceso recíproco de "toma y daca", se traducía en un desplazamiento de fronteras sociales, políticas y culturales, acompañado de transformaciones de identidades individuales y colectivas. El resultado era una cultura nueva con huellas de las dos primeras, pero con características propias que vendría a generar toda una estética con múltiples manifestaciones en las artes musicales, danzarias, plásticas y literarias, y desde cuyo seno había de surgir la voz de Nancy Morejón.

En este capítulo exploraremos la presencia de este fenómeno en la obra de Morejón teniendo en cuenta la heterogeneidad de las principales culturas que convergieron en Cuba a partir de la indígena, seguida de la española, la africana y la asiática. Esta escritora entiende que la cubana es una cultura de encrucijada, "de aceptaciones, rechazos y transplantes, de insólita irrigación de nuevos elementos" (2001). Sin privilegiar lo racial, Morejón ha reflexionado sobre la evolución de ese encuentro de diversas etnias con sus violentas historias de despojos y desgarramientos tanto en Cuba como en todo el Caribe. Al respecto, comenta: "Migración tras migración, el suelo caribe abriga la primera gran simbiosis entre razas que no se habían encontrado nunca antes, cuya posibilidad de aportaciones culturales habría de crear una civilización enteramente original".[4]

Huellas indígenas

Refiriéndose a los comienzos de la colonia, José Juan Arrom observaba que ya en el siglo XVI: "Cuba había dejado de ser una sociedad separadamente india, africana y española, es decir, con factores étnicos [...] simplemente yuxtapuestos. Era indoafroespañola, es decir, producto de un proceso de fusión y síntesis que acababa de culminar en la formación de una sociedad distinta, auténticamente criolla" (1971: 204).

Las culturas que confluyeron en el Caribe, tanto de la Europa Occidental como del África, encontraron residuos de las precolombinas arrasadas por la explotación de los españoles. Los primeros pobladores de Cuba fueron los ciboneyes, a quienes se sumaron después los taínos, los caribes y otros indígenas que emigraron de Sudamérica, quienes, a partir de 1492, fueron casi exterminados por los conquistadores españoles. A pesar de ello, Jesús Guanche, en "El legado indígena a la cultura cubana" (2007), sostiene que la herencia cultural indígena se ha mantenido presente en "la lengua, la vivienda, las costumbres, en diversos utensilios del ajuar doméstico, la alimentación, las artes de pesca y otras que forman parte de la vida cotidiana del cubano, tanto en áreas urbanas como rurales", a lo cual se deben agregar los vestigios de algunas leyendas.

En "Los factores humanos de la cubanidad", Ortiz describe la configuración de la cultura cubana como un inacabado proceso de amestizamiento, comparando a Cuba con un ajiaco criollo, plato típico cubano originario de los indios taínos, guisado con diversas legumbres y carnes condimentadas con ají y otros sabores (1991: 14-16). De esa olla, explicaba Ortiz, se sacaban porciones para comer un día y, al siguiente, se le seguía agregando al fondo de sustancias ya cocidas, más vegetales y carnes. Los indios le pusieron a ese plato maíz y boniato, con tortugas, cocodrilos y otros animales. A la llegada de los españoles, se dejaron esas carnes exóticas por vaca y cerdo, más al gusto del paladar europeo. Los africanos trajeron los plátanos y sus técnicas culinarias, mientras los asiáticos aportaron otras especies y prácticas gastronómicas. Así, en esta imagen del ajiaco, Ortiz ilustraba el dinámico desarrollo cultural del pueblo cubano, nunca terminado, siempre en proceso de creación y en irreversible transformación.

Morejón ha observado la importancia esencial de una asombrosa cantera mitológica que, manifestada en sus raíces y en su cotidianidad, se nutre de las múltiples culturas que llegaron y se afincaron en la Isla. Este ingrediente fundamental en la estética literaria caribeña encuentra una expresión idónea en la poesía

(2005A: 21-22). Recurriendo a las arcas naturales de la cultura, Morejón da expresión al mito primero del país, el del güije. La leyenda de origen ciboney representaba a los güijes como figuras de indios de carácter travieso, que vivían en las aguas y solo salían para sorprender a quienes se acercaban a sus orillas.[5] Con el tiempo y con los diferentes influjos culturales, la imaginación popular ha venido transformando esa imagen. Samuel Feijóo describe extensamente diferentes versiones de la leyenda del güije (1986: 71-142). Algunas ofrecen una imagen lúdica, mientras otras presentan un espíritu maligno y diabólico (Feijóo, 1986: 82-83). Con el arribo de los esclavos, el güije absorbió rasgos africanos. Más tarde pasó a ser concebido como un fantasma que emergía desde el fondo de las aguas de ríos o lagunas como negrito desnudo o como indio enano de abundante cabello.[6]

Esta leyenda vino a inspirar a varios escritores, incluyendo al poeta español Teófilo Rodillo, y a Nicolás Guillén, entre otros cubanos. En su "Canción del jigüe", Rodillo lo presentaba como una monstruosa criatura de las aguas (Piedra, 2000: 137-141). Por su parte, Guillén, en la "Balada del güije", también recogió el aspecto negativo de esta tradición.[7] Presentándolo ya transculturado como un fantasma maligno acompañado por el Changó de la tradición Yoruba, aquí es portador de desgracias y objeto de un ritual exorcista.

En un diálogo intertextual con este poema, Morejón, como en otras instancias, hace una relectura de Guillén y sitúa a su hablante en una tesitura opuesta al adoptar aquí la faz positiva y lúdica de este legendario ser en "Güijes" y en "El río y el güije".[8] En el primero, el sujeto poético se ubica al amanecer, en un entorno pastoral de paz, "las seis en la existencia / real del día". Mientras detiene su mirada en las aguas quietas de un "espejo silvestre", el día transcurre hasta el atardecer, cuando corren a su encuentro los güijes, esos espíritus de las aguas que alborozados "zarparon / en un sólo relámpago". El segundo, "El río y el güije", presenta a este ser con espíritu deleitoso: "Que la alegría de tus ojos / no muera en el amanecer". En esta instancia, el güije aparece ligado a la tradición afrocubana, en un juego de ocultamiento y búsqueda de refugio espiritual junto a la ceiba, el gran árbol mítico de la santería. Portador de gozo, este güije ha de fugarse esquivo para "regresar / furtivo, exhausto, / hacia la madrugada" y ahuyentar la desolación.

Los asiáticos

Como ya mencionamos, en Cuba y en las Antillas en general, convergen los pueblos de la Europa Occidental inseminados por africanos, a los que se agregan las huellas de los indígenas autóctonos y de otras etnias asiáticas. Una vez abolida la esclavitud en la segunda mitad del siglo XIX, y ante la demanda de la creciente industria azucarera, la falta de esclavos para mano de obra esclava del africano fue suplida por la de trabajadores de diversas matrices culturales del Oriente, llamados también culíes (*coolies*), quienes llegaron a las Antillas a sufrir un nuevo tipo de servidumbre.

Contratados por un sistema de trabajo obligatorio (*indenture servants*), estos obreros provenían de la India, China y Java —en Cuba se congregó una mayoría de Cantón y Macao—.[9] Entre fines de 1847 y principios de 1883, entraron a Cuba más de 125 000 trabajadores que llegaron a representar más del 3 % de la población de la época (Benítez Rojo, 1989: 219). Estos trabajadores operaban en las mismas plantaciones que los antiguos esclavos africanos con quienes llegaban a convivir en muchos casos.

Todo este conglomerado de diversas razas y culturas conjugadas en suelo cubano iba a nutrir nuevas expresiones culturales en una dinámica hibridación con un nuevo tipo racial, el mulato chino. Tal multiplicidad étnica del Caribe y de Cuba es recogida por Nicolás Guillén en su poesía cuando alude a la trata de esclavos africanos y a los contratos de explotación con los que se sometía a los asiáticos a trabajo prácticamente forzado: "Aquí blancos y negros y chinos y mulatos. / Desde luego, se trata de colores baratos, / pues a través de tratos y contratos / se han corrido los tintes y no hay un tono estable".[10]

Por su parte, Nancy Morejón, cubana de pura cepa, encarna en sí misma ese maridaje racial, africano, español y chino. Su etnicidad múltiple se manifiesta sutilmente en varios poemas suyos. En "Presente, Ángela Domínguez", por ejemplo, texto dedicado a su abuela materna de quien proviene su ascendencia oriental, la poeta trae a colación los dos legados, el africano y el chino.[11] Ambos reaparecen hermanados e igualados por la experiencia de la explotación en la imagen de dos ancianas esclavas en "El loto y el café",[12] poema que desde el título sugiere ambos legados étnicos:

> en la misma ciudad, cuando la noche va a caer,
> aparecen dos esclavas muy viejas, apertrechadas
> en la volanta de su ama, con loto del Oriente
> y café de Santiago.
>
> (2006: 72)

Con su exotismo y delicadeza, el loto se asocia con las culturas orientales, mientras que el café es evocador de la africanía, especialmente al ser originado en Santiago, ciudad del oriente de la Isla, poblada mayoritariamente por afrodescendientes.

No es mera coincidencia —en Morejón nada es por azar— que la poeta escribiera "Preguntas para Wifredo Lam" integrando en su obra a uno de los más logrados pintores cubanos, personalidad paradigmática de la convergencia de múltiples etnias (2000B: 109). De padre chino y madre descendiente de africanos, españoles e indígenas, Wifredo Oscar de la Concepción Lam y Castilla (Sagua la Grande, 1902 - París, 1982) fue principalmente pintor, aunque también incursionó en la escultura y la cerámica. Como Morejón observara en "Presencia del mito en el Caribe", el centro generador de la creación de Wifredo Lam fueron los mitos Yorubas cubanos (Morejón, 1988B: 187-188). Su arte mancomunaba las fuentes cultas del surrealismo, de Henri Matisse, Joaquín Torres García y Pablo Picasso, con las populares de la santería, recibidas de la tradición oral, pues "su madrina Ma'Antoñica Wilson —de flagrante ascendencia anglófona como muestra su apellido— lo había adentrado en el conocimiento de Changó, Oggún y Elegguá" (185).

Sin descripciones explícitas, solo con sugerencias, en "Preguntas para Wifredo Lam", Morejón esboza el mundo híbrido de este pintor y su obra. Insinúa la confluencia de etnias tanto en la evocación del gran poeta chino, Li-Po,[13] quien, a la par de los emigrantes asiáticos, también había sufrido el destierro, como en las imágenes de la Ma'Antoñica, con una paloma, símbolo del mayor de los orishas de la santería, Obatalá:[14]

Y, ¿quién vio a Li-Po sentarse,
añorando sus algas de Cantón,
sobre las ruedas de la ciudad,
posado, así, sobre el muro del Malecón
y sus madréporas?

Y, ¿quién presenció el aleteo de una paloma
entre los dedos de Ma'Antoñica Wilson?

(2000B: 109)

"Almiprieta" cubana

En su introducción a *Sóngoro cosongo,* al afirmar la mulatez de
sus poemas, Nicolás Guillén se refiere al papel que representa
la africanía en la definición de la identidad cubana:

> Diré finalmente que éstos son unos versos mulatos. Par-
> ticipan acaso de los mismos elementos que entran en la
> composición étnica de Cuba, donde todos somos un poco
> níspero. ¿Duele? [...] La inyección africana en esta tierra
> es tan profunda, y se cruzan y entrecruzan en nuestra
> bien regada hidrografía social tantas corrientes capilares,
> que sería trabajo de miniaturista desenredar el jeroglífico
> [...].

> Y las dos razas que en la Isla salen a flor de agua, distantes
> en lo que se ve, se tienden a un garfio submarino, como
> esos puentes hondos que unen en secreto dos continen-
> tes. Por lo pronto, el espíritu de Cuba es mestizo. Y del
> espíritu hacia la piel nos vendrá el color definitivo. Algún
> día se dirá "color cubano" (1974: 114).

En "La canción del bongó", Guillén inscribió estas raíces
del mestizaje cubano sin privilegiar a ninguna de ellas, mientras

manifestaba autoconscientemente su voluntad de dar expresión poética a ese fenómeno cultural que permeaba el mundo y el espíritu cubano:

> […] mi profunda voz,
> convoca al negro y al blanco,
> que bailan al mismo son,
> cueripardos o almiprietos
> más de sangre que de sol,
> pues quien por fuera no es noche,
> por dentro ya oscureció.

(1974: 116)

Por su parte, Nancy Morejón ha venido abordando en su poesía y en su ensayística la impronta africana extendida más allá del color y los rasgos fenotípicos de los "cueripardos" alcanzando una profunda subjetividad mestiza que el célebre camagüeyano, con inigualable dejo popular, denominara "almiprieta", indicando así "la combustión afrohispana" manifestada en la producción cultural y en la espiritualidad.[15]

Sabido es que la travesía de la diáspora africana no había traído consigo sus instituciones, aunque sí su espiritualidad. Sin embargo, al llegar a América, a los africanos se les prohibía adorar a sus dioses, a la vez que se les obligaba a abrazar la fe católica. No obstante, tal control no pudo ser absoluto, pues, por sus intersticios, se fue gestando una resistencia. En la coexistencia y el contacto diario, el africano fue encontrando modos de aceptar las leyes y prácticas impuestas por el amo, pero solo aparentemente, ya que sin rechazarlas ni transformarlas abiertamente, las absorbía parcialmente y, desde su interior, las subvertía dirigiendo sus principios y prácticas a fines diferentes de los perseguidos por el orden dominante.[16] En un proceso espontáneo, el africano resistía creativamente y, comparando sus mitos con las diferentes tradiciones a su alcance, los entretejía dándoles un ropaje cristiano.

De tal modo se fueron gestando religiosidades sincréticas en las zonas de América donde se asentaron esclavos africanos, aunque con las particularidades específicas de cada región. En Cuba, fue la santería o Regla de Ocha, religión predominante, que ha compartido el espacio espiritual con Palo Monte, las Sociedades Abakuá, el espiritismo y diferentes formas del vodú, religiones que abrazaban un sistema de creencias y prácticas centradas en la veneración de los orishas del panteón Yoruba, divinidades concebidas "como espíritus sobrenaturales generalmente asociados a las fuerzas de la naturaleza" (Cross Sandoval, 1975: 32). En la Isla, los orishas más populares sincretizados con los santos cristianos fueron: Yemayá con la Virgen de Regla, Ochún con la Virgen de la Caridad del Cobre, Oyá con la Virgen de la Candelaria, Obatalá con la Virgen de las Mercedes, Elegguá con San Antonio y Babalú Ayé con San Lázaro, entre otros.

La cultura propia del negro y su religiosidad sacromágica penetró e impregnó el territorio cultural y social de la Isla, sin excluir las altas esferas sociales incluyendo las políticas.[17] Esta espiritualidad es una experiencia a la cual Morejón no se mantuvo ajena. Había tenido acceso a ella no por haberla aprendido librescamente, sino porque era una realidad que como el aire se respiraba y se propagaba impregnando todo el imaginario cubano. Consciente del poder que engendra el pensamiento por imágenes a partir de los ritos de la santería, no por el sentido religioso, sino por la viabilidad y el lenguaje artístico que su expresión dotó al teatro y a la poesía, Morejón ha abordado el imaginario cubano poblado por los espíritus de los muertos y las divinidades Yorubas integrándolos, ya sea en imágenes explícitas como en "Los muertos" o "Los ojos de Elegguá"; sutilmente en detalles, como en "El tambor" o "Ana Mendieta"; o navegando entre las aguas de lo secular y lo sagrado, como en "Elogio de Nieves Fresneda" o "Merceditas".[18] A continuación, nos detendremos en aspectos de esta espiritualidad presente en la obra de Morejón.

Los ancestros

El culto a los muertos no es privativo de las culturas africanas. Ya en las antiguas culturas del Oriente y Egipto, se practicaba como símbolo de unidad y coherencia familiar desde la construcción de monumentos —recordemos las pirámides—, a las ofrendas en los altares y otros recordatorios. En las Américas, ese culto ya existía en las culturas precolombinas. Para los aztecas constituía un aspecto esencial de sus religiones, las cuales, de un modo curiosamente afín a las africanas, concebían la vida y la muerte como un todo.

El culto a los muertos y los ancestros es muy característico de las culturas africanas del Sub-Sahara. Rica en mitologías ancestrales, la cosmovisión africana de esta región concibe un universo lleno de espíritus que se manifiestan por propia inspiración o que son convocados para ayudar en etapas de transición (nacimiento, matrimonio, muerte). De acuerdo a Joseph M. Murphy, los Yorubas veneran a sus ancestros y creen que por la experiencia de los mayores se podrá asegurar la continuidad de su cultura (1993: 8-10). Asimismo, entienden que los ancestros pueden estar presentes místicamente entre los vivos con la energía del aché, fuerza cósmica divina depositada en los muertos y en los orishas.

Según la cosmovisión Yoruba, el principio que distingue al hombre de los otros seres vivos, en su forma pura, reside en los muertos, en el hecho de que la muerte es solamente un cambio de estado al cual es sometido el cuerpo (Jahn, 1961: 111). Al respecto, Morejón reflexiona:

¿Qué es realmente un muerto para un Yoruba? La vida determina la muerte, pero la muerte determina la vida. Son órganos de la materia transformándose una sobre otra, ambas son polos, prolongaciones. Entre una y otra hay matices y no categorías. Si estamos muertos cumplimos una fase del proceso vital. Los espíritus de los antepasados conviven con el hombre (1988B: 161).

Apuntando a esta concepción, Morejón alude a la relación de comunicación, convivencia y trato cotidiano de los vivos con los muertos en "Las horas comunes", por ejemplo, "mi tía negra / ve cómo los muertos escupen los diarios trajines / y establecen amistad con los granos de la tierra" (2003: 94).[19]

Los muertos dotados de la energía del aché pueden habitar transitoriamente diversos espacios donde se acumula esta fuerza, en altares y en árboles sagrados como la ceiba cuyas hojas son empleadas en algunos rituales de iniciación para atraer el espíritu de los muertos. "Adonde iremos, viaje" es el título de un texto de Morejón que poetiza el ritual de un periplo espiritual alrededor de una ceiba.[20] Presenta a un viejo negro en un proceso de trance, quien erigido en *Egungún* se mueve como mediador en la frontera entre lo secular y lo sagrado, entre la vida y la

muerte. Así va prendiendo velas en una danza a Oyá, la fulminante divinidad de los cementerios sincretizada con la Virgen
de la Candelaria que tiene poder sobre los espíritus de los muertos. Este "viejo suntuoso" baila y eleva una plegaria junto a la
"sudorosa ceiba" donde moran las almas de los muertos. Con el
repique del "tambor cercano", el viejo pastor negro entra en
estado de posesión. Baila en los umbrales de lo sagrado para, al
fin, salir de ese ámbito y reingresar al mundo secular:

> aquel negro pastor tan viejo y encorvado
> carga un mundo de plumas
> y supura cenizas para *Oyá* y enciende velas a la sagrada noche
> *mira cómo se agita contra la espuma oscura*
> hunde sus ojos frente al mar
> crece como el tambor cercano
> ....
> está primero el mar la sudorosa ceiba
> y este viejo suntuoso con su hermoso bailar y su palabra
>   ruega
> decide entrar a nuestro mundo por una puerta tácita
>   dando saltos
>   miradas
>   haciendo gestos
>   (2006: 81)

Una constante del imaginario personal de Morejón es su
reverencia a sus ancestros, ya sean familiares, intelectuales o
héroes nacionales. Coherente consigo misma, en su obra, la
poeta no solo no ha podido olvidar a los muertos, ya sean personalidades públicas o artísticas de la alta cultura, o de la cultura
popular, sino que los evoca y los celebra dedicándoles epígrafes

o integrándolos como tema central de un poema o como detalle significativo. Siempre presentes en sus conversaciones, sus ancestros personales aparecen en sus poesías con profunda devoción, en escenas de intimidad familiar,[21] con sus padres,[22] y sus abuelas.[23]

La esencia espiritual del culto a los ancestros brota como tema central, en "Los muertos" (2000B: 13-14), texto pleno de religiosidad, que metaforiza un ritual funerario destinado a ayudar al tránsito del espíritu hacia el más allá. El poema se abre con una imagen de la muerte, señalada por el vacío, lo inanimado, sin vida: "Los muertos son la ausencia, / el olvido, lo inerte". A continuación, un sonido marca un punto de transición: "Una campana suena / balanceando su soledad entre las rosas". Este instrumento sacuditivo asociado con Ochún, es empleado en ritos fúnebres para llamar la atención a los orishas, o a los espíritus de los muertos y para provocar su llegada.[24] Aquí la campana señala un umbral que por un lado anuncia el desplazamiento a otro ámbito y, por otro, la llegada de los *eggún*, imitando las ceremonias de santería realizadas después del atardecer y otras ceremonias de toques de muerto, en honor a los espíritus.

Siguiendo con la tradición de ofrenda a los *eggún* —a los cuales se les ofrece comida—, Morejón presenta a estos peregrinos visitantes que vienen a toda hora a comer en los lugares más dispares, enunciados en una larga sucesión de anáforas introducidas por la preposición "en". A partir de las jícaras, recipientes en que se colocan elementos sagrados, se hace una enumeración de objetos aparentemente caótica —huesos, gargantas, jícaras, llaves y otros objetos—, en los que destaca, principalmente, la espacialidad y la ubicuidad de esos espíritus que todo lo invaden e infiltran. Asimismo, por la insistencia anafórica, la voz lírica presta unidad a la diversidad, mientras,

vibrante de sonoridad, mueve el texto con una cadencia rítmica
que proyecta un sentido ceremonial:

> Los muertos vienen de noche
> o vienen por la tarde
> a comer en las jícaras,
> en los atriles,
> en las gargantas ajenas,
> en los clavijeros,
> en la llave y en la calabaza,
> en la tijera amolada,
> en el cemento de las plazas,
> en los olores fieros,
> en el zumo,
> en el hueso.
>
> (2000B: 13)

Los muertos se manifiestan inesperadamente en el paisaje
del mar, en el agua, elemento esencial en los ritos de la tradición
lucumí. La voz lírica reafirma la presencia de los muertos, quienes, con una existencia siempre presente, vienen a saciar "la
sed", los afanes, las aspiraciones y quizá la inspiración de un
"poeta amigo", referencia oblicua a la propia creadora:

> En la gota de agua
> está la cara de los muertos.
> En el trozo de mar que mira el transeúnte
> se esconde el universo de los muertos.
> Los muertos cuelgan de las horas.
> Mitigan la sed de un poeta amigo.
> Los muertos son.
> Los muertos cantan.
>
> (2000B: 13-14)

Hace unos cuantos años, cuando Morejón escribió su ensayo "En torno a Nicolás Guillén", rememoraba sus encuentros cotidianos con el poeta camagüeyano: "Escoltada por doce tomeguines[25] y cuatro pavorreales, entro casi todos los días a la oficina de Nicolás Guillén. '¿Quién eres tú?', suele decirme, con fragancia de niño, cada vez que con curiosidad me empuja hacia sus fotos, sus viejos manuscritos [...]" (1988A: 103). Así custodiada por las aves moradoras de la mitología afrocubana, una tarde, la poeta fue al encuentro de sus raíces espirituales. Sentada frente a una mesa, dio rienda suelta a su fantasía y "sobre un tronco de ébano recubierto de musgo" realizó con su mentor y amigo, un viaje imaginario en el que se veía "de súbito atravesando el Mississippi, bogando entre limos sangrientos cuyas riberas confluían en su boca" (1988A: 103). No sorprende que Morejón haya dedicado a la memoria de Nicolás Guillén el poema "Mississippi".[26] Más aún, si regresamos a "Los ríos", texto de Guillén en que se entrelazan los dos grandes ríos que cruzan las Américas: al sur, el Amazonas, con los indígenas, y, al norte, el Misisipí, con los negros.[27] En su texto, Guillén partía de la metáfora de los ríos y las culebras enroscadas asociándolos con dos grupos étnicos cruelmente explotados por el colonizador: "He aquí la jaula de las culebras. / Enroscados en sí mismos, / Duermen los ríos, los sagrados ríos. / El Mississippi, con sus negros, / El Amazonas con sus indios".

En la obra de Morejón, la culebra[28] aparece recurrentemente, ya sea como imagen central, en "Hablando con una culebra", o en detalles asociados a los orishas —en particular Yemayá—, como en "Elogio de Nieves Fresneda".[29] En "Mississippi", el texto se desarrolla en torno a una metáfora central del poderoso río como serpiente de agua que, ondulante y sinuosa, va enroscándose y extendiéndose para atravesar los Estados Unidos de Norte a Sur, mientras divide el territorio en dos. Interesa anotar que la serpiente, símbolo de vida y muerte, representa acá el río, el cual, en la tradición española de Jorge Manrique, es símbolo de la vida que llega a su fin al desembocar en el mar.

En el poema de Morejón, la culebra de agua corre serpentina y voraz por entre la hierba reptando, ondulándose y bamboleándose zigzagueante en "un vaivén implacable". En su recorrido, recupera memorias del pasado, la travesía en galeones negreros cuyos fantasmas imborrables de esclavos marcados a hierro candente, aún habitan ese mundo:

> La serpiente de agua repta y se mece.
> Con su cuerpo de hamaca, bamboleándose.
> Carabelas, fantasmas, pieles quemadas
> van dibujados sobre las hojas de los sauces.

(2005B: 59)

El texto, como el río, siguiendo el movimiento de una culebra, repta interrumpido por el marcado ritmo de un estribillo que, con mínimas variantes, se multiplica tres veces, para deslizarse por su curso con la reiteración de las sibilinas eses evocadoras del bisbiseante desplazamiento de una víbora: "La serpiente de agua / junto a los sauces. / La serpiente de agua". El poema sigue el cauce del histórico río que, como serpiente, "crece y avanza / y va abriendo sus fauces", hasta su desembocadura cuando "[u]n pedazo de lengua cae al Golfo".

La religión afrocubana ha sido proveedora de "una vida cultural reprimida, pisoteada y escondida", que, en sus altares, integra "focos de resistencia cultural" (Morejón, 2005G: 38). Tales altares, productos híbridos de las prácticas del catolicismo y de las religiones Yorubas y de otros grupos étnicos africanos, como los congos y los yararás, representan un culto a los muertos. Como síntesis de la espiritualidad mágica cubana, esas formas casi totémicas configuran un espacio liminal propicio para la interacción simbólica híbrida. Morejón observa que funcionan como umbrales entre el mundo terreno, poblado por los seres humanos, y el mundo sagrado, habitado por las divinidades de origen africano (2005G: 31-32).

En un pequeño párrafo en prosa poética dedicado a Babalú Ayé, orisha sincretizado con San Lázaro, destacando la transmisión oral de estas tradiciones a partir del título, "Siempre decían", Morejón inscribe un texto de estructura circular que se abre y se cierra con la misma oración confiriéndole así sentido de repetición ritual. La voz describe un altar y su proceso de construcción en peregrinaciones de fieles, al tiempo que sugiere la sincretización al mencionar los dos nombres, significantes de identidades pertenecientes a dos mundos convergentes en un mismo santo:

> Siempre decían: "Unos lo llaman Lázaro. Otros lo llaman Babalú Ayé". Todavía hoy, no se sabe por cuál misterio, unos y otros acuden al Rincón —un pueblecito extraño y recoleto cuya maravilla deslumbra a cualquier viajero— en oleadas silvestres, para clamar o darle gracias mientras colocan bajo sus pies leprosos sacos de harina inmensos y vacíos, escobas relucientes, flores moradas como nísperos, cuentas de todos los colores y muletas sin dueño. Siempre oirás que te dicen: "Unos lo llaman Lázaro. Otros lo llaman Babalú Ayé"
>
> (2004A: 30).

Rito, canto y danza

La afición a la música, al canto y a la danza forman parte integral y esencial de la cultura que los africanos trajeron a América, pero también del legado aborigen del Caribe.[30] Hacer música era una de las pocas actividades que se les permitía a los africanos, quienes solían cantar y bailar para reafirmar su existencia. Según la tradición santera, los orishas pudieron cruzar las aguas del Atlántico desde el África gracias a las canciones acompañadas del batir de palmas de sus devotos, las cuales constituían las llaves de acceso a lo divino, pues por la música se transmitían creencias, ideas y sentimientos.[31]

De acuerdo al etnólogo Rogelio Martínez Furé, africanista fundador del Conjunto Folklórico Nacional (1962), en Cuba todo es expresado mediante la música y el baile, ya sea la felicidad como la tristeza, pues se trata de un pueblo danzario que baila ante la muerte o como "protesta por alguna injusticia" (Bishop, 1996). De todas las culturas, continúa argumentando Martínez Furé, "la española y la africana, la religiosa y la profana, los bailes populares y la música que vino de otras islas a enriquecer la nuestra [...] es la africana la que da el latido" (Bishop, 1996).

Según la cosmovisión Yoruba, el individuo se integra a su sociedad con su música y su danza, factor de continuidad cultural que representa valores sociales y sistemas de creencias (Àjáyí, 1998: 3-4). Como signo polisémico de cohesión, por el movimiento del cuerpo, la danza mancomuna armoniosamente gestos y usos del espacio, produciendo señales y códigos culturales. Asimismo, la danza expresa espiritualidad (Àjáyí, 1998: 221). Configura una poesía en movimiento cuya pluma de escritura es el cuerpo. Concepto que complementa el pensamiento de Fernando Ortiz quien ha observado que "la poesía y la danza no son sino formas de música", pues la danza la hace visible (1998: 63 y 70).

De acuerdo a Fernando Ortiz, en la cultura afrocubana el canto y la danza, por su dinámica relación con la acción sacromágica, son fenómenos dialógicos de magia y religión (1998: 75). Son artes dotadas de energía que frecuentemente constituyen componentes litúrgicos esenciales y vehículos de prácticas mágicas, cuya ejecución activa un sentido de plegaria. De tal modo, continúa Ortiz, que "[a]sí como la imploración religiosa y el conjuro mágico se refuerzan con ritmos, versos, cantos e instrumentos, también se vigorizan con la especial y reiterada gesticulación y con los movimientos miméticos" de la danza (1998: 75-76).

A continuación vamos a detenernos en textos de Morejón que, en diferente medida, perfilan elementos rituales musicales rítmicos, polirrítmicos y líricos del imaginario habitado por las divinidades de la sacralidad mágica de la santería, Yemayá y Ochún: "El tambor", "Elogio de Nieves Fresneda", "Enjambre", y "Merceditas", entre otros.

El tambor es un instrumento rítmico por excelencia que resulta esencial tanto para la música y la danza como para el ceremonial religioso, pues está impregnado de sentido místico.[32] Constituye uno de los fundamentos que estimula tanto a los cantantes al entonar melodías, como a los bailarines en la expresividad de sus movimientos. Como símbolo de sonido primordial y vehículo de la palabra que se presta para el ritual, el tambor ha entrado a la tradición con la dinámica misteriosa y sagrada de su repique que les habla a los orishas, y los invita a bajar y a tomar posesión de sus devotos.[33] Su centralidad en los ritos de las religiones Yorubas se remonta a una leyenda que atribuye a su toque por consejo de Orula, orisha de la adivinación, el triunfo de los Yorubas contra los congoleses (Torre, 2004: 118).

Al impulso ritual de los ritmos del tambor, el sujeto puede ser transportado a otro estado de conciencia, a una exaltación de la imaginación, de embriaguez irreal oscilante entre el ser y el no ser, que puede llevarlo en un frenesí a un estado de trance para comunicarse con los espíritus de sus muertos y con los orishas. De acuerdo con la filosofía Yoruba, el hombre controla el mundo por la palabra y para ello el ritmo le es indispensable. Precisamente, Léopold Sédar Senghor ha destacado en el ritmo una expresión de la fuerza vital que da forma a una dinámica interna del sujeto, a "una arquitectura del ser" (en Jahn, 1961: 164).

El tambor como modelo de expresión estética y musical africana y como fuente creativa caribeña configura con su percusión dialógica una estética de polirritmo, de ritmos interrumpidos y cortados por otros ritmos.[34] Precisamente, Senghor ha señalado que el polirritmo —ingrediente esencial en el arte de la percusión—, en su juego de contrapunto, activa y le da plenitud a la palabra (en Jahn, 1961: 164). La generación de poetas negristas caribeños de los años 20 traspuso el polirritmo a la poesía convirtiéndolo en recurso expresivo central en la creación lírica, que Josaphat B. Kubayanda denominó el "poema tambor" (1990: 91). Este subgénero poético conformaba un tipo de composición del mundo africano y caribeño sustancialmente cadenciosa que, entretejiendo diversos patrones rítmicos, se prestaba a una lectura en voz alta de significativo goce estético frecuentemente acompañada del compás de los tambores.

Para el africano, el repique del tambor es la voz de los ancestros. Posee poderes espirituales que le permiten acceder a las fuerzas naturales, transmitir la energía cósmica divina y así afectar la energía humana. Desde siempre el mundo de la música y los cantares populares habaneros provenientes de la tradición oral africana, han formado parte no solamente del contexto social, sino del imaginario de Nancy Morejón, quien, evocando tempranas experiencias, comentara:

> La vida me puso en contacto con cantares y ritmos que ostentaban un carácter anónimo, raíz esencial de su potencia. Voces en la alta madrugada traían una melodía triste las cuales evocaban la muerte de un ser querido. Eran los conmovedores *coros de clave* que eran tan habaneros, tan erosionados por el polvo de los caminos y los mares, pues aquellas tonadas que se habían transmitido de boca en boca provenían de tierras lejanas. Era una música ambulante y no sabíamos si había nacido en un patio de Andalucía o en un *museke* de Luanda. Verdaderamente era una combustión mágica cuyos humos subían desde la plazoleta de Antón Recio hasta la esquina de Peñalver y Manrique. Mi infancia estuvo marcada por estos músicos nómadas que iban de barrio en barrio repartiendo su música desinteresadamente sólo por el simple placer de contentarse y amenizar la noche sin recursos de los vecinos pobres (1996D: 8).

Siendo el negro el rey del tambor, en sus manos cualquier objeto percutible se transforma en este instrumento, pues, incluso, puede llegar a traducir su musicalidad con cualquier objeto o parte de su cuerpo (Ortiz, 1998: 51). De tal modo, el bailarín puede convertir su cuerpo en instrumento sonoro de percusión, ya sea marcando el ritmo tanto con sus pies como con el palmeo de sus manos (Ortiz, 1998: 74). Así lo sugiere

Morejón al recordar cuando, desde su casa, escuchaba por la noche

> [...] rumbas antiguas sólo ejecutadas por las palmadas y los músculos (haciendo la función de resonadores) de los propios rumberos que no necesitaron jamás ningún instrumento de percusión. Eran las rumbas de cajón. Esas palmadas —mano contra mano, manos contra pecho y piernas, llenas de amorosa energía africana— verificaban el ánimo flamenco que dormita en la rítmica nacional. El toque de esas rumbas nacía asimismo de los cueros y hierros que usaban los diablitos ñáñigos (íremes) en sus apariciones callejeras del Día de Reyes o en sus ceremonias funerarias (1996D: 8).

Esta tradición popular cubana en todas sus sonoridades y espiritualidad forma parte del ritmo interior que vibra en varios de los textos poéticos de Nancy Morejón. No sorprende entonces que en el poema "El tambor", la poeta haya creado una metáfora de este instrumento con el cuerpo.[35]

Según J. H. Nketia, el tambor en África puede remplazar la voz (Nketia en Kubayanda, 1990: 92). Por su parte, en un proceso inverso, Morejón logra crear en su poema un ritmo en que la voz remplaza al tambor. La hablante lírica se apropia del espíritu y la energía rítmica de este instrumento y se convierte en la percusionista que, con su cuerpo oficiando de tambor, nos entrega polirritmos plenos de imaginerías sensuales insertadas en el paisaje caribeño con su mar, sus islas y sus pájaros, acompañados de símbolos asociados a Yemayá, la divinidad del mar.

Por su sonoridad y musicalidad, "El tambor" es un poema para ser leído en voz alta siguiendo la cadencia de las palabras punteadas por figuraciones rítmicas, logradas mediante la agrupación de compases variados con aliteraciones, anáforas y repeticiones que, en su fluir, son alternados dialógicamente como ritmos de percusión. Apartándose de compases e imágenes facilistas, Morejón inscribe un ritmo dinámico con el tambor como metáfora del cuerpo o del cuerpo como metáfora del tambor. La voz poética, con una cadencia que se marca acercándose y alejándose, va desplazándose y arrastrando a sus lectores hacia un territorio de experiencia poética estética y sensorial que se desliza hacia lo sensual.

Impregnado de una fuerza lírica envolvente y sentido ceremonial, desde el primer verso, el texto entrelaza el tambor con el cuerpo y con el acto creativo. El poema se abre con "Mi cuerpo convoca la llama". Como las prácticas rituales africanas con una irrupción de los tambores que comienzan invocando a los espíritus, aquí el cuerpo de la hablante invita y activa la llama, símbolo de inspiración, de iluminación y de energía espiritual, que también puede implicar pasión y vincularse a la libido. Más aún, si consideramos que el tambor por su redondez dionisíaca parece apuntar hacia una simbología de la cavidad femenina uterina con resonancias gozosas. Por otra parte, el fuego como agente de regeneración se erige en símbolo de una trascendencia que propicia el cruce ritual de fronteras hacia una otredad.

La palabra tambor, solamente mencionada en el título, es evocada constantemente en el poema por el ritmo y por la imagen del cuerpo. La anáfora que desde el primer verso, "Mi cuerpo", es multiplicada en trece versos, genera un compás a lo largo del poema, a la vez que propicia un efecto de impregnación creciente del texto de carácter mágico, potenciando como un mantra, un desplazamiento de vibraciones que en su sobresaturación, traspasa fronteras hacia el ámbito secreto de lo sagrado:[36]

Mi cuerpo convoca la llama.

Mi cuerpo convoca los humos.

Mi cuerpo en el desastre
como un pájaro blando.

Mi cuerpo como islas.

Mi cuerpo junto a las catedrales.

Mi cuerpo en el coral.

Aires los de mi bruma.

Fuego sobre mis aguas.

Aguas irreversibles
en los azules de la tierra.

Mi cuerpo en plenilunio.

Mi cuerpo como las codornices.

Mi cuerpo en una pluma.

(2003: 156)

En su reiteración, el cuerpo convoca con mágico influjo a todos los elementos esenciales de la naturaleza: el fuego, en la llama; la fusión del fuego y el aire, en los humos; el aire, en la pluma, los pájaros y las codornices; la tierra, en las islas; y el agua, en una imagen oximórica, debajo el fuego y en la bruma que combina agua y aire.

Desde su compás inaugural, esta composición simétrica con versos paralelos, llama la atención hacia la apariencia del cuerpo, mientras, en su reiteración ritual, convoca a la memoria ancestral en el mar, en "las aguas irreversibles" que cruzaron los barcos negreros impidiendo el regreso. Asimismo, en las islas y en el coral, sugiere a Yemayá, cuya ritualidad se realiza con los tambores batá y los iya mama (Kubayanda, 1990: 105).

Con un ritmo, marcado no solo por reiteraciones y rimas interiores sino por pausas y silencios, Morejón pone en marcha una estructura cíclica repetitiva confiriéndole al texto una armonía musical litúrgica. Con una codificación de símbolos alusivos a una experiencia sacromágica, el poema va acumulando e intensificando energía en un compás seductor que potencia un ritmo sensual orgásmico, a la vez que se proyecta a un nivel desprendido de lo terreno para adentrarse en una realidad otra de la cual va a emerger etéreo y libre:

> Mi cuerpo al sacrificio.
>
> Mi cuerpo en la penumbra.
>
> Mi cuerpo en claridad.
>
> Mi cuerpo ingrávido en la luz
> vuestra, libre, en el arco.
>
> (2003: 156)

Yemayá

Originario de Abeokuta, el culto de Yemayá es asociado en Nigeria con la zona del río Ogún. El nombre de esta deidad deriva del Yoruba *Yeyeomo eja* que significa "madre cuyos hijos son pescados", noción relacionada con el hecho de que la vida proviene del mar y que el ser humano se concibe y desarrolla en el líquido del seno materno.[37] Nacida del mar, Reina y Dueña de las aguas marinas, esta deidad gobierna los misterios de las aguas saladas y representa la frescura que apacigua el espíritu de los muertos y de los vivos (Cabrera, 1974: 25).

Tomás González Pérez explica que cada orisha constituye una recopilación de conductas o manifestaciones que configuran una personalidad arquetípica (2003: 199). Por su parte, Yemayá tiene siete manifestaciones o caminos. Se le considera una y siete a la vez (Cabrera, 1974: 21). Sincretizada con la Virgen de Regla, es una de las deidades configuradoras de la identidad cubana cuyo santuario está en el pueblito de Regla sobre la bahía de La Habana. Allí es venerada como la protectora de los marineros, la Patrona de la Bahía y del Puerto de la ciudad. Con un vientre fértil que dio a luz al sol, las estrellas, la luna y a dieciséis divinidades, Yemayá es considerada la madre de todos los orishas.[38] De poder inconmensurable, se le asocia al antiguo culto de la Gran Madre, Madre Universal, Madre de la Vida, "Madre Nuestra que nos sustenta y desaltera", Diosa de la Fecundidad, "Señora Madre y Criandera del mundo", reconocida como la orisha de la creación, protectora de la familia y fuente esencial de vida (24).

De acuerdo a Pedro Pérez Sarduy, el concepto de la maternidad y el patriotismo convergiendo en Yemayá están simbolizados en Mariana Grajales, la madre de Cuba, por haber traído al mundo héroes de la independencia cubana de la grandeza de Antonio y José Maceo. Precisamente, Georgina Herrera en su pieza teatral *El penúltimo sueño de Mariana* (2005) dramatiza la muerte de Mariana Grajales como suprema encarnación cubana de la madre y la patria. A la imagen de la maternidad de esta divinidad alude Morejón en su poema "Madre", al presentar el perfil de su madre en medio de los atributos de Yemayá, los corales y los arrecifes de la costa.

Esta divinidad es evocada en varios poemas de Morejón. En "Renacimiento", poema concebido por la propia poeta como muy caribeño a la vez que cubano y americano,[39] la hablante en primera persona nos entrega una bella metáfora de Cuba, isla nacida del mar, mientras que nos remite directamente a la Yemayá Olókun del fondo del océano: "Hija de las aguas marinas, / dormida en sus entrañas".[40] Desde este, su camino más poderoso, la diosa se proyecta sobre el devenir histórico cubano. En el mar de "Renacimiento", la voz lírica apunta a la travesía, pero, en la pólvora del rifle guerrillero sugiere la nueva Cuba surgida con la Revolución:

> renazco de la pólvora
> que un rifle guerrillero
> esparció en la montaña
> para que el mundo renaciera a su vez,
> que renaciera todo el mar,
> todo el polvo,
> todo el polvo de Cuba.
>
> (1986: 73)

Publicado en *Elogio de la danza* (1982), uno de los poemarios de mayor plasticidad y estética de Morejón, "Elogio de Nieves Fresneda" perfila un espíritu danzario mágico-religioso. Este poema elegíaco fue dedicado al encomio de una de las más grandes bailarinas cuyas coreografías reflejaban características y leyendas atribuidas a la orisha que honraba con su danza: Yemayá. La nota aclaratoria que acompaña el texto destaca: "Nieves Fresneda fue la más genial bailarina de las danzas folklóricas cubanas. Su baile para Yemayá constituía todo un prodigio".

Humilde mujer de pueblo, una lavandera, Nieves Fresneda no había sido una artista profesional, sino una bailarina popular que salía a cantar y a bailar con una tradicional comparsa habanera, La Bollera. Era una verdadera maestra en el arte del canto y la danza popular; sin embargo, por su procedencia del mundo de los solares y las comparsas callejeras, no fue legitimada hasta después de la Revolución. Por ese motivo, sustenta Inés María Martiatu Terry, es muy significativo que Morejón le dedique y publique un poema a Nieves Fresneda, artista callejera, junto a otro dedicado a la clásica Alicia Alonso en *Elogio de la danza*.[41]

A principios de los 60, Nieves Fresneda vino a integrar el Conjunto Folklórico Nacional y llegó a ser su primera bailarina. Primero bailó bajo la dirección de Ramiro Guerra y luego de Rogelio Martínez Furé. Habiendo bebido desde la infancia del caudal espiritual y cultural de sus ancestros, Nieves trajo al mundo del espectáculo manifestaciones estéticas de aliento africano, y logra un híbrido que combinaba las técnicas del baile moderno con las ceremonias religiosas afrocubanas.

Ortiz observa: "Los bailes sagrados alusivos a un dios tratan miméticamente de evocar los movimientos característicos de sus míticas actitudes o faenas" (1998: 89). Cualquiera no puede realizar estas interpretaciones, pues, para recrear la danza de un orisha e interpretarla de acuerdo con la tradición, la persona debe haber sido iniciada en sus misterios. Además, se requiere de los intérpretes un atavío con determinados colores vinculados a los atributos tradicionales que simbolicen al respectivo santo y una coreografía que metafóricamente ilustre leyendas de la divinidad. Por la música, el ritmo y el movimiento, el orisha es llamado a reconocerse en esa danza. Con un lenguaje coreográfico alusivo, Nieves Fresneda reinterpretaba un ritual de Yemayá.

Morejón poetiza esa danza perfilando escenas con memorias espirituales y rituales, rodeada de elementos que aluden a diferentes aspectos de las leyendas de Yemayá. El poema comienza: "Como un pez volador: Nieves Fresneda", identificando a la bailarina con un símbolo de la divinidad, que participando del agua y el aire, vive en el mar y vuela en el aire (2003: 170).

Volviendo al legado histórico de la travesía del Atlántico de los barcos negreros, Morejón proyecta en el mar un símbolo bisémico de cárcel y supervivencia: "Olas de mar, galeotes, / azules pétalos de algas". Asocia el mar con el trauma de la trata, pero a la vez sugiere en las algas y el color azul, atributos de Yemayá, la divinidad cuya espiritualidad les permitía a los esclavos sobrevivir, resistir y revivir día a día el sacrificio y la muerte en vida que era su existencia: "cubren sus días y sus horas, / renaciendo a sus pies". La imagen de Yemayá Konla, uno de los caminos de esta diosa, surge de la espuma de las olas del mar que renace a sus pies, símbolo de regeneración y sostén espiritual que Yemayá confería a sus hijos esclavizados.

Destinada a dejar el mar para adentrarse en el monte, la Yemayá de "Elogio de Nieves Fresneda" toma un camino muy batallador cuando llega desde el África para, como Yemayá Mayalewo, hija predilecta de Brornu, internarse en el corazón de este nuevo mundo: "Un rumor de Benin / la trajo al fondo de esta tierra".

Morejón ubica a Nieves en un escenario legendario encarnando una y todas las Yemayás, rodeada de sus atributos

217

—serpientes, círculos, caracoles— que la diosa, que habita las aguas marinas con sus criaturas y sus otanes, los cauris[42] o las piedras,[43] trajera del fondo del mar para depositar en la costa:

> Allí están
> sus culebras,
> sus círculos,
> sus cauris,
> (2003: 170)

Poseedora de los profundos secretos del océano, la bailarina se irá abriendo caminos que habrán de conducirla al camino de Olókun:

> sus pies,
> buscando la manigua,
> abriendo rutas desconocidas
> hacia Olókun.
>
> (2003: 170)

Nacido de Yemayá, Olókum es un ser andrógino, mitad hombre y mitad mujer, mitad ser humano y mitad pez, divinidad de fronteras que vive en el fondo del océano junto a una enorme serpiente que asoma su cabeza durante la luna nueva (González-Wippler, 1999: 26). Olókum, uno de los orishas más poderosos y terribles, es raíz y fundamento de Yemayá.

El poema de Morejón rítmicamente perfila figuras estilizadas de baile que confieren gracia sin igual a Nieves Fresneda. En sus ondulaciones cósmicas, Nieves sigue el ritmo flotante del mar con "sus sayas" azules y blancas. Imita las curvas de las olas con los pies marítimos "alzados como lunas". Este símil apunta al emblema del camino de Yemayá Achabá, relacionada con la fecundidad y la procreación, condición fundamental de esta diosa.

La bailarina continúa desplazándose en un fluir armonioso bordado con espuma sobre el mar, en el que parece rendirse con movimientos circulares y suaves, mientras voltea su cuerpo girando con la cadencia de las olas en un memorioso espacio de ensoñación:

> Y en el espacio,
> luego,
> entre la espuma,
> Nieves
> girando sobre el mar,
> Nieves
> por entre el canto
> inmemorial del sueño,
> Nieves
> en los mares de Cuba
> Nieves
>
> (2003: 170)

Ochún

Ochún es la divinidad Yoruba del amor y la fecundidad, la diosa de las aguas dulces, de los ríos, incluyendo el río de la vida. Lleva el mismo nombre del río que atraviesa Nigeria en la región de Oshogbo, donde recibe un título considerado de honor, *Yalodde*. Lydia Cabrera la designa "dueña del Río, del Oro, del Coral y del Ámbar" (1974: 55). Inmensamente rica gracias a la bondad de Yemayá, más terrenal que divina, Ochún es una alegre, voluble, coqueta y voluptuosa bailarina. Considerada la Venus del panteón Yoruba, controla los placeres, el matrimonio y el dinero.

Ochún ha sido sincretizada con la Virgen de la Caridad del Cobre, patrona de Cuba. Este culto se originó al oriente de la Isla, en El Cobre, en la zona de Santiago, sitio de su santuario, donde hay mayor concentración de población negra y donde la santería se ha hibridado con otras religiones africanas, algunas provenientes de la vecina Haití. La Virgen de la Caridad está tan arraigada en los orígenes de la nación cubana que ha sido asociada a las luchas independentistas del siglo XIX, al punto que los soldados afrocubanos llamados mambises que constituían más del 70 % del ejército libertador, empezaron a llamarla la Virgen Mambisa.[44]

Ochún es asociada con los metales amarillos. Según la leyenda, parecería que esta diosa había gustado enormemente del cobre, quizá porque en ese metal se depositaba parte de su aché, pero con el tiempo y la desvalorización del cobre, el oro pasó a sustituir este metal como atributo de la divinidad. A ella le encantan las naranjas, los dulces hechos con huevos, las sagradas calabazas y la miel (*oñí*). Sus atributos más preciados son los espejos, los abanicos, los peines de carey, las campanas, las canoas, el coral y el ámbar.

Morejón presenta a Ochún frecuentemente vinculada a la miel y al ámbar, elementos ambos que comparten la calidez del color solar. "Ámbar", poema publicado en *Elogio de la danza* (1982), nos remite a míticos tiempos remotos. El tema del tiempo se filtra entre líneas a partir del mismo ámbar, fósil resinoso que trasciende la temporalidad al cruzar millones de años conservando intactas las materias orgánicas. El ámbar nos remonta a una prehistoria geológica, quizá también metáfora de una prehistoria cultural, de aquellos tiempos, antes de la colonización, cuando los esclavos africanos, naturalmente libres, no habían sido aún aprisionados por el colonizador, como los insectos que después cayeron en las "redes fijas" del ámbar. Por otra parte, en este fósil, esa materia orgánica atávica ha llegado hasta hoy, como los descendientes de africanos, conservando una integridad e identidad que se remonta a sus orígenes:

> Entre un jardín y otro jardín
> la música del ámbar
> sencilla, luenga, atávica.
> (2003: 263)

En este breve poema, Ochún nunca es nombrada, pero sí aludida, en "la música del ámbar", con su campana, su miel y el espíritu alegre de su atribuida risa:

> Entre la miel y la campana
> la suelta risa del ámbar,
> como ave transcurrida
> en su maternidad.
> (2003: 263)

En su ensayo "Manuel Mendive: El mundo de un primitivo", Morejón describe, en la obra de este pintor que rencontrara los restos de las antiguas culturas Yorubas, los primeros cuadros donde representaba a esta diosa en su mundo legendario rodeada de sus atributos (1988C: 152-154). Entre ellos destaca "El nacimiento de Ochún" con las sacerdotisas sacudiendo las campanillas, los panales de las abejas, productoras de la miel, atributo esencial de esta diosa, junto a "sexos que florecen", descripción que apunta a la asociación de la miel con la sexualidad de la mujer.

Encarnando la sensualidad, Ochún infunde y protege el amor carnal. Constituye "la fuerza que impulsa a los dioses y a todas las criaturas a buscarse y unirse en el placer" (Cabrera, 1974: 70 y 89). Georgina Herrera, en su poema "Oshún", la define puntualmente en pocas palabras: "Ella es la diosa del amor, su carne es vencedora / y basta".[45] Su ascendiente voluptuoso sobre los hombres está íntimamente ligado a la miel. Tradicionalmente, la miel representa un néctar de dulzura que atrae y se adhiere. Considerada un elixir del amor, "símbolo secreto de la sexualidad" de la mujer, representa un afrodisíaco del dulzor y de la esencia de la vida amorosa femenina (González-Wippler, 1999: 55). Por este motivo, cuando Ochún baila, pide *"oñí, oñí, oñí"*, o sea, miel (Ortiz, 1998: 144). Por otra parte, también es cierto que, en las tradiciones occidentales, la miel se vincula a la sensualidad de Afrodita, lo cual nos lleva a asociarla con los fluidos femeninos, con la humedad corporal y la lubricación producida por la energía sexual.

Cabrera narra la leyenda en la que Ochún sedujo a Oggún con su baile, su canto y su jícara llena de miel con la cual untó sus labios atrayéndolo irresistiblemente hasta que lo sacó de los bosques donde se escondía (1974: 75). Esta leyenda sugiere el poder seductor de la miel con Ogún quien fue domesticado, al decir de Lydia Cabrera, cuando "probó la miel, probó mujer" (1974: 75). Es más, otros patakines de Ochún ilustran cómo la miel la ayudó a seducir y a conquistar voluntades de otros dioses, Olofi, Changó y Babalú-Ayé.[46]

En "Enjambre", poema publicado en *Piedra pulida* (1986), el subtexto unificador es Ochún, en su camino de Ochún Akuara, "la que prepara elixir de amor", por las imágenes de identificación de la diosa con el paisaje tropical que desbordante de un Eros fecundador apunta hacia el gozo sexual. Partiendo del trópico como una constante de la cultura cubana y uno de sus principales mitos, Morejón abre el poema citando los versos de un poeta antillano anónimo, con la imagen luminosa de una naturaleza generosa al albor del día y del génesis: "Bajo las claridades de la mañana, / vi el árbol frondoso de la Creación". Ese radiante entorno natural es humedecido por un vapor que todo lo impregna y lo fecunda mientras se esparce por doquier subiendo a la montaña y al monte. Así va desbrozando "la manigua seca", para llegar a la secreta e íntima profundidad de la tierra que se abre en "las cuevas húmedas de estalactitas". Estas imágenes recorren una topografía geográfica que, sugiriendo un simbolismo genital femenino, se erigen en sensual metáfora de una anatomía de mujer y un gozoso encuentro sexual:

> El vapor de los puertos cae ahora.
> Sube al monte.
> A la montaña.
> Desbroza la manigua seca.
> Entra a las cuevas húmedas de estalactitas.
> Y los ramos de helechos adheridos
> a los muros ennegrecidos de la cascada.
> El salto de Soroa frente a la boca del Caribe.
>   (1986: 54)

En este punto de la lectura, se podría proclamar con Georgina Herrera en su poema a Ochún: "Ya su fiesta de amor se ha confirmado". En un medio feraz y resplandeciente donde la naturaleza, generosa y exuberante, goza de las aguas dulces que corren y caen devolviendo "la fiesta inaugural de la vegetación", en medio de las buganvillas, los árboles y las flores reverdecientes, la diosa hace una entrada triunfal a su morada, a su templo natural, "toda cubierta de miel y mariposas", con un enjambre de abejas revoloteando sobre la cabeza de la hablante y sus acompañantes, imagen sugerente de un imaginario colectivo desbordado de sensualidad y magia: Ochún bailando con su cuerpo cubierto de miel. Esta radiante visión final evoca la mítica danza que según la leyenda, bailaba Ochún desnuda con su cuerpo untado con miel, tradición que, Ortiz observa, no se ha guardado ortodoxamente hasta nuestros días (1998: 143-144).[47]

Mercedes Valdés (1928-1998) fue una de las *akpwonas* lucumíes más celebradas. Miguel Barnet refiere que Merceditas solía entonar para don Fernando Ortiz sus himnos a Elegguá, Oyá o Naná Burukú, y que en sus representaciones combinaba armoniosamente el canto con la danza en honor al panteón Yoruba pareciendo emanar de las potencias femeninas afrocubanas.[48] Ante el elogio público que había recibido esta cantante hacia el final de su carrera artística, Barnet llamó la atención a lo aceptable que había sido en los últimos años de Mercedes Valdés, aplaudirla y aclamarla, mientras que

[...] cincuenta años atrás otras eran las circunstancias sociales. Una joven, qué digo joven, una jovencita cantando rezos lucumíes —o Yorubas como decimos con toda propiedad— en emisoras de radio y anfiteatros no era común, se requería de mucho coraje y una voluntad a toda prueba. Su talento habló por sí mismo. Ella, desde su irrupción en el *ilé ochá*, fue una ráfaga que atravesó la Isla con su voz de akpuona principal. Si bien es cierto que el cubano es sobre todo bailador, sus facultades de canto no van a la zaga. Merceditas reunió ambos dones, los acopló armónicamente en un estilo personal, dentro de la gran pléyade de cantoras afro, y lo convirtió en un sello identificador de gracia y cubanía. Su voz pequeña pero muy bien timbrada se destacó entre las otras, más nasales, más agudas o sencillamente más estridentes. Esa dulzura y sobriedad inherentes al rezo y la invocación buscaban una como la de Merceditas. Por eso es que Don Fernando Ortiz la escoge entre muchas otras para ilustrar sus conferencias sobre las músicas de procedencia africana en Cuba (Barnet, 2005B).

Nancy Morejón escribió "Merceditas" con motivo de un homenaje que el Teatro Nacional de Cuba auspiciara al año de la muerte de Mercedes Valdés.[49] Morejón no la había conocido personalmente, pero sí a su esposo, Barreto, y fue más bien en homenaje a él que la poeta realizó esta creación.[50] Es así que Morejón poetizó a la cantante de acuerdo con la imagen que tenían de ella su esposo y el pueblo cubano, a la vez que trataba de recuperar la atmósfera de la poesía afrocubana de los años 30.

Todo el mundo sabía que Merceditas era religiosa, "hija" de la Caridad del Cobre o de Ochún. La poeta ubica a la *akpwona* en el centro de un escenario lírico adornada con los atributos y colores que apuntan al mito nacional cubano de Ochún y la Virgen de la Caridad del Cobre. Perfilando otros aspectos legendarios de Ochún, Morejón presenta a Merceditas deslizándose con la fluidez del agua dulce de un río y cantando con gracia sin igual. Su imagen estilizada combina la inquietud con la gentileza.

En un apóstrofe poético reiterado seis veces, "Mírenla", la voz lírica desde un afuera observador convoca a sus lectores y al público a deleitarse con la visión de Merceditas adornada con todos los atributos de Ochún (Morejón, 2005B: 35-36). Un largo refrán introductorio multiplicado tres veces le confiere al texto un compás con unidades rítmicas que lo unifican a la vez que convocan a la admiración por Mercedes Valdés, todo ello punteado por la insistencia anafórica de "Mírenla". Esta exhortación retórica comunica una cierta urgencia admirativa contagiosa ante lo excepcional. Acentúa la figura y el carácter de espectáculo y *performance* de Merceditas frente a un público o frente a los lectores implícitos del texto. La voz lírica llama la atención al andar así, como también a la identificación de Merceditas con Ochún, al inundar nuestro imaginario de la luz y la calidez solar del amarillo:

> Mírenla como va de amarillo
> igual que el girasol
> y la yema
> y el trigo.
>
> (2005B: 35)

El inscribir en cada verso sucesivo atributos de esta diosa, radiantemente amarillos —el girasol, su flor por antonomasia, la yema de huevo y el trigo—, provoca una acumulación en cascada que va intensificando en cada instancia el efecto del color para originar en la imaginación del público o el lector una visión cálida y resplandeciente de la cantante.

En una encarnación artísticamente estilizada de Ochún, Merceditas personifica otros caminos, Ochún Edé, la dama elegante, y Ochún Aña, la que ama el ritmo de los tambores.[51] Morejón la presenta cantando y moviéndose con donaire, mientras fascina y embellece todo aquello que la rodea, incluso lo que toca con sus pies, los cuales, como colibríes perfumados, irán "bordando el adoquín / adormecido". La voz lírica continúa convocando a disfrutar de la imagen surreal de Merceditas entre los atributos de Ochún, un "coral de soles fijos" y un "esplendor de pulseras dormidas" (2005B: 36), con su irresistible miel y sus sagradas calabazas, bailando y cantando a solas:

> en un barquito
> de miel y calabazas.
> Y las abejas desoladas
> dibujando su rostro
> renacido.
>
> (2005B: 35)

Enmarcada por las abejas, Merceditas es llamada insistentemente por la luna en una atmósfera de ensoñaciones invadida por su luz blanca. Pero ese llamado es un grito entrecortado que, en un vaivén palinódico de desconcierto en el cual Merceditas es y no es sombra y sueño, parecería palpitar pleno de angustia por la ausencia, por el vacío de la *akpwona* ya desaparecida:

> Merceditas
> —grita la luna blanca—.
> Merceditas
> no es una sombra inesperada
> no es una sombra nunca
> ni es un sueño
> sino una voz recién cortada
> pero qué voz,
> pero qué sombra.
> Qué sueño entrecortado.
> Merceditas
> —vuelve a gritar la luna blanca—.
>
> (2005B: 35-36)

En la quinta estrofa, abarcando un amplio arco del imaginario popular, desde otro lugar aparece Merceditas iluminando el firmamento en una visión extraordinaria. La hablante echa a volar por los cielos a Merceditas quien va cabalgando sobre "un pavo real de espumas", ave asociada con Ochún, la cual, triunfal, lleva a la *akpwona* sobrevolando la Isla, detalle que evoca a la patrona y protectora de Cuba, la Virgen de la Caridad del Cobre: "Montada sobre un pavo real de espumas / va cabalgando sobre Cuba. / Mírenla bien" (2005*B*: 36).

Al proyectar en Merceditas esta doble imagen de Ochún, la luminosa y seductora diosa del amor y el placer, y la Virgen de la Caridad, virtuosa custodia de Cuba, Morejón ubica a la bailarina en un ámbito liminal sincrético. La sitúa entre dos aguas, entre la religión Yoruba y la cristiana, entre lo profano y lo sagrado, entre *cupiditas,* el amor sensual, y *caritas,* el casto amor de Dios, dos avenidas de trascendencia, dos disposiciones, dos arquetipos femeninos opuestos que se conjugan y unen.

En ese espacio de fronteras, tercer espacio de convergencias y ambivalencias, umbral desde el cual la poeta reinterpreta la cultura, la voz lírica del poema privilegia las raíces africanas de la nación al ubicar a Merceditas rodeada de los atributos de Ochún para dirigirla a su santuario natural de aguas dulces fertilizantes, el río, donde según la leyenda contada por Lydia Cabrera, esa diosa había de vivir como una "Señora de respeto" (1974: 70-71):

> en su coral de soles fijos,
> en su coral de plumas sacras,
> en su fulgor de alcoholes sabios,
> en su esplendor de pulseras dormidas.
> ....
> Mírenla como va de amarillo
> igual que el girasol

y la yema
y el trigo.
Colibrí perfumado,
va su pie diminuto
bordando el adoquín
adormecido
y un manto de oro fino
cayendo para siempre
entre las aguas breves del río.

(2005B: 36-37)

Al paso de ritmos rituales, Morejón nos entrega una visión
y un palpitar del "almiprieta cubana". Con rumor de leyendas
sacromágicas nos conduce ya con Nieves Fresneda, ya con
Mercedes Valdés, en un flujo poético que va bajando por las
aguas salobres de Yemayá y las dulces de Ochún. Mientras celebra lo sagrado y lo profano, la poeta perfila a estas artistas populares "al filo del viento", "al filo del mar", quienes encarnan el
eterno signo del arte bordado con las cadencias mulatas de la
espiritualidad de la cultura afrocubana.

Nancy Morejón nos ofrenda una experiencia mágica similar a la suya cuando ella entraba al despacho de Guillén escoltada
por los tomeguines y los pavos reales de Ochún y Yemayá. Asimismo ha logrado trascender lo que Léopold Sédar Senghor, en
pos del poema perfecto, consideraba "la decadencia del mundo
moderno" en la creación poética, pues recupera el camino de
sus orígenes al darle vuelo a su lirismo en armonía con la música, la danza y el canto, como en la antigüedad y en el África
negra, cuando la poesía era "cantada y bailada".[52]

Notas

[1] Si hay una lección en la amplia circulación de culturas, es que todos seguramente ya nos hemos contaminado de cada uno.

[2] Sobre este tema véase también de Ortiz "Los factores humanos de la cubanidad", en *Estudios etnosociológicos* (1991: 23).

[3] Por haberse dedicado a auscultar la cultura cubana desde sus estudios de antropología y otras disciplinas sociales y por haber sido quien por primera vez desentrañó y supo valorar la profunda africanía en la idiosincrasia cubana, Fernando Ortiz fue designado por Juan Marinello "el tercer descubridor" de Cuba.

[4] Agradezco a Nancy Morejón el manuscrito de su ensayo inédito "La Casa de las Américas y el Caribe en su porvenir", de donde procede esta cita (4).

[5] La información sobre los güijes proviene mayormente de *Mitología cubana*, de Samuel Feijóo (1986: 71-142).

[6] Este mito se encuentra en otras partes de América, en el campo del Uruguay, por ejemplo, pero sin influencias indígenas y totalmente ligado a la tradición de los afrodescendientes, en la que es conocido como la leyenda de los negritos del agua.

[7] Poema publicado en *West Indies, Ltd.*, colección incluida en *Obra poética*, tomo I, de Nicolás Guillén (1974: 143-145).

[8] El primero, aparecido por primera vez en *Piedra pulida* (1986), está extraído de *Looking within / Mirar adentro* (2003: 172), y el segundo fue publicado en *Elogio de la danza* (1982).

[9] Los trabajadores firmaban contratos por tiempo determinado a cambio de casa, comida y algún mínimo beneficio adicional, como podía ser el costo del viaje a América. Vivían como prisioneros vendiendo sus servicios a amos de un mundo desconocido, con lengua, religión y costumbres extrañas. La situación podía llegar a ser tan desesperante que se dio una alta incidencia de suicidio entre los culíes (Richard Dana, 2003: 79-80).

[10] Texto del poema "West Indies, Ltd.", que diera el nombre al volumen *West Indies, Ltd.*, de Nicolás Guillén (1974: 158-170).

[11] Poema publicado en *Richard trajo su flauta y otros argumentos* (1967). En el Capítulo Quinto, se trata este poema con mayor detenimiento.

[12] Poema publicado en *Richard trajo su flauta y otros argumentos* (1967).

[13] Con cierto conocimiento de la alquimia, Li-Po (701-762) se autoproclamaba mago. Su obra poética se distingue por haber traído gracia y elocuencia, con una cierta fantasía y sentido lúdico.

[14] Este orisha ha sido sincretizado con Nuestra Señora de las Mercedes, que representa la creatividad, la sabiduría y la pureza.

[15] Información originada en "Cuba y lo afrocubano, ¿una metáfora?"(2003).

[16] Sobre este fenómeno característico de la cultura popular, me remito a *The Practice of Everyday Life,* de Michel De Certeau (1984: 29-32).

[17] Rómulo Lachatañeré señala que Batista había sido reconocido como "hijo" de Orúmbila, y que además los santeros habían bautizado al derrocado presidente Machado como "hijo" de Changó (2001: 113). Eugenio Matibag agrega, en *Afro-Cuban Religious Experience* (1996), que se cree que Fidel Castro había sido iniciado en esa religión (1996: 49 y 229). Ivor Miller, en "Religious Symbolism in Cuban Political Performance", ha recogido varios testimonios que ratifican esta afirmación (2000).

[18] Sobre las imágenes de la santería en la poética de dramaturgos y poetas, véase "Poética de los altares", en el volumen de ensayos del mismo nombre de Morejón (2005G: 29). Este artículo había aparecido antes en la revista *Conjunto* (octubre-diciembre de 1994, pp. 65-69).

[19] Poema publicado originalmente en *Amor, ciudad atribuida* (1964).

[20] Poema publicado en *Richard trajo su flauta y otros argumentos* (1967).

[21] Se trata de: "La cena" y "El hogar" (2003: 214-217 y 220-223).

[22] Me refiero a "Madre", "Los restos del *Coral Island*" y "Café" (2003: 100, 210 y 248), "Los sueños son políticos" y "Nexus" (2000B: 29-30 y 116-118).

[23] Entre otros, se destacan: "Presente, Brígida Loyola", "Presente, Ángela Domínguez" y "A la sombra de los tranvías" (2003: 212, 218 y 246).

[24] Para la función de instrumentos sacuditivos, véase *Los bailes y el teatro de los negros,* de Ortiz (1998: 71).

[25] El tomeguín es el más liviano de los pájaros, característica que le permite alcanzar grandes alturas en el cielo. Además es un ave mensajera que lleva ofrendas (Cross Sandoval, 1975: 115).

[26] Poema publicado en *Carbones silvestres* (2005B: 59). Debo aclarar que Nicolás Guillén, Antonio Benítez Rojo y Nancy Morejón escriben el nombre de este río con ortografía inglesa. En las citas textuales, transcribo la ortografía empleada por el/la autor/a.

[27] Poema incluido en *El gran zoo* (1974: 129-128).

[28] El culto a la serpiente se ha desarrollado en los cinco continentes. En las civilizaciones precristianas, la serpiente era sagrada y simbolizaba renovación, fertilidad, crecimiento y sabiduría. En África, donde abundan los ofidios, es objeto de amplio simbolismo y culto. Asociado al arcoíris y a los cielos, a los dioses y a la tierra, este reptil, en su anual majomía, se vincula a los secretos de la muerte y al renacimiento de la naturaleza. Sobre este tema, véase el capítulo "Vodús y obís en las Antillas", en *Estudios etnosociológicos*, de Ortiz (1991: 228-231).

[29] Sobre "Hablando con una culebra", me extiendo en el Capítulo Quinto, y sobre "Elogio de Nieves Fresneda", más adelante en este mismo capítulo.

[30] Sobre la danza, se han consultado los textos incluidos en la bibliografía de Àjáyí (1998), Benítez Rojo (1989) y Gorer (1962), y dos de Ortiz: *Los bailes y el teatro de los negros* (1998) y *Los tambores batá* (1994).

[31] Véanse, *African Religions and Philosophy*, de Mbiti (1970: 87); y *Walking with the Night: The Afro-Cuban World of Santería*, de Canizares (1993: 68).

[32] Véase *Africa Dances*, de Gorer (1962: 213-215).

[33] Sobre la simbología del tambor, véase *Dictionary of Symbols*, de Cirlot (1972: 89).

[34] Para la relación del lenguaje polirrítmico del tambor y de la poesía en sus manifestaciones caribeñas, me remito a *The Poet's Africa*, de Josaphat B. Kubayanda (1990: 113-120), y *La isla que se repite*, de Benítez Rojo (1989: XXIV-XXV).

[35] Poema publicado en *Elogio de la danza* (1982). El texto que citamos proviene de *Looking within / Mirar adentro* (2003: 156).

[36] Ortiz ha comentado a propósito de la ritualidad colectiva: "la reiteración del ritmo cantado apresura la fatiga de la atención y la tensión nerviosa precisamente necesarias para provocar el trance hipnoide o la sugestión colectiva [...]" (1998: 41).

[37] Véase *Santería: The Religión. Faith, Rites, Magic*, de Migene González-Wippler (1999: 57).

[38] Para los caminos de Yemayá se han consultado a Cabrera (1974), Castellanos y Castellanos (1992) y "Deidades afrocubanas: Yemayá" (2005).

[39] Véase la entrevista de Morejón con Elaine Savory Fido (1990: 265-266).

[40] Poema publicado en *Piedra pulida* (1986).

[41] Estos comentarios forman parte de una entrevista que filmé el 2 de febrero del 2007 para un documental sobre Morejón.

[42] Esenciales en la santería, son el medio empleado en la adivinación de acuerdo con el *Diloggun* (González-Wippler, 1999: 210).

[43] De acuerdo a González-Wippler, las piedras son fundamentales en la santería, pues concentran la esencia espiritual de los orishas (1999: 20).

[44] Benítez Rojo destaca, en los orígenes de este mito nacional, un tríptico supersincrético, por la convergencia de tres tradiciones: la indígena, de la deidad taína de Atabey o Atabex; la española, de la Virgen de Illescas, de la zona de Toledo, llevada a Cuba por los españoles; y la africana, de Ochún Yeyé (1989: XVI-XXII). José Juan Arrom también había señalado que los aportes español y africano entretejidos con el indígena habían quedado reinscritos en el origen de esta leyenda. En el relato de la aparición de la imagen de "Nuestra Señora de la Caridad del Cobre", en medio de una tormenta en alta mar en Nipe alrededor de 1611 y 1612, "los tres Juanes", trabajadores mineros en una embarcación al borde del naufragio, descubrieron un bulto y al acercarse reconocieron que era la imagen de "María Santísima" (Arrom, 1971: 184-214). Los nombres de estos mineros, Juan Hoyo, Juan Indio y Juan Esclavo, denotaban, respectivamente, a un criollo descendiente de españoles, otro de indígenas y otro de africanos (Arrom, 1971: 210-211). La Caridad del Cobre, llamada popularmente Cachita, se erige en símbolo de la mezcla irreversible de razas y etnias característica de la sociedad cubana, imagen de la nación blanquinegra (Murphy, 1998: 95-96).

[45] Agradezco a Georgina Herrera este poema inédito.

[46] Véase Isabel Castellanos, en "A River of Many Turns: The Polisemy of Ochún in Afro-Cuban Tradition" (1998: 38), y Murphy, en *Santería* (1993: 34-41).

[47] De acuerdo a Jahn, esta danza puede ser ejecutada con una coreografía tripartita representando la vida de la divinidad o en episodios coreográficos comenzando con la "Danza de los Manantiales" (1961: 67-68).

[48] De acuerdo con la conferencia pronunciada en ocasión de la inauguración de la Villa Isis, la residencia original de Fernando Ortiz, en La Habana,

como centro de estudios Fundación Fernando Ortiz (5 de enero de 1996) ("La casa templo").

[49] El poema apareció por primera vez en inglés en la revista *Callaloo* (vol. XXIV, 4, 2001: 1122-1123), traducido por el poeta Steven F. White. El texto fue publicado en español en *Carbones silvestres* (2005B: 35-37).

[50] Comentario expresado por esta poeta en la entrevista que filmé para un documental en febrero del 2007.

[51] Sobre los caminos de Ochún, véase *La isla que se repite,* de Benítez Rojo (1989: XX).

[52] "I insist that the poem is perfect only when it becomes a song: words and music at once. It is time to stop the decay of the modern world and especially the decay of poetry. Poetry must find its way back to its origins, to the time when it was sung and danced. As it was in Greece, in Israel, above all in the Egypt of the Pharaos. And as it is still today in black Africa". ("Insisto en que el poema es perfecto solamente cuanto se convierte en canción: palabras y música a la vez. Ya es hora de detener la decadencia del mundo moderno, especialmente de la poesía. La poesía debe rencontrar su camino en sus orígenes, en la época en que era cantada y bailada. Como fue en Grecia, Israel, y más aún en el Egipto de los faraones. Aún es así en África". [Sédar Senghor en Jahn, 1961: 94].)

Capítulo Quinto

GENEALOGÍAS

We, the daughters of these Black women, will honor their sacrifice by giving them thanks. We will undertake, with pride, every transcedent dream of freedom made possible by the humility of their love.[1]

June Jordan

And so our mothers and grandmothers have, more often than not anonymously, handed on the creative spark, the seed of the flower they themselves never hoped to see, or like a sealed letter they could not plainly read.[2]

Alice Walker

We think back through our mothers if we are women.[3]

Virginia Woolf

Introducción

Estos epígrafes aluden a zonas de la poesía de Nancy Morejón que perfilamos en estas páginas en el contexto de su experiencia de vida. Se revelan aristas autobiográficas no como recuento de acontecimientos, sino como representación estética de su universo, de su legado etnocultural y de su genealogía personal. En tanto constantes de su creación, vienen a reflejar a la poeta como autorretrato en imágenes de sí misma y de su posición en el mundo.[4]

La cita de June Jordan apunta a una arista conmovedora que observé en Morejón desde nuestro primer encuentro a principios de los 90. Se trata del deseo imperioso, necesidad casi, de reconocer y honrar a su madre —quien en ese entonces vivía aún— con gratitud tanto por su sacrificio sin límites, como por su entrega a su única hija. Por su parte, Alice Walker se refiere al papel seminal que jugaron su madre y sus abuelas en despertar y alentar el desarrollo de su creatividad más allá de lo que ninguna de ellas podría haber aspirado nunca para sí mismas. En cuanto a Virginia Woolf, interesa por advertir la influencia de la madre sobre el pensamiento y la labor intelectual de la hija tamizados por el vínculo entre ambas. Por otra parte, Woolf parece también implicar que es a través de esa madre que la mujer tiene acceso a su conciencia como ser pensante y, con ello, al orden cultural.

En 1976, Adrienne Rich nos alertaba, en sus lúcidas reflexiones de *Of Woman Born: Motherhood as Experience and Institution,* respecto a la importancia fundamental de la relación madre/hija en los años formativos de una mujer y, por lo tanto, en todo su desarrollo, así como también a la poca atención teórica que había recibido tal vínculo. Rich señalaba que el primer recuerdo que tenemos de calidez, ternura, sensualidad y seguridad es el de nuestra madre, memoria que se establece a partir de una reciprocidad especular.[5] Se trata de un aspecto esencial en la relación madre/hija que puede trascender separaciones y diferencias generacionales para extenderse en una continuidad genealógica matrilineal. La especularidad ha sido teorizada, aunque desde un ángulo diferente, por Jacques

Lacan en sus reflexiones sobre las etapas iniciales de la constitución de la subjetividad. De acuerdo a este sicoanalista, entre los seis y dieciocho meses, la criatura se comunica con la madre sin mediación lingüística, a partir de una relación de plenitud en el estadio del espejo, umbral de transición entre el orden imaginario y el cultural, cuando el sujeto comienza a adquirir el lenguaje.[6] En esta fase del espejo, se produce el narcisismo primario, matriz desde la cual se activa el proceso de identificación con otros seres y la constitución del yo adulto dejando profundas huellas en sus relaciones intersubjetivas.

En los últimos veinticinco años, el pensamiento feminista, ya sea teórico, sicoanalítico, antropológico, sociológico, teológico o literario, ha dirigido su atención a la línea genealógica matrilineal destacando la relación madre/hija, en orientaciones que pueden proyectar sobre la imagen de la primera, perspectivas diametralmente opuestas, desde la amante y protectora a la hostil y destructiva. Desde un polo negativo, la madre es presentada como fuente de devaluación, sujeción y frustración de la mujer. Tendencia que refleja una animadversión matrofóbica motivada por el deseo de independencia y de separación de la madre, a la vez que despliega un espíritu que, involuntaria pero frecuentemente, puede resultar en una complicidad implícita con el orden androcéntrico que intenta ignorar y, más aún, desacreditar y denostar esta relación. Al respecto, Jean F. O'Barr, Deborah Pope y Mary Wyers sostienen, en la introducción de *Ties that Bind: Essays on Mothering and Patriarchy* (1990), que el patriarcado, temiendo una alianza que podría amenazar su autoridad, tiene interés en distorsionar y truncar las posibles alianzas entre mujeres para así perpetuar los conflictos entre madre e hija (13). Principio que podríamos deducir del viejo lema del Imperio romano: "Divide e impera".

En *Of Woman Born: Motherhood as Experience and Institution,* Adrienne Rich sugiere que los antecedentes de las motivaciones de esta postura, en última instancia, son matricidas y que han sido alentados por el orden androcéntrico. Respecto a la matrofobia agrega:

> [...] can be seen as a womanly splitting of the self, in the desire to become purged once and for all of our mother's bondage, to become individuated and free. The mother stands for the victim in ourselves, the unfree woman, the martyr. Our personalities seem dangerously to blur, overlap with our mothers; and in a desperate attempt to know where mother ends and daughter begins, we perform radical surgery (1986: 236).

> ([...] puede ser vista como una división de la subjetividad de la mujer, en el deseo de purgar de una vez por todas el vínculo con la madre, para ser independiente y libre. La madre representa a la víctima en nosotras, a la mujer dependiente, a la mártir. Nuestras personalidades parecen diluirse peligrosamente con las de nuestras madres y en un intento desesperado de discernir dónde termina la madre y dónde comienza la hija, realizamos una cirugía radical.)

De acuerdo a Luce Irigaray, la matrofobia se remonta a la mitología griega desde la decapitación de la poderosa y terrible Medusa hasta la incitación por parte de Electra a Orestes para matar a su madre, Clitemnestra, en un enredo explícitamente asesino e implícitamente incestuoso.[7] Este tema ha venido cautivando la imaginación literaria, ya con la tragedia griega en *La orestíada,* de Esquilo, y la *Electra,* de Sófocles, el que se prolonga hasta el teatro contemporáneo, con *Les mouches,* de Jean Paul Sartre, *Electra Garrigó,* de Virgilio Piñera, y *Casa matriz,* de Diana Raznovich, sin faltar la narrativa desde *Tierra de nadie,* de Juan Carlos Onetti, pasando por "Puñal y madre", de Luisa Valenzuela, entre otras.

En la actualidad, desde una perspectiva diametralmente opuesta, teóricas y escritoras afroamericanas han presentado una imagen celebratoria y mitificadora de la madre. Desde un ángulo similar, con una nota de melancólica y dolida reverencia, Nancy Morejón evoca la imagen de su madre y, por ende, de su relación con ella, en una filiación que resulta esencial en su evolución y definición de identidad.

La madre

Nacida el 7 de agosto de 1944, en un barrio del actual municipio de Centro Habana, Los Sitios, Cayetana Nancy Morejón Hernández es un ser cuya trayectoria, vida y aconteceres, en general, desde su nacimiento en un casi milagroso alumbramiento, han roto todos los esquemas.[8] Al respecto, Morejón comenta en una entrevista:

[...] el proceso del embarazo y el nacimiento fueron cosas tremendas. De entrada debo decirte que soy ochomesina, es decir, que nací a los ocho meses. Había una teoría en la época en que yo nací, a mediados de los años 40, sobre los casos de los niños prematuros de ocho meses que son peligrosos porque el feto está en un momento crítico de su evolución para nacer (Cordones-Cook, 1996: 60).

Asimismo, Morejón refería en una conversación personal que ella había nacido *abikú*, pues, su madre, quien en un embarazo anterior había perdido al bebé, había quedado estéril después de su parto.[9] A ello se debe agregar que había venido al mundo en una bolsa de un tipo de cartílago grande, llamado zurrón. Todas estas circunstancias, de acuerdo con la tradición afrocubana, producían en el transcurso de la vida de esos niños características y experiencias fuera de lo común. Por su parte, la poeta interpreta los aspectos inusitados de su llegada al mundo como signo anticipatorio de las vivencias insólitas y frecuentemente inexplicables que han signado tanto su vida como su creatividad artística. Incluso, llega a sugerir que tales circunstancias le han dado el sentido de estar "más preparada para lo imprevisto que para lo previsto" y que, además, "[h]ay como una experiencia de lo original, de que las cosas que se dan para [ella] no están codificadas ni previstas con moldes ni explicaciones posibles" (Cordones-Cook, 1996: 60). Por otra parte, se cuentan varias anécdotas alrededor de su peculiar nacimiento, de su diminuto tamaño, pues había sido tan minúscula —al nacer pesaba dos libras y tres cuartos—[10] que parecía más bien descender de liliputienses, al punto que, en un principio, usaba la ropa que su madre había confeccionado para sus muñecas. Estas circunstancias la fueron singularizando desde muy temprana edad, a la vez que fueron contribuyendo al imaginario y la mitología familiar.

Morejón creció en un humilde entorno, "un hogar de trabajos y lágrimas [...] / un hogar sin recursos, [...] sin juguetes toscos o lujosos [...]" ("El hogar", 2003*B*: 220), en una casa pequeña y primorosa, con las paredes cubiertas de libros, en Peñalver 51, en Los Sitios, barrio de Centro Habana, de edificios vetustos y dignos como aquellos habitados "por gente fiel a sus ancestros y creencias, gente trabajadora y bulliciosa la mayoría, algunos belicosos y desenfadados [...]", comenta Sonia Rivera Valdés (1996: 11).[11] Ese medio obrero, humana y culturalmente enriquecedor, años después se habría de convertir en estímulo y referente constante de su creación literaria. En ese sentido, Nancy Morejón comparte con la tradición afronorteamericana de escritoras que invocan en la cotidianidad del hogar, un espacio de refugio y encuentro de familiares y amigos de diferentes generaciones, fuente esencial de creatividad literaria, aspecto en el que diverge con algunas escritoras caucásicas, quienes, como señala Rita Felski, ven en el hogar una prisión, un ámbito de desolación y aislamiento de la mujer (2003: 81-82).

Santuario y refugio, pleno de amor, su hogar fue donde sus padres estimularon su total desarrollo alentando en ella gran confianza en sí misma acompañada de un profundo sentido de dignidad e independencia. Forjadores de su temperamento y de su espíritu, no escatimaron sacrificios para educarla, enviándola a una escuela privada, el Colegio Academia Laplace. Más tarde, su madre insistiría en que aprendiera inglés, idioma que, con los años, le facilitaría el acceso al mundo académico internacional del Norte e, incluso, de Europa y de África. Ambos padres le dedicaron a Nancy lo mejor de sí mismos y, con ello, le fueron transfiriendo enaltecedores valores y un hondo espíritu humanitario junto con una milenaria sabiduría. A propósito de ello, Sonia Rivera Valdés, quien llegó a conocer a la madre de Nancy, comenta que Angélica Hernández era "capaz de resumir en una frase el núcleo de cualquier conflicto humano y darle solución con un refrán" (1996: 11).

Nacida el 29 de octubre de 1914, Angélica Hernández Domínguez era apodada "La China" por familiares y amistades debido a "sus ojos rasgados, herencia de abuelos cantoneses" (Rivera Valdés, 1996: 11). Además, en su juventud había sido una mujer de tal belleza, que aún hermosa a los setenta años había quitado los espejos de su casa para no verse envejecida. Criada en un orfelinato, Angélica Hernández trabajó como modista, oficio que luego emplearía en confeccionar la ropa de su hija. También fue despalilladora de tabaco, hasta que al nacer su hija abandonó esta ocupación para dedicarse a ser ama de casa.

El oficio de su madre en la empresa tabaquera vino a inspirar en Nancy un logrado texto metapoético, "Obrera del tabaco", publicado originalmente en *Octubre imprescindible* (1982). Texto de particular interés, pues, en una vena que Morejón ha cultivado a lo largo de su trayectoria literaria, la autoconciencia creativa, entrelaza estética e ideología inscribiendo una poética de reivindicación social. Consecuente con un acendrado espíritu marxista de solidaridad con los humildes, pero sin dejarse contaminar por las premisas panfletarias del realismo social, la voz poética plantea desde los versos iniciales la perspectiva de una trabajadora patriótica y también creadora:

> Una obrera del tabaco escribió
> un poema a la muerte. Entre el humo
> y las hojas torcidas y secas de la vega
> dijo ver el mundo en Cuba
> ("Obrera del tabaco")[12]

Más adelante, en una línea de definida militancia, la hablante nos dirá que se trata de una voz revolucionaria escribiendo un poema elegíaco "a la agonía del capitalismo". El poema de la obrera ha de sugerir junto con "todos los deseos y toda la ansiedad / de un revolucionario contemporáneo suyo", la profunda emoción que brota de su corazón, de las raíces vivas del sufrimiento heredado de sus mayores por las ignominias y padecimientos de la esclavitud en la "sangre hirviendo del pasado".

En un desdoblamiento a la vez que proyección e identificación con la trabajadora del tabaco, Morejón erige a su madre en modelo de prístina creatividad. Generado en un mundo proletario, el poema creado por la obrera del tabaco se elevará transparente y sin penumbras, libre de ruindades, de violaciones de leyes laborales y de mercenarismos al servicio del afán de lucro, "en una alfombra mágica", imagen que en el contexto de la obra morejoniana se liga a la magia de la inspiración y a la creatividad poética.[13] Por otra parte, el texto de Morejón entreteje metapoéticamente diferentes niveles de escritura y lectura. Se refiere a la temática y al compromiso social de una escritora obrera anónima entroncada con una de las figuras literarias más destacadas de las letras hispanoamericanas del siglo XIX, a la vez que representativa del más puro idealismo revolucionario independentista cubano: José Martí. Asimismo alude a la recepción del texto al apuntar, con un sentido casi romántico, que esa voz poética sería incomprendida y desoída por quienes la rodeaban, pues nunca habían sabido de su silencioso y solitario espíritu lírico creador, ni siquiera habían intuido la sustancia de su vida:

[…] ni sus hermanos, ni sus vecinos,
adivinaron la esencia de su vida. Y nunca supieron
        del poema.
 Ella lo había guardado, tenaz y finamente,

junto a unas hojas de caña santa y cáñamo
dentro de un libro, empastado,
de José Martí.

(“Obrera del tabaco”)

En sus reflexiones sobre el vínculo madre/hija, Adrienne
Rich ha traído a colación a la antropóloga Margaret Mead, quien
había señalado la afinidad bioquímica entre ambas, afinidad
trivializada por el orden androcéntrico. Asimismo, Rich ha destacado, en esta relación, la importancia de la energía proveniente de la catexis:[14]

The cathexis between mother and daughter —essential,
distorted, misused— is the great unwritten story. Probably
there is nothing in human nature more resonant with
charges than the flow of energy between two biological alike
bodies, one of which has lain in amniotic bliss inside the
other, one of which has labored to give birth to the other
(1986: 225-226).

(La catexis entre la madre y la hija —esencial, distorsionada
o mal empleada— es la gran historia aún por escribir.
Probablemente no hay nada en la naturaleza humana con
mayor resonancia que el fluir de energía entre dos cuerpos biológicamente similares, uno de los cuales se ha
alojado en el líquido amniótico del otro, uno de los cuales
se ha esforzado para hacer nacer al otro.)

A partir de un vínculo físico, la catexis genera una energía
psíquica entre madre e hija, que, por una reacción psicoso-
mática, viene a ejercer retroactivamente influencia y poder

transformativo sobre la psiquis. Forjada ya en el vientre materno y siguiendo luego en los primeros esbozos de la constitución del yo, la relación madre/hija marca a la mujer con impulsos a veces amorosos y a veces hostiles. Tales vínculos cargados de un saber residual preverbal frecuentemente emergen convertidos en subtexto de historias privadas, autobiografías e, incluso, poesía de mujeres centradas en el mundo familiar. Asimismo, remontándonos a la antigua Grecia, encontramos que tal relación también subyace en el arquetipo clásico de la Gran Madre y en los misterios eleusinos que, al celebrar el poder de la madre, Perséfone, y la reunión con la hija, Deméter, auspicia una continuidad genealógica matrilineal.[15] Precisamente, Carl Jung ha sugerido que, en estas relaciones, toda madre contiene a su hija y toda hija a su madre, en un lazo dinámico y fluido, imbuido de una profunda mutualidad.[16] Estos lazos y afiliaciones con la madre y el entorno inmediato, dejan en la configuración de identidad de la mujer una huella indeleble.

Refiriéndose a estas relaciones entre las mujeres de color, Patricia Hill Collins indica que las afronorteamericanas, las indígenas, las hispánicas y las asiático-americanas con frecuencia han expresado sus perspectivas sobre la maternidad en su creación literaria, tanto de ficción como poética. Es más, hay una tradición afronorteamericana de escritoras que han sentido la necesidad de escribir sobre la maternidad y la relación madre/hija entretejiendo asuntos de raza y género. Patricia Hill Collins agrega que el pensamiento sobre la maternidad y la relación madre/hija debe ser considerado dentro de sus contextos familiares, ya que esta experiencia está indisolublemente ligada al entorno sociocultural y forma parte de la tradición de la comunidad (1994: 56-58). Anteriormente, Barbara Christian, en *Black Women Novelists: The Development of a Tradition*,

1892-1976, había observado que las escritoras negras están inmersas en su entorno humano y en los modos en que esas comunidades crean significados a través de sus madres (1985: 239).

Con el origen, la separación y la continuidad generacional en mente, Morejón poetiza el entrañable e intenso vínculo que la ligó a su madre con profunda gratitud por el papel que representó en su vida. En "El café", publicado por vez primera en *Piedra pulida* (1986), la voz poética alude a esa íntima relación y a la transmisión y continuidad del legado de vivencias personales y sociales tempranamente experimentadas por la madre que han de perdurar en la hija, pues, "el hilo sobrio de su infancia / pervive entre las dos" (2003: 248).

Al abrir este poema, con un tono íntimo, la poeta vincula a su madre a tiempos y espacios lejanos: "Mamá trae el café desde remotos mares". La presenta en un ritual cotidiano trayéndole simbólicamente con el oscuro néctar del café, la presencia del mundo africano. Así vertido, como una constante en su relación, en sus diálogos, en una comunicación intangible, subliminal, "como si la historia de su vida / rondara cada frase de humo / que se entrelaza entre ella y yo" (2003: 248).

Por otra parte, con su proverbial atención a detalles significativos, Morejón sutilmente vincula a su madre con una centenaria tradición afrocubana, al adornarle su cabeza cana de "cabellos de azúcar" con pulseras de oro, símbolos de Ochún. Cierra el poema apuntando a un deleite compartido con su madre al evocar en medio de la naturaleza una dilecta tradición habanera en la figura de un trovador, creador de un íntimo y espiritual mundo lírico: "quisiéramos un alto flamboyán de la montaña / a cuya justa sombra durmiese el trovador" (2003: 248).

Por ocuparse principalmente del cuidado y la socialización de la criatura, la madre conserva, transmite y perpetúa valores y tradiciones. Respecto a este tema en la cultura africana contemporánea, Rangira Béatrice Gallimore, en su estudio sobre la obra de la camerunesa Calixthe Beyala, señala que la madre en esta cultura está totalmente a cargo de inculcar moral y hábitos (1997: 81-88). Es la guardiana de las tradiciones, papel que ha sido reconocido y celebrado por escritores, tanto mujeres como hombres, de la talla intelectual de Camara Laye, en su novela *L'enfant noir,* y de Léopold de Senghor Sedar, en su poema "Femme noire" (Gallimore, 1997: 104).

Tradicionalmente, las filosofías africanas y afroamericanas han asociado la figura materna con la Madre Tierra y con valores primordiales presentando una visión celebratoria de la madre.[17] Sin embargo, hoy en día, entre algunas intelectuales africanas las actitudes están cambiando. Precisamente, críticas de literatura africana actual, han destacado este aspecto.[18] Gallimore observa una divergencia en la novela africana contemporánea en la que se manifiesta una tendencia por presentar a los personajes femeninos no solo distanciados de madres y abuelas, sino con una actitud de repudio por la complicidad con el orden patriarcal y la imposición del mismo. En este sentido, observamos que tales escritoras africanas actuales se aproximan más a las caucásicas americanas que a las afrodescendientes en las Américas.

En los círculos intelectuales feministas afronorteamericanos, se considera fundamental a la madre en la construcción emocional, social e histórica de identidad de la mujer negra (C. B. Davies, 1994: 136-137). Andrea Benton Rushing, en "Images of Black Women in Afro-American Poetry" (1978: 74-84), ratifica el predominio de la imagen materna glorificadora en la creación de mujeres afrodescendientes. Llama la atención la divergencia con las africanas contemporáneas, lo cual se hace comprensible si se tiene en cuenta el común denominador de estas mujeres que las distingue de las africanas y las caucásicas. Me refiero a la experiencia de esclavitud sufrida por las madres y las abuelas de las afronorteamericanas, legado que parece forjar y estrechar el vínculo madre/hija, ya que en tales circunstancias, dentro del sistema jurídico esclavista, esta filiación constituía, frecuentemente, el único lazo familiar permisible y reconocible, y, por lo tanto, recuperable por la memoria.

Precisamente, Mary Ellen Washington ha indicado al respecto que las escritoras negras norteamericanas contemporáneas responden a una poderosa tradición de elogio a la madre que se remonta a la esclavitud y a la celebración de la resistencia y fortaleza de esa madre.[19] Asimismo, reflexionando sobre la dimensión sicológica y política de este vínculo, E. Frances White sugiere que las perspectivas de estas escritoras inevitablemente están teñidas e influidas por sentimientos de lealtad hacia la mujer que, signada por la experiencia de la esclavitud de sus ancestros, les enseñara a sobrevivir en un mundo racista y sexista (Marianne Hirsch, 1989: 177). Tal circunstancia parecería motivar a la vez que limitar a las escritoras en su manifestación de las diferencias con su madre y de una manera las haría sentirse también obligadas moralmente a presentar un retrato positivo de ella.

En su caso, Morejón no ha ocultado las discrepancias que tuviera con su madre. Al contrario, comenta en una entrevista:

[…] ella intentó transmitirme valores que a mí no me servían. Pero esas contradicciones nunca llegaron a ser mayores. Y en la medida en que yo le demostraba que esos valores no me servían, ella me respetaba. Había una gran comprensión de ambas partes (Cordones-Cook, 1996: 60).

A continuación, la poeta vuelve su atención a la relación plena de entrañable afecto, gratitud y respeto mutuo que mantuviera con su madre hasta su momento final:

Ella es una mujer con un carácter afable, noble, de buenos sentimientos. Pero tiene un carácter muy firme y en ciertos momentos es difícil de mover. Pero son cosas legítimas que tengo que afrontar como son. Las experiencias con mamá son de mucha afectividad. Siempre asistida y protegida por ella, aunque hemos discrepado en muchas cosas. Y al final de la vida, ella me ha dado la razón y yo le he dado la razón a ella (Cordones-Cook, 1996: 60-61).

Con proverbial lealtad, Morejón le rindió a su madre una devoción y un casi reverente culto de amor y solidaridad hasta los últimos instantes de su vida. Tanto en conversaciones personales como en entrevistas, en conferencias y en su poesía, la imagen de su madre ha surgido recurrentemente —devota, nutricia, plena de afectividad, pero de firme carácter— en medio de sus dificultades, carencias y sacrificios, celebrada en su dimensión humana, con una capacidad ejemplar para la supervivencia, para el total sacrificio y el amor por su hija.

En una conferencia sobre su poética en la Universidad de Missouri, Morejón relacionaba a su madre con su motivación para escribir, ya que percibía en ella una figura emblemática de su poesía, no solo por haberla traído a este mundo, sino por haberla criado y encaminado en su desarrollo personal, enseñándole tanto formas de refinamiento, como un profundo anhelo de independencia (Morejón, 1996D: 7). Asimismo, la poeta traía a colación su afinidad con la teoría de Virginia Woolf quien formulara el ascendiente de la madre sobre las hijas en el proceso creador.

En *Moments of Being,* Virginia Woolf confiesa la obsesión constante que sufriera con la imagen de su madre (1985: 80). Había estado ofuscada con la compleja y distante imagen de su madre desde su temprana pubertad, cuando esta última había muerto, hasta sus cuarenta años. Comenta que *To the Lighthouse* (1927) había sido para ella un camino de autoanálisis, pues se había hecho a sí misma lo que el psicoanálisis a sus pacientes para llegar a la profundidad de lo oculto, en cuyo centro había descubierto que no estaba su padre, como creyera en otro momento. Recién entonces, al terminar esta obra con elementos autobiográficos en que ficcionalizaba ese perturbado amor filial, Virginia Woolf logró hacer catarsis y deshacerse del fantasma materno. Woolf vinculaba el pensamiento artístico de cada escritora a la relación con su madre, e inició con ello toda una tradición literaria femenina. Haciéndose eco de la escritora inglesa, Morejón ha manifestado: "detrás de cada escritora aletea el fantasma de su madre" (1996D: 7).

El papel nutricio de la madre en el desarrollo personal, intelectual, artístico y creativo en escritoras afronorteamericanas, ha sido observado sagazmente por Mary Helen Washington en "I Sign my Mother's Name: Alice Walker, Dorothy West, Paule Marshall" respecto a escritoras afroamericanas:

> The bond with their mothers is such a fundamental and powerful source that the term "mothering the mind" might have been coined specifically to define their experiences as writers (1984: 144).

(El lazo con sus madres es tan fundamental y poderoso que la expresión "amamantar la mente" podría haber sido acuñada específicamente para definir las experiencias de estas autoras.)

Texto publicado por vez primera en su colección *Piedra pulida* (1986), "Madre" es el poema con que Morejón siempre inicia las lecturas de su poesía y que leyó en el funeral de Angélica Hernández, el 16 de febrero de 1997.[20] Aquí, Morejón, como Alice Walker, en *In Search of Our Mothers' Gardens,* se inclina con reverencia y reconocimiento hacia su madre en las más difíciles circunstancias de desamparo y carencias. Con mesurada contención y sin sentimentalismos, mas plena de emoción y sentido reconocimiento, Morejón nos presenta a su madre privada materialmente de aquello que el hombre ha creado:

> Mi madre no tuvo jardín
> sino islas acantiladas
> flotando, bajo el sol,
> en sus corales delicados.
> ....
> Ella no tuvo el aposento de marfil,
> ni la sala de mimbre,
> ni el vitral silencioso del trópico.
>   (2003: 210)[21]

La imagen de la madre se revela sutil e íntimamente enriquecida al ubicarla en medio de la naturaleza, asociada con elementos del mundo mágico de los orishas. Iluminada por el sol, encuentra amparo ondeando sobre el mar entre acantilados y corales, atributos todos de la divinidad lucumí transplantada a Cuba, en Yemayá, la Virgen de Regla.

La voz poética alude a la musicalidad de Angélica Hernández, quien había recibido ese amor a la música de su propia madre, Ángela Domínguez: "tuvo el canto y el pañuelo / para acunar la fe de mis entrañas" ("Madre", 2003: 210). A la vez, señala el aliento recibido para desarrollar la confianza en sí misma, cualidad esencial para que una creadora dé vuelo a su imaginación más allá de barreras socioculturales.

Por otra parte, el poema "Madre" pone de manifiesto un profundo entendimiento de los sufrimientos y privaciones de esa madre para sobrevivir a su infancia de huérfana:

> Qué tiempo aquel cuando corría, descalza,
> sobre la cal de los orfelinatos
> y no sabía reír
> y no podía siquiera mirar el horizonte.
>
> (2003: 210)

"Huérfana y peregrina", la madre de la poeta encarna en sus renuncias por su hija el modelo primordial de sacrificio de la afrodescendiente. Morejón apunta al legado de la esclavitud que marcara a su madre y, por ende, a ella misma, en las pupilas de su madre oscurecidas por el castigo físico: "No hubo una rama limpia / en su pupila sino muchos garrotes" ("Madre", 2003: 210).

La imagen de castigo físico y maltrato sufrido por la madre, aparece también en una metáfora desusada e inesperada en "Hablando con una culebra", intertexto revisionista de un poema de magia rítmica de Nicolás Guillén, "Sensemayá".[22] En su estudio sobre el poema de Morejón, Efraín Barradas señala que "Sensemayá", "Canto para matar a la culebra", ha sido articulado en el ritmo de la "música de un ritual para luchar en contra del mal" (24). La culebra en Guillén en tanto epítome de la maldad refleja la simbología cristiana y "no responde a las ideas religiosas neoafricanas donde los 'orishas' y sus símbolos podrían ser ambiguos y representar más de una cara de la condición humana y [...] de la divina" (Barradas, 1996: 24).[23] Desde un ángulo distinto, en su poema, Morejón se vuelve hacia la mitología africana.

Generando una múltiple simbología, la serpiente aparece en religiones de Centroamérica, Asia, la China y la India, África, Egipto, y en la literatura gnóstica (Walker, 1983: 903-909). Es asociada con la Gran Diosa, la Gran Madre de la creación en Egipto, y en las literaturas gnósticas, con el Principio Femenino de Espiritualidad. De acuerdo a Marius Schneider, el sacrificio de la serpiente se da en varias tradiciones fuera del cristianismo, como fuerza vital que hace posible aceptar la muerte para luego elevarse a las alturas (Cirlot, 1972: 290). Por su parte, Jean Chevalier y Alain Gheerbrant destacan la simbología de la serpiente con mayores implicaciones relacionadas a las culturas africanas (1989: 867-881).

La serpiente encarna una hierofanía de lo sagrado natural que se refugia en un submundo. En las tradiciones africanas es objeto de riquísima y poderosa simbología, ya sea como agente maléfico o benéfico, como mensajera de muerte o símbolo de eternidad (Faï-Nzuji, 1993: 99-101). Desde el polo positivo, con sentido cósmico, aparece como ancestro místico portador de los bienes más preciosos para la humanidad. Así, en Benin, conocida como *Aido-Hwedo*, dramatiza la fuerza creativa primigenia que además mantiene el orden y produce el movimiento de los cuerpos celestes.[24] Es percibida como el arcoíris, símbolo de la unión de los cielos con la tierra y también de alfa con omega, entidad que, en Haití, se ha de convertir en Damballah-Wedo, divinidad que rige las aguas con sus fuentes y su curso. En el Congo, Angola y Guinea, la culebra produce la lluvia y es invocada en tiempo de sequía. Según Mircea Eliade, en las sociedades matriarcales, la serpiente es la patrona de la fecundidad, Señora de las Mujeres y de las fuerzas vitales (Chevalier y Gheerbrant, 1989: 875). En la antigüedad, las escrituras cristianas sagradas mostraban la dualidad de la serpiente, pero a partir de la Edad Media, el cristianismo pasó a retener su sentido maldito.

Un aspecto de particular interés observado por Eliade es que, en la cosmogonía africana, la serpiente frecuentemente simboliza la masa humana, el pueblo combatiente (Chevalier y Gheerbrant, 1989: 880-881). A esta simbología parece apuntar la voz poética de "Hablando con una culebra". Aquí, la culebra representa a ese pueblo que en África es carne de cañón y que en América fuera víctima de la esclavitud. Veamos:

> A ti también te dieron con un palo,
> te estrujaron y te escupieron, te pisotearon siempre;
> a ti, te mataron con delicia
> y te echaron una maldición que hasta hoy hicieron
>   cumplir.
> No digas tú que en la hora de la queja
> fuiste más poseedora que Angélica, mi madre.

> (2003: 174, mi énfasis)

El "también" del primer verso, cuya receptora es la culebra, ha de encontrar su referente en el último verso de esa primera estrofa en Angélica, la madre de Nancy, también víctima vapuleada que supo del acíbar de sus verdugos. Con una vuelta de tuerca, en la segunda estrofa del poema, la hablante instiga a la culebra a apartarse de la prédica cristiana de pasividad, aceptación y glorificación del sufrimiento, "desoye la oración y la sorda palabra del Señor", para despertar e invertir la situación primera asumiendo no solo la legítima defensa sino el ataque, "sacúdete, pega, muerde y mata también / que ya vuelas y vives en tu justo lugar" (2003: 174).

Llama la atención el diálogo intertextual que Nancy Morejón entabla dentro de su propia creación entre "Hablando con una culebra" y "La silla dorada", poema autobiográfico publicado en *La Quinta de los Molinos*, en el que la hablante se autodefine como "una mujercita sin rostro", anónima y marginada por el legado de la esclavitud: "No sé hablar ni tengo manos. / Un látigo inmemorial las fue cortando" (2000B: 9). La voz lírica evoca sus memorias del Colegio Academia Laplace, donde, a pesar de ser la mejor alumna de la clase, por su africanía "nunca pudo dejar de ser, / nunca pudo dejar de ser aquel pollito negro" (11). Así imposibilitada por las artimañas de "algunos criterios adversos, sabiamente escondidos [...] [por] [...] diversos tiñosos, / interesados en probar la inconveniencia / de que un pollito negro pudiera osar pisar París", no pudo ir a estudiar a La Sorbona (11).[25] Esa sociedad la había proscrito al espacio ínfimo del trabajo doméstico con "una escoba muy vieja y / un sartén", relegada al "último puesto en la fila" del colegio y de la sociedad, amordazada con "tapabocas" e inconscientemente sumisa.

Desde esa condición, la hablante rememora: "Me dieron fuerte. / *A mí también* me dieron con un palo" (mi énfasis), repetición especular del primer verso de "Hablando con una culebra", en la cual, identificándose con Angélica y la culebra, el oprobio y el castigo ahora aparece sufrido por esta hablante. Sin embargo, en su caso, las condiciones serán distintas, pues "[v]ino el viento de julio", alusión al estremecedor movimiento de la Revolución Cubana iniciado en Julio de 1953, que le abriera las puertas a la educación y la cultura a toda una humanidad postergada y excluida (2000*B*: 11).[26] A partir de ahí, la hablante bendice esa marginación y su "aparente sumisión" que ahora la han privilegiado llevándola a ocupar "una silla dorada" (2000*B*: 11).

La imagen de padecimiento de la madre de la poeta resurge estoica, en un poema en prosa, publicado en *La Quinta de los Molinos*, "Los sueños son políticos" (2000*B*: 29-30). Texto de corte surrealista en el que la voz poética parece describir un sueño en el cual ella se ve a sí misma junto a sus padres al frente de un grupo de negros en un ambiente tétrico y luctuoso, contemplando con miradas estupefactas el mar azul y una ciudad distante, casi inalcanzable, en tierra firme. Mientras tanto, la hablante y sus padres tratan de hacer pie cayéndose y levantándose repetidamente en un embarcadero con un piso movedizo que los hace tambalear sin poder sostenerse, como metáfora del mundo y la existencia azarosa, llena de dificultades, caídas y golpes, que les ha tocado vivir. Señala la voz poética con compasiva empatía: "Mamá tiene el rostro sufrido y la mirada vaguísima. No se queja, pero siento que padece tanto" (2000*B*: 29-30).

Por otra parte, la madre también encarna la fortaleza de carácter acompañada de un profundo sentido de dignidad, de una reina ignorada —quizá Yemayá— en medio de un mundo hostil:

> para alzar su cabeza de reina desoída
> y dejarnos sus manos, como piedras preciosas,
> frente a los restos fríos del enemigo.
>
> (2003: 210)

Esa relación de sostenida e intensa filiación resulta esencial en la cartografía subjetiva, emocional, intelectual y social de Nancy Morejón, pues encarna una matriz bajo cuya sombra y protección se pudo desarrollar, así como también un símbolo de su autodefinición.

Alice Walker ha comentado, en *In Search of Our Mother's Garden* (1983), que fue a su madre y a todas las madres que no se habían realizado a quienes había ido a buscar, pues necesitaba revelar

> [...] the secret of what has fed that muzzled and often mutilated, but vibrant, creative spirit that the Black woman has inherited, and that pops out in wild and unlikely places to this day (70).
>
> ([...] el secreto que había alimentado ese espíritu creativo, amordazado y frecuentemente mutilado, pero vibrante que la mujer negra ha heredado y que surge salvaje en los lugares más inesperados.)

Asimismo, Morejón ha construido poéticamente la imagen de su madre representando a otras afrodescendientes, mientras la ha ido proyectando sobre su comunidad para encarnar líricamente una síntesis de historia e identidad colectiva que le confiere continuidad y coherencia cultural a su etnia.

En el mundo latinoamericano, en general, y cubano[27] en particular, se da un notable énfasis a la familia y al arquetipo de la madre idealizada de clara ascendencia mariana.[28] Se le asigna a la madre una función fundamental en el camino a la realización y definición del individuo con una imagen frecuentemente humilde, pero firme, modelo de amor generoso y abnegado con voluntad y capacidad casi ilimitada para el sufrimiento y el sacrificio. Con un sentido elevado y enaltecedor se ilumina la imagen de la maternidad confiriéndole un aura de espiritualidad, moralidad y humanidad superior. La madre, callada y poderosa en su hogar, recibe de su familia y su entorno social la validación que la hace acreedora de una reverencia que la lleva a ocupar en el hogar un papel protagónico, como epítome de la Gran Madre, símbolo de sublimación de la esencia de la vida familiar. De esta manera, Morejón ubica a su madre en una posición afectiva y culturalmente nuclear.

En *The Great Mother: An Analysis of the Archetype* (1963), Erich Neuman ha observado las manifestaciones de los misterios primordiales de lo femenino en las íntimas realidades y experiencias del diario vivir (1963: 282). Hay toda una tradición de escritoras afronorteamericanas que encuentran las fuentes de su energía artística en las prácticas de la cotidianidad (Felski, 2003: 82-83). Entroncándose con estas tradiciones, Nancy Morejón plasma en imágenes poéticas cuadros de su historia familiar, fragmentos de rituales domésticos en "El hogar", "La cena", "Richard trajo su flauta", entre otros poemas. La poeta perfila el espíritu de su hogar, donde aprendió a amar y a vivir, y, en su epicentro, presidiendo ese mundo, ubica a su madre, convertida en símbolo privilegiado de la familia.

De esta imagen emana el ascendiente moral y espiritual de la madre, presente y ausente, poderosa y débil, dadora de vida, aliento y seguridad vital. Hacia ella ha de volver la poeta en la escena familiar de "La cena", cuando, en un íntimo diálogo silencioso, busca la necesaria energía confirmatoria de su mirada, espejo en el cual y desde el cual se mira, al pedir "con urgencia los ojos de [su] madre / como el agua de todos los días".[29]

La trémula voz poética, con profunda unción y gozo, describe un ritual cotidiano, en el momento en que los miembros de su familia, al final de un día de trabajo, acuden al santuario del hogar, refugio de varias generaciones de familiares y amigos reunidos a la hora de cenar. Temblorosos y emocionados, se aproximan todos a la mesa dispuestos a recibir y compartir el pan cortado por su madre.

Desde tiempo inmemorial, el pan ha generado un poderoso simbolismo a partir de una relación establecida entre el dar alimento y la transformación del mismo en manos de la mujer. De acuerdo a Erich Neuman, la transformación, ya sea de la materia prima o de la vida que puede elevarse desde lo concreto y natural a un principio espiritual superior, se subordina a la Gran Madre (1963: 285-287). Alrededor de esa mujer, mediante un proceso de sublimación, se urden los poderes creativos para alcanzar nuevas dimensiones del espíritu. En *Desire in Language* (1980), Julia Kristeva reflexiona sobre el papel de la madre en el centro del ámbito familiar, quien va controlando a la vez que uniendo ese mundo y su imaginario (1980: 191). La madre de Nancy, imagen arquetípica de la Gran Madre con profundos poderes espirituales, aparece mancomunando a todos en el seno del hogar.[30] Reparte el pan como sacerdotisa de un sacrificio ritual de comunión entre los seres amados de su mundo:[31]

> yo entro de nuevo a la familia
> ....
> papá llega más tarde
> ....
> ahora
> vamos todos temblorosos y amables
> a la mesa
> nos miramos más tarde
> permanecemos en silencio

reconocemos que un intrépido astro
    desprende
de las servilletas de las tazas de los cucharones
    del olor a cebolla
de todo ese mirar atento y triste de mi madre
que rompe el pan inaugurando la noche

("La cena", 2003: 214-216)

El padre

De acuerdo a Nancy Tanner, en las Américas, la matrifocalidad se adecua a los afrodescendientes, quienes habían iniciado la vida en familias dislocadas por la trata y el sistema esclavista. Por otra parte, Tanner también sugiere que, en el núcleo familiar ginocéntrico, la matrifocalidad no es un valor negativo, ya que define en términos positivos el papel central de la madre en la familia afroamericana, sin traducirse necesariamente en debilitamiento, ausencia o desconocimiento del padre.[32]

Independientemente del protagonismo de la madre en la familia de Morejón, la figura del padre aparece, ya sea central u oblicuamente, con un claro perfil en varios textos de la poeta como sólida y estoica presencia física o como presencia espiritual o moral.[33]

En la conferencia sobre su poética, Morejón manifiesta un entrañable afecto hacia su padre:

Amé a mi padre porque fue un hombre extraordinariamente abierto a las buenas costumbres y en contra de los prejuicios raciales, porque fue un niño maltratado y, aunque escapó de su padre, no optó por la delincuencia como reivindicación social. Su espíritu lo convirtió en marinero impenitente, en un peregrino occidental que leía a los comunistas del patio y se enternecía escuchando la trompeta de Louis Armstrong en New Orleans (1996*D*: 7).

Felipe Morejón era un ser amplio que había visto mucho mundo y le había enseñado a su hija un profundo sentido de dignidad y orgullo de su condición racial. De joven, había sido marinero mercante, ocupación que lo había llevado a residir por largas temporadas en los Estados Unidos, pero que, una vez nacida su única hija, abandonó para ser estibador de los muelles habaneros. En sus viajes, había gozado escuchando los ensayos de Louis Armstrong repetidas veces, mientras iba acumulando en todas esas experiencias una amplia cultura del mundo y de la música del jazz que más tarde había de compartir con su hija (Valdés, 1999: 311-320). Juntos escucharían a Glenn Miller y las grabaciones del trío de Nat King Cole, experiencias todas que, como observara Marta Valdés, aparecen registradas en el volumen de poemas *Richard trajo su flauta y otros argumentos* (1967), y, en especial, en el poema del mismo nombre (1967: 316). Así se entiende que Morejón, como muchos poetas de su generación, asimilara una profunda apreciación por el *jazz*,[34] el *blues* y el *feeling*, cuyos ecos reberberan y forman parte integral de su creación poética, particularmente en "Conversando con Filin", la segunda parte de *Richard trajo su flauta y otros argumentos*, en la cual celebra esta modalidad musical cubana. Por otra parte, es con su padre con quien la poeta habría de compartir largas horas en la salita de su casa en las que se originaría y cultivaría su interés por los Estados Unidos.

Morejón retrata a su padre como hombre de hogar que silencioso llegaba a su casa para brindarle a ella cariño, protección, refugio e, incluso, oportunidades donde él no las había tenido

con sus brazos oscuros y sus manos callosas
enjuagando el sudor en la camisa simple
que amenaza dulzona con destrozar mis hombros
ahí está el padre
acurrucado casi
para que yo encontrara vida
y pudiera existir allí donde no estuvo

("La cena", 2003: 214)

En algunos de sus poemas, la imagen de su padre emerge con definido carácter impartiendo en su hogar un firme espíritu antidogmático y laico. De allí, habían sido "desterrados los misales, las prédicas, / las promesas del paraíso terrenal" de un más allá para, con los pies en la tierra, volver los ojos al mundo de aquí, a la belleza, al alimento y al trabajo, brindados metafóricamente por la naturaleza en "anémonas, / pargos / y carnadas" ("El hogar", 2003: 220).

Felipe Morejón Noyola, "aquel estibador, / hijo de Tito y Brígida, / concebido en las turbinas de Ciego de Ávila" ("NEXUS", 2000B: 116-118), había vivido una infancia tremendamente difícil y áspera, con un padre duro que lo había rechazado, motivo por el cual había abandonado su casa a temprana edad. Más aún, cuenta Morejón que una vez fallecido su padre, mientras organizaba sus papeles, descubrió que su abuelo había inscrito a su padre en el certificado de nacimiento como hijo de madre desconocida, falacia que había despertado en la poeta una profunda indignación. Así lo sugiere Morejón en "La silla dorada", al referirse a su abuela paterna, Brígida Noyola, quien habría de permanecer inolvidable a pesar de haber sido desconocida legalmente:

Mi abuela Brígida, ahogada en la tinta
    de los notarios,
pero invencible, rumorosa y pequeña;
tatuada en la memoria de las codornices,
allá en Ciego de Ávila;
fija en la furia de las turbinas
donde anidara Felipe Morejón Noyola;
fija en la memoria de Aida Santana,
    con su hacha de miel,
fija en mi propio corazón.

(2000B: 9-10)

En un poema, como tantos otros de esta escritora, signado por la oblicuidad referencial, "El verano se fue" (2000B: 18), la poeta, nostálgica de su padre ya fallecido, parece evocar la calidez de ese afecto protector que, como el estío, partiera en un "impecable adiós". En un desplazamiento metafórico, las imágenes como signos de sugestión parecen aludirlo sin jamás nombrarlo en el "gran abrigo de hojas verdes, / hojas enormes y pequeñas" que la ampara y tiernamente la acaricia a la sombra de la Alameda de Paula. Esta avenida, al entender de la poeta, una de las más hermosas de La Habana, extendida a lo largo de los muelles donde trabajaba Felipe Morejón, era frecuentada por la poeta y su padre en largas caminatas dominicales. En una entrevista, Morejón indica para mí [con] todo ese paisaje, el puerto [...] de La Habana [...] me acuerdo de mi padre que era marinero. El mar en mi casa es y era muy importante, yo viví del mar y me eduqué gracias al esfuerzo y al trabajo de mi padre, relacionado con el mar; eso es algo que siempre está, siempre está [...].[35]

No sorprende, entonces, que el paisaje del mar, el puerto, la Alameda de Paula aparezcan recurrentemente asociados con el padre:

> este verano singular
> donde navega
> el recuerdo de una pequeña lancha de madera,
> frente a las sombras
> de la Alameda que se nombra Paula
> en el muelle de Regla.
>
>   (2000B: 18)[36]

Según decía la propia Angélica Hernández, Felipe Morejón era un individuo de pocas palabras, taciturno, de quien su hija había quizá absorbido el dejo melancólico y a veces silencioso que había de trasladar a su poesía. Ese espíritu melancólico, ensimismado y triste, es perfilado en "NEXUS", poema elegíaco, con imágenes que apuntan hacia Felipe Morejón y su mundo de trabajadores sindicalistas del puerto (2000B: 116-118). El poema se abre con una cita del "pergamino" de *Tristes tropiques,* texto sobre las experiencias en Brasil del antropólogo francés Claude Lévi-Strauss:

> *El fin de los viajes...*
> fue la primera oración
> y ya no quiso continuar
> el resto de las palabras:
> *Odio los viajes y los exploradores,*
> *y, sin embargo,*
> *necesito contar mis expediciones.*
>
> (2000B: 116)

El primer verso, aparentemente una cita sin mayores implicaciones, cobrará sentido en la lectura total del poema generando recién entonces el reconocimiento de una antigua metáfora, ahora desfamiliarizada por el procedimiento expresivo de distanciamiento del referente. Se trata de la metáfora del viaje de la vida que toca su fin y que por los puntos suspensivos parece insinuar una vida truncada, inconclusa, como descubrimos al fin del texto.

En un proceso metonímico a partir del título de *Tristes tropiques,* de Lévi-Strauss, la hablante se desplaza hacia sus trópicos tristes, el de "las historias del mundo pobre" caribeño de los estibadores de La Habana, para detenerse más adelante en una imagen de desolación, en un sujeto no nombrado, silencioso, que posa su mirada "sobre una piragua abandonada en el muelle", bajo una débil luz, "como si no estuviera en La Habana". Al modo de los barcos con su "alma peregrina", ese estibador de los trópicos tristes, la gorra azul, "marino ágil y negro fiel, / de estirpe indescifrable" que ya no necesita identificación para la lectora de la obra de Morejón, aquí es presentado con nombre y apellido: Felipe Morejón Noyola, padre y madre, "hijo de Brígida y Tito", va "bordeando la Alameda de Paula". Y mientras anuda sogas mojadas por el mar, silba absorto frente al letrero del NEXUS, "barco ebrio" que anclado en el astillero, en un movimiento desrealizador entre el mundo concreto y el interior, aparece fondeado más allá del mar en una memoria que ha de traer a la mente un trágico recuerdo. La recurrente mención de la tristeza de esos trópicos ha ido gestando un *crescendo* de patetismo espiritual con imágenes luctuosas de angustia, sinsabor y desamparo. Sobre ese fondo se encuentra la "piragua abandonada", que como un caballo sin jinete, denota una ausencia que paulatinamente irá adquiriendo un aire espectral bajo una luz que agoniza, "luz negra". Siguiendo un merodeo con aliento elegíaco creciente, la voz poética cambia de dirección para desembocar en la imagen desgarradora del asesinato de Aracelio Iglesias, hombre de carne y hueso, dilecto amigo de Felipe Morejón, líder de los sindicatos de muelles, puerto y mar, quien fuera asesinado el 16 de octubre de 1948, acribillado por balas que lo lanzaran al aire en un ahogado alarido:[37]

> Pero lo que importa ahora
> no son los sueños de aquel estibador
> de los trópicos tristes;
> lo que importa
> no es el fantasma errante y sin cabeza
> que intenta refugiarse en el portal del sindicato;
> lo que importa no son las cejas espesas de Aracelio
>   Iglesias,
> rey de la estiba y amigo del alba,
> bordeando la Alameda;
> lo que importa, oh, tristes trópicos,
> no es su sombrero sin color
> sino sus manos levantadas

clamando una vez más en un aullido sordo,
volando acribillado, oh tristes trópicos,
sobre las manchas de petróleo
que la eslora del *NEXUS*
suspende entre las aguas.

(2000*B*: 118)

En un sugerente poema, "Restos del *Coral Island*" (2003:
100), título alusivo a un barco abandonado en el puerto de La
Habana, Morejón perfila la silueta de su padre y de esa relación
que mantenían más allá de las palabras.[38] La voz poética, a partir
de una experiencia cotidiana, un paseo en ómnibus por el puerto en un caluroso día de julio de 1986, concentra la atención en
su meditabundo acompañante, Felipe Morejón, quien, "hechizado", detiene la mirada en los despojos encallados del que antes fuera un poderoso barco: "«Esa chatarra que se ve en la orilla
/ son los restos del *Coral Island*», decía mi padre".

En un diálogo silencioso, comunicando lo inefable en miradas significativas, "No quise preguntarle porque me dio un
vuelco al corazón. / Un zumbido de mariposas también me impidió hacer preguntas. / Mi padre me miró de un modo peculiar", la hablante queda suspendida en ese instante y, sin decir
palabra, quizá sobrecogida por el reconocimiento de memorias
o por un presentimiento, experimenta un cambio de ánimo. Se
pregunta a sí misma: "¿Habíamos entrado los dos / a reconocernos en aquel himno del pasado?". En retrospectiva, la propia
poeta interpreta este texto como premonitorio de la muerte que
le llegaría a su padre muy poco tiempo después.[39]

Las abuelas

Con el drama racial de orígenes e identidad en mente, la poeta siempre ha querido saber de dónde vino, pero, como a otros descendientes de africanos, le es imposible reconstruir su árbol genealógico, motivo por el cual pone especial atención en las legendarias figuras de sus abuelas a quienes nunca había conocido en persona, sino solo a través de anécdotas familiares:

> A la sombra de los tranvías
> abuela, ¿traía recogida una trenza
> o era el relato familiar
> quien lo afirmaba?
> Mi pobre abuela... que nunca vi.
>
> (2003: 246)[40]

Morejón ha intentado subsanar la ausencia con una presencia literaria puesta en relieve desde el título mismo de los dos poemas dedicados a ellas, "Presente Brígida Noyola" (2003: 246)[41] y "Presente Ángela Domínguez" (2003: 212).[42]

En "Presente Brígida Noyola", la abuela paterna, morena, pequeña y frágil, "voraz [...] /cañón descuartizado carne / hulla lastimosa [...]", representa el sufrimiento, pero también encarna, en su naturaleza indómita, el poder, la dureza y la resistencia del pueblo afrocubano en el "grano y volcán cuarzo divino". Por otra parte, en "La silla dorada", Morejón vuelve a rescatarla, abandonada y desconocida civilmente como madre, pero inolvidable en la memoria de su hija Aida Santana[43] y de la misma hablante.

Por su parte, en "Presente Ángela Domínguez", la abuela materna, "la más dulce que ha soñado", inicialmente es presentada más clara. En ella, Morejón hace convergir la ascendencia europea con la africana, al enredarla entre "pulsas de oro", símbolo de Ochún, y la china, al asociarla con el reconocimiento de "un navío de bambú". Aunque diluido, el contraste entre las dos abuelas, una oscura como el carbón, y la otra más clara, representa aquí, no personas concretas, sino seres simbólicos, haciendo eco a la "Balada de los dos abuelos", de Nicolás Guillén.[44] Morejón erige a sus abuelas en símbolos esenciales del espíritu mestizo de Cuba, de la unión de razas, de la síntesis cultural y étnica.

La música constituye una vertiente expresiva imprescindible del imaginario popular afrocubano. De Ángela, había de venir el goce musical de la poeta, quien la evoca ligera cantando "con trovadores y guitarras / en la noche clarísima [...]" ("Presente Ángela Domínguez"). Más adelante, Morejón regresa a esta abuela en "La silla dorada",

[...] cantando una canción sin nombre
en una comadrita, junto a María Teresa,
"con sus trovas fascinantes que me las quiero aprender".

(2000B: 10)

La canción trovadoresca, ha señalado Inés María Martiatu Terry, compuesta e interpretada mayormente por afrodescendientes de origen humilde, refleja un mundo lírico intimista espiritual que el pueblo cubano ha adoptado como expresión propia y que Nancy Morejón ha asumido con gozo.[45] Ángela Domínguez había participado del ámbito musical de María Teresa Vera, talentosa cantante y compositora de trovas, de canciones antológicas, quien, llevando una vida independiente, se moviera transgresoramente en el mundo bohemio de los trovadores y que lograra "ser aceptada, respetada y amada como una de las figuras paradigmáticas de la trova" (Martiatu Terry). Junto a María Teresa Vera, Ángela Domínguez había llegado a cantar.

Asunto al cual retorna Morejón en "Elegía a un 7 de agosto" al evocar con patética melancolía como "un susurro" el mundo ya ido de su tío Juan ("Juancito") y, con él, "todo lo que fuimos / allá en la guitarra ya muerta de María Teresa Vera / y Ángela Domínguez".

Por otra parte, para Ángela Domínguez la música había constituido un solaz en medio de una vida terriblemente azarosa, plagada de múltiples embarazos, sacrificios, arbitrariedades y atropellos:

> Mi abuela Ángela, vapuleada y cantando,
> diezmada por veinticuatro partos,
> echada a los solares con su triste canción,
> echada a los perros,
> echada a la muerte precoz e inmerecida,
> como todas las muertes precoces,
> pero cantando [...]
>
> ("La silla dorada", 2000B: 10)

Consternada, Nancy Morejón denuncia, en "La silla dorada", la depredación y la victimización sufridas por sus dos abuelas de parte de sus "bestiales" abuelos.

En este panorama de poemas autobiográficos de Nancy Morejón, se observa que, a pesar de inscribir con entrañable afecto la presencia de su padre, moral y culturalmente significativa, la poeta ubica a su madre en un papel central en el entorno familiar erigiéndola en piedra fundamental tanto de su identidad como mujer y como negra, como de su vocación por la escritura.[46] Angélica Hernández, ligada por las abuelas a los ancestros desconocidos, se constituye en vínculo cardinal entre las diferentes generaciones, primer eslabón, clave fundamental de una memoria perdida, de un legado cultural recibido por la tradición oral, que la poeta se apresta a retener y a perpetuar en su escritura.

Estableciendo su filiación, Nancy Morejón ha ido definiendo su identidad de un modo relacional perfilándola no en la separación de su madre y sus antepasados, sino en la búsqueda y el reconocimiento de una continuidad con sus ancestros conocidos y desconocidos, a quienes proyecta como componentes fundamentales de identificación, desarrollo y recuperación no solo de memorias personales, sino de una genealogía colectiva esencialmente matrilineal.

Nota

[1] Nosotras, las hijas de estas mujeres negras, honraremos su sacrificio dándoles gracias. Nosotras emprenderemos con orgullo todo sueño trascendental de libertad hecho posible por la humildad de su amor.

[2] Entonces nuestras madres y abuelas, con frecuencia anónimamente, nos han entregado la chispa de la creatividad, la simiente de la flor que ellas mismas nunca esperaron ver o la carta sellada que simplemente no pudieron leer.

[3] Si somos mujeres, nosotras vemos el pasado a través de nuestras madres.

[4] Aludo al concepto de autorretrato de Michel de Beaujour (1991).

[5] Véase "Motherhood and Daughterhood" (1986: 218-255) y "Compulsory Heterosexuality and Lesbian Existence (1980)" (1979: 23-75).

[6] A mi entender, esta teoría lacaniana aunque brillante es insuficiente por no reconocer el papel de la madre y sus efectos en el desarrollo posterior del sujeto.

[7] Véanse las lúcidas reflexiones de Luce Irigaray sobre este tema en "Body against Body: In Relation to the Mother", así como también las de Julia Kristeva sobre el culto a la madre y el matricidio a la luz del pensamiento de Melanie Klein, en "Culto a la madre o elogio del matricidio" (2001).

[8] Someramente he tratado la relación de Morejón con su madre en mi "Introducción" a *Looking within / Mirar adentro* (2003: 18-63).

[9] De acuerdo a Emilia Ippolito, la leyenda de los niños *abikú*, originaria de la cosmología Yoruba y de *ogbanje*, de la cultura igbo, se refiere a los niños que mueren y renacen repetidamente (2000: 61). Precisamente en *Beloved*, de Toni Morrison, el personaje Beloved es identificado por Sethe como *abikú*.

[10] Equivalente en aproximación a 1 kilo y 378 gramos.

[11] "El hogar" fue publicado por primera vez en *Octubre imprescindible* (1982). La cita viene de la versión incluida en *Looking within / Mirar adentro* (2003: 220-222).

[12] Publicado en *Octubre imprescindible* (1982).

[13] Como señalamos en el Capítulo Segundo, en su poema "Alfombra", originalmente también publicado en *Octubre imprescindible,* la alfombra voladora es símbolo de inspiración poética.

[14] Catexis es uno de los componentes del aparato conceptual freudiano que forjado a partir de una noción de economía, se refiere a un proceso de inversión de energía mental o emocional en una persona. En ocasiones puede relacionarse con pulsiones sicosexuales (Lapanche y Pontalis, 1981: 49-53).

[15] Sobre este punto, véase "Mothers and Daughters", de Marianne Hirsch (1981: 202-203).

[16] Me remito a *Essays on a Science of Mythology: The Myths of the Divine Child and the Mysteries of Eleusis,* de Carl Jung y Carl Kenéryi (1969: 162).

[17] Véase *Black Feminist Criticism: Perspectives on Black Women Writers,* de Barbara Christian (1980: 213).

[18] Perspectivas sobre esta imagen de la madre en la literatura africana se encuentran en la colección de ensayos coordinada por Obioma Nnaemeka: *The Politics of (M)othering: Womanhood, Identity, and Resistance in African Literature* (1997).

[19] Véanse las reflexiones sobre este tema en *Mother / Daughter Plot: Narrative, Psychoanalysis, Feminism,* de Marianne Hirsch (1989: 176-186 y 224).

[20] Angélica Hernández Domínguez falleció a los ochenta y dos años en su casa de Peñalver 51, el 15 de febrero de 1997.

[21] Algunos críticos de la obra morejoniana han creído encontrar en el primer verso de este poema una influencia o un intertexto de Alice Walker: *In Search of our Mother's Garden: Womanist Prose* (1983). En verdad, se trata de una mera coincidencia, pues Morejón ha comentado que no había conocido esta obra de Walker hasta años después y que incluso ella misma había escrito su poema antes de la publicación de esa obra.

[22] Poema publicado en *Octubre imprescindible* (1982). La versión empleada aquí proviene de *Looking within / Mirar adentro* (2003: 174).

[23] No podemos omitir el hecho de que este poema se presta a múltiples lecturas, pudiendo interpretarse a la serpiente como símbolo de los sufrientes y perseguidos esclavos.

[24] Véase el diccionario de mitología africana de Harold Scheub (2000: 8-9, 26, 29 y 123).

[25] Nancy Morejón, una vez en la Universidad de La Habana, estudió francés y se especializó en letras caribeñas francófonas.

[26] El 26 de Julio de 1953 se produjo el ataque de un grupo de jóvenes liderados por Fidel Castro Ruz a la segunda fortaleza militar del ejército del dictador Fulgencio Batista y Zaldívar, el Cuartel Moncada, en la ciudad de Santiago de Cuba. Este acontecimiento propició y aceleró las condiciones revolucionarias en Cuba que culminarían triunfalmente cinco años más tarde.

[27] En *Persona: Vida y máscara en el teatro cubano,* Matías Montes Huidobro ha observado el papel social protagónico de la madre en la sociedad y en la dramaturgia cubana contemporánea (1973: 25-34).

[28] Para un panorama del marianismo y su vínculo con el machismo en la sociedad latinoamericana, véanse *"Machismo* and *Marianismo"* y

"Marianismo: The Other Face of *Machismo"* (1973*A*, 1973*B*), de Evelyn Stevens.

[29] Poema publicado originalmente en *Richard trajo su flauta y otros argumentos* (1967). Esta versión proviene de *Looking within / Mirar adentro* (2003: 214).

[30] Me remito a la imagen arquetípica de la Gran Madre lúcidamente desarrollada en *The Great Mother: An Analysis of the Archetype,* de Erich Neuman, en particular los capítulos: "The Lady of the Beasts" y "Spritual Transformation" (1963: 268-336).

[31] Neuman reflexiona sobre el carácter de sacerdotisa de la mujer, quien ha ejercido una poderosa influencia sobre su entorno humano (1963: 295).

[32] Véase "Matrifocality in Indonesia and Africa and Among Black Americans" (1974: 133).

[33] "La cena", "El hogar", "Los restos del *Coral Island"*, y, más recientemente, en "La silla dorada", "Los sueños son políticos" y *"NEXUS".*

[34] El jazz es un elemento fundamental en la experiencia cultural e histórica caribeña. Proveniente del mundo afronorteamericano, este género musical ha sido apropiado, adaptado y adoptado por la cultura antillana el que ha ejercido una clara influencia en su música y también en la literatura.

[35] Me refiero a la entrevista con María Dolores Alcantud Ramón realizada el 14 de mayo del 2000, en Alicante, aparecida en el portal de Nancy Morejón.

[36] Poema "El verano se fue".

[37] Aracelio Iglesias (1901-1948), figura cimera del movimiento obrero cubano, fue secretario general del Sindicato de Braceros y Estibadores del Puerto de La Habana y del Comité Pro-Unidad de la Federación Obrera Marítima Nacional. Era un político vinculado al Partido Socialista Popular (comunista). Militó contra la tiranía machadista. Lideró una lucha tenaz contra las injusticias sufridas por los trabajadores portuarios y marítimos y organizó a los obreros en los muelles. La prensa de los Estados Unidos lo consideraba el líder comunista del puerto de La Habana, "el zar rojo". Se le consideraba un individuo peligroso para los intereses conservadores de la Isla, por eso fue asesinado.

[38] Publicado originalmente en *Paisaje célebre*. Las citas provienen de *Looking within / Mirar adentro* (2003: 100).

[39] Felipe Morejón Noyola había nacido en Ciego de Ávila el primero de mayo de 1912. Murió el 18 de noviembre de 1987, en el Hospital Ameijeiras de La Habana.

[40] "A la sombra de los tranvías" fue publicado por primera vez en *Piedra pulida* (1986).

[41] Poema publicado originalmente en *Richard trajo su flauta y otros argumentos* (1967).

[42] Poema publicado originalmente en *Richard trajo su flauta y otros argumentos* (1967).

[43] Medio hermana de Felipe Morejón, era hija de Brígida con otro hombre.

[44] Poema publicado en *West Indiest, Ltd.* (1934).

[45] Agradezco a Martiatu Terry la autorización a citar de "Expresión popular, singularidad y misterio en la poesía de Nancy Morejón", artículo aún inédito.

[46] Mary Ellen Washington observó esta misma característica respecto a Alice Walker, Dorothy West y Paule Marshall (1984: 161).

Capítulo Sexto

TERTULIANDO CON NANCY MOREJÓN

Juanamaría Cordones-Cook: Nancy, comencemos hablando sobre tu llegada a este mundo, tu inusitado nacimiento el 7 de agosto de 1944.

Nancy Morejón: Mi nacimiento se produjo de una forma bastante singular porque nací pesando dos libras y tres cuartos. Fui una niña prematura, lo que llamamos en La Habana ochomesina. En realidad, soy el resultado del gran esfuerzo de mi madre porque naciera, porque no solo salvó mi integridad física, sino que moldeó mi espíritu en el amor a nuestras cosas, en el culto a la cultura cubana, a mi condición de mujer y a mi condición de negra. Siempre hablo de mi madre no tanto porque haya contribuido a que yo existiera, sino porque ella es todo un canon para mi poesía. Siempre me gusta citar en estos casos, como conoces, a Virginia Woolf, quien afirmaba que detrás de cada escritora ronda el fantasma de su madre. En este sentido, mi madre ha sido importantísima para mi vida, para mi formación y para toda mi historia personal. No sé si sería un lugar común decirte que en casi todas mis lecturas comienzo leyendo el poema que escribí para ella.

MADRE*

Mi madre no tuvo jardín
sino islas acantiladas
flotando, bajo el sol,
en sus corales delicados.
No hubo una rama limpia
en su pupila sino muchos garrotes.
Qué tiempo aquel cuando corría, descalza,
sobre la cal de los orfelinatos
y no sabía reír
y no podía siquiera mirar el horizonte.
Ella no tuvo el aposento de marfil,
ni la sala de mimbre,
ni el vitral silencioso del trópico.
Mi madre tuvo el canto y el pañuelo
para acunar la fe de mis entrañas,
para alzar su cabeza de reina desoída
y dejarnos sus manos, como piedras preciosas,
frente a los restos fríos del enemigo.

JCC: *A tu padre lo mencionas con menos frecuencia, aunque sí
sé que él ha constituido un pilar fundamental en tu formación.
¿Qué podrías decirme sobre él?*

NM: No solo nací de mi madre. Yo tuve un padre, un padre
maravilloso. Con ambos, como es natural, tuve contradicciones y desavenencias, pero al final de la vida —no porque no

---

* Los poemas que ilustran esta entrevista provienen todos de la antología
bilingüe *Looking within / Mirar adentro* (2003) con la excepción de "El
verano se fue", publicado en *La Quinta de los Molinos* (2000), p. 18. En
cambio, "Preguntas para Wifredo Lam" y "El loto y el café" aparecen en
Nancy Morejón: *Antología poética*. Caracas: ed. Monte Ávila, col. Altazor,
2006, páginas 411 y 72, respectivamente.

existan ya, sino porque realmente están en mi vida—, han resultado ser mis forjadores. Son las personas que perfilaron mi temperamento, mi sensibilidad, mi carácter. Mi madre era modista. Mi padre fue un hombre que hizo trabajos callejeros hasta que llegó a la adolescencia y se hizo al mar. Fue marinero. Precisamente, cuando yo nací en 1944, se estableció en La Habana para atendernos a mí y a mi madre. Al año de mi nacimiento, dejó de navegar para convertirse en un estibador de los muelles. Yo creo que todo el amor al mar y a ese esplendor que siempre se dice hay en las islas, han invadido mi vida a través de esas historias muy particulares de mi padre. Fue él quien me introdujo, quien me dio una cierta conciencia de la importancia del mar, que nos unía, de que estábamos en una isla, rodeada de vecinos que aunque no habláramos el mismo idioma, hacíamos una música que partía de una misma raíz. Me preparó mucho para la idea de que vivíamos en La Habana, que estábamos en La Habana, en el corazón del mundo occidental. Y que se parecía a la Luisiana, donde alguna vez, en su vida de marinero, había escuchado tocar a Louis Armstrong. En realidad era un hombre nacido en Ciego de Ávila, antigua provincia de Camagüey, al este de la parte oriental de la Isla. Yo creo que La Habana, Cuba, toda la isla, forma parte del hemisferio occidental y de ahí nadie podría, ni podrá arrancarnos. Y todas mis ideas, mis vínculos con esa cultura, con ese mundo, se los debo a mi padre. A su modesta biblioteca debo la lectura de los primeros libros de Guillén publicados en su exilio argentino, en Buenos Aires exactamente. Mi padre también conforma una parte fundamental de mi ser. Conozco muchos casos, hay escritoras que en su conciencia feminista, que me parece fundamental, se han sentido incómodas con las figuras masculinas de su familia. No es precisamente mi caso. Y creo que en esa conciencia de la feminidad, es donde hay de veras que hacer justicia. Yo creo que la cultura machista que me rodeó, porque me rodeó, no la conocí directamente a través de mi padre. No tuve que enfrentarlo a él porque era un hombre cosmopolita, de ideas muy avanzadas en todos los terrenos quien, habiendo sido marinero, había viajado mucho y tenía una visión de la modernidad muy importante.

EL VERANO SE FUE

Un gran abrigo de hojas verdes,
hojas enormes y pequeñas,
con cabezas y extremidades
de un bestiario sin nombre.
Así me ampara
y me acaricia
este verano singular
donde navega
el recuerdo de una pequeña lancha de madera,
frente a las sombras
de la Alameda que se nombra Paula
en el muelle de Regla.
Un abrigo de hojas verdes
meciéndose con su mismo destino
en su impecable adiós.

(2000B: 18)

JCC: *En tu poesía se encuentran muchas instancias premonitorias, Nancy. En varias ocasiones, me has comentado que hay un poema que de alguna manera anticipó la muerte de tu padre, "Restos del Coral Island".*

RESTOS DEL *CORAL ISLAND*

"Esa chatarra que se ve en la orilla
son los restos del *Coral Island*",
decía mi padre
hechizado por las columnas de luz blanca
que levitaban de los huecos rojizos
que tal vez sirvieron de anteojos
a la proa de ese gran transatlántico
que dice mi padre era el *Coral Island*.
Vamos sentados en un ómnibus cotidiano,
rápido y caluroso como este mes de julio de 1986.
No quise preguntarle porque me dio un vuelco
        el corazón.
Un zumbido de mariposas también me impidió hacer
        preguntas.
Mi padre me miró de un modo peculiar.
¿Habíamos entrado los dos
a reconocernos en aquel himno del pasado?
Mi padre y yo mirándonos sin decir nada.
Yo sólo tenía oídos para escuchar el chirriar de las olas
contra los hierros tutelares del *Coral Island*.
Y pensé en una historia de amor,
en una pasión desmoronada sobre dientes de perro y
                        espuma de mar.
Una loca pasión bien muerta,
fenecida,
de la que ni siquiera se desprende ya
una columna de luz blanca
ni el portento a la vista que se llamó,
alguna vez, el *Coral Island*.

"Esa chatarra que se ve en la orilla
son los restos del *Coral Island*",
decía mi padre sin mirarme.

NM: Fue un viaje en ómnibus que hicimos juntos a mi recién estrenado apartamento de Alamar, en 1986. Me fije en los restos de una embarcación porque hablábamos casi siempre del mar y de sus viajes. Fue nuestra última conversación de ese tipo. Por lo menos con conciencia de su trascendencia. A menos de un año, murió en nueve días. Ya en *Mutismos* (1962) hay un poema breve en el que aparece un *iceberg*. Nunca pude explicarle a los curiosos que se me acercaron para reprocharme la presencia de nada menos que un *iceberg* en medio de un poema mío. ¿Cómo explicar aquello? Lo único que sé es que estaba en mi imaginación y muchos años después, sin haberlo gestionado yo, hice un fabuloso viaje a Baffin Island, isla anclada en el Polo Norte canadiense; no solo fue una visita sino que conviví entre los *inuits*, una etnia que en el hemisferio occidental conocemos como esquimales. Aprecié su arte, su hospitalidad y, claro, sus *icebergs* que inundaban el paisaje. Me he quedado con la frustración de traducir poemas de los *inuits*. Ya se me había adelantado Nicolás. El *iceberg* era una premonición, ¿no crees?

JCC: ¿Cómo reaccionaban tus padres ante tus intereses culturales, en general, y creativos, en particular?

NM: Con inusitada solidaridad y comprensión. Mi último regalo de reyes, en 1961, fue una máquina de escribir alemana, marca Supermetall.

JCC: *Siempre has deseado saber de dónde venías. Sería muy interesante que nos remontáramos a tus raíces más lejanas, que hablaras un poco sobre tus abuelas, por ejemplo, a quienes les has escrito hermosos poemas.*

NM: Debo decirte que no conocí a ninguna de mis abuelas. Recientemente, en un evento internacional, en donde se hablaba de escritores nacidos a la literatura durante la década del 70, que es una década más que significativa, en un texto breve, hablaba sobre lo que yo creo que es un escritor y su función. Pienso que nadie puede expresarse ni ser honesto consigo mismo si no mira hacia atrás, si no sabe quién es, de dónde viene. Yo comenzaba ese texto diciendo que no había conocido a mis abuelas; no por azar, sino porque había nacido en una familia que había sufrido el cáncer de la esclavitud, un sistema que acabó con la condición humana de los africanos transplantados a este hemisferio occidental a la fuerza.

La mujer naturalmente sufrió esto de una manera doble. En alguna medida, en mi historia personal, en la historia de mis dos familias, mis abuelas resultaron víctimas. Sé que fueron muy abusadas y esto lo contaba yo allí. De todas maneras, creo que en algunas cosas uno no puede ser absoluto porque recuerdo ahora un gran poema de nuestra historia republicana, como lo es *En la Calzada de Jesús del Monte,* de Eliseo Diego, donde, de modo explícito, se lamenta el poeta de no haber conocido a una de sus abuelas. En mi poesía esa idea está presente, esa idea está fija, aunque parta también de una vivencia, de algo muy particular, muy personal, que muestra mi yo, el de mi familia pero también y, sobre todo, el de toda la sociedad cubana.

PRESENTE BRÍGIDA NOYOLA

a mi abuela paterna

tú eres grano y volcán
cuarzo divino ancho
que se vuelve manchones en la lluvia

tu pelo largo negro
nace desde la frente opaca
y llega hasta la boca

menuda en el espíritu
voraz morena
eres cañón carbón descuartizado carne
hulla lastimosa de la noche

como la tierra creces tú

PRESENTE ÁNGELA DOMÍNGUEZ

a mi abuela materna

tú eres un poco más ligera
cantas con trovadores y guitarras
en la noche clarísima
clara como tus ojos

pareces enredarte entre pulsas de oro
y reconocer un navío de bambú
para llevarte algunos sueños en los brazos
y respirar ahora por la paz del sepulcro

eres la dueña de la risa
            Ángela
aquí en mi cuarto
has estado todos estos años en un retrato
    y una flor seca
mustia para los muertos

que eres la más dulce he soñado

JCC: Tu núcleo familiar era muy pequeño, pero, en tu poesía, aparece una familia más extendida. ¿Qué podrías decirnos sobre este mundo?

NM: En "Elegía de las conversaciones", "Tata ante la muerte de Don Pablo" y en "Richard trajo su flauta" están las familias que yo me he forjado, las familias que están en mis elecciones afectivas, en mis afinidades electivas —y valga el juego de palabras en honor de Goethe— y que conforman, hoy en día, ese conjunto tan hermoso. Richard *[Richard Egües]* es un famosísimo flautista cubano, el flautista legendario de la orquesta Aragón, autor de célebres canciones nuestras, como *El bodeguero,* por ejemplo.

TATA ANTE LA MUERTE DE DON PABLO

a Rosa Amelia González

Mohína y serena
sin la trenza engañosa,
en un silencio embalsamado,
miras el paso de la muerte
llegar.

Tu boca firme dice
con la pausa del ave
en la llanura:
La muerte es la mejor de las desgracias
porque borra todas las demás.

RICHARD TRAJO SU FLAUTA

IV

estamos todos juntos

suena la música

felicidades Gladys

Gladys

pero Gladys no baila

no

eso jamás

VIII

los orishas nunca se hicieron eco de nuestras voces
     sabíamos que rondaban la casa
y que amedentraban como güijes toda la maldición
alguien estaba o residía
     soberanamente
un simple palo o bejuco era su atmósfera
soplar por él con toda la fuerza de un negro enamorado

los orishas oscilaban tranquilos alrededor de los dedos
los dedos de la mano derecha disminuían el ritmo
     lentamente
el esperado trae su flauta

todos pedíamos su presencia alrededor de la mesa caoba
el oro del hogar se derrumbó sobre sus hombros
     misteriosamente
maravilloso estar entre nosotros Richard
    con esa flauta sola

JCC: Algo que está presente en casi toda tu obra, de un modo casi testimonial, es tu entorno, el barrio de Los Sitios, con tanto folclore y rumberos, y tu entorno familiar. Ambos, en gran medida, han contribuido a que seas quien eres.

NM: El barrio de Los Sitios, adonde fui a parar a la semana de haber nacido en el hospital pediátrico llamado Maternidad Obrera, luego de este nacimiento catastrófico y triunfal, porque mi madre lo hizo triunfal. Yo nací, siempre viví, nunca he podido pensar que no vivo en esos Sitios, aunque realmente tengo otra dirección postal, pero mi casa es esta casa de

Peñalver 51, del barrio de Los Sitios, que es hoy mi estudio. Y ese barrio es un barrio importantísimo para la música popular cubana así como para muchas otras cosas. Aquí —tal como reza en la poesía de Nicolás Guillén y como ha dicho alguna vez Alejo Carpentier—, todo suena. Todo suena, todo se mueve, todo tiene una textura, un sabor bastante particular. Y ese mundo es un mundo que ha estado presente en toda mi poesía. Desde los primeros poemas, escritos sin la conciencia de que sería una poetisa y hasta quizás su título *Mutismos* era una reacción a tanta sonoridad y a tanto ruido y a la incapacidad de una adolescente para expresarse. Y este barrio forma parte de la mitología de muchos poemas, de mi cosmovisión. Yo me deleitaba oyendo a los negros viejos, a los ñáñigos yerberos de la Plazoleta de San Nicolás, a las caseras, a las comadritas. Los cantos que escuché en la calle a toda hora, los coros de clave en la madrugada; las rumbas sin tambores ejecutadas sobre los cuerpos de los propios músicos. El trueno de las comparsas pasó a formar parte de mi ritmo interior. Ese mundo sonoro se instaló en mi literatura y es fundamental. Una de mis búsquedas formales ha sido siempre trasponer esa sonoridad a la escritura mediante un lenguaje metafórico.

EL TAMBOR

Mi cuerpo convoca la llama.

Mi cuerpo convoca los humos.

Mi cuerpo en el desastre
como un pájaro blando.

Mi cuerpo como islas.

Mi cuerpo junto a las catedrales.

Mi cuerpo en el coral.

Aires los de mi bruma.

Fuego sobre mis aguas.

Aguas irreversibles
en los azules de la tierra.

Mi cuerpo en plenilunio.

Mi cuerpo como las codornices.

Mi cuerpo en una pluma.

Mi cuerpo al sacrificio.

Mi cuerpo en la penumbra.

Mi cuerpo en claridad.

Mi cuerpo ingrávido en la luz
vuestra, libre, en el arco.

LA REBAMBARAMBA

La farola, el ciempiés,
la brújula del tacto
y la comparsa
disuelta hacia el volcán.

Cinturas y cinturas
como puentes colgantes;
jardineras y dandys
sonriendo en la alameda.

La sombrilla en la mano,
la volanta prendida,
el sapo en el portal,
el calesero impávido,
la tumba abierta y cálida,
en el solar perdido.

El cuchillo en la noche,
la tropelía y la clave,
los metales y el hierro,
la furia firme del final.

¿Dónde está
la corneta del loco?

¿Dónde afila su arma
el bastonero de Santiago?

¿Dónde canta,
señor, el mantón de Ma'Luisa?

¿Y Caridad y Pastora?

¿Dónde canta la conga
su tonada mejor?

Tango, tango real.

Todos
somos hermanos.

JCC: Nancy, hablemos sobre tu formación cultural, literaria. ¿Podrías decirnos cómo surgió y cómo se fue desarrollando tu interés en la literatura, en general, y en la creación poética, en particular?

NM: Esta vocación por la lectura comienza en mi casa, en la mínima sala de mi casa con la modesta biblioteca de mi padre y de mi madre, pues la compartían los dos. Mi madre era una gran lectora también; me puso a estudiar inglés a los nueve años en una escuela nocturna, eso contribuiría a muchísimas cosas, a muchísimas lecturas mías de literatura norteamericana, concretamente *Huckleberry Finn* y *Tom Sawyer*. Mi padre también era un hombre que no solamente leía libros sino que era alguien muy aficionado a las noticias, al mundo de la información, y a mi casa llegaban muchísimos periódicos y revistas. Mi revista favorita era la *Bohemia*, a la que estábamos suscritos y que llegaba, semanalmente, todos los viernes. Desde muy niña me atribuí la grata tarea de esperar al señor que traía siempre la *Bohemia*. Y después que mi padre la leía, pues yo la devoraba también. De manera que así nació mi afición por la lectura.

Ya como alumna del Instituto de La Habana, en pleno bachillerato, asistí a una clase cuya profesora me había encomendado un ejercicio sobre *La Odisea*. Me había quedado muy impresionada con la gruta de Polifemo, con ese pasaje que era el que yo tenía que exponer. Descubrí la fábula, lo que era el acto de fabular y me fascinó. Conseguí la calificación más alta y la profesora me preguntó si a mí me gustaba la literatura, si me gustaba escribir. Yo le respondí que no, pero yo ya tenía un diario y, a instancias suyas, se lo llevé un día. En ese diario aparecían una serie de notas intrascendentes, pero aparecían otras que no lo eran y, cuando ella me lo devolvió, días después, al terminar una clase, me dijo: "Tú vas a escribir poemas. Tú no lo sabes, pero aquí no solamente hay anotaciones de un diario. Tienes talento para la literatura". Y, en aquel instante, nació mi conciencia de la literatura.

Luego, en el año 61, ya había ingresado a la vida universitaria y me integré a los batallones de estudiantes, de gente joven y adulta, y vieja, que hizo la Campaña de Alfabetización, que es una gestión muy hermosa de esa época. En esa campaña uno se brindaba para enseñar a leer y a escribir a los analfabetos. De modo que yo compartía esta gestión de carácter social con estas lecturas tan interesantes. Quiero decirte con esto que mi formación académica lleva otra formación en su propio ser que es la formación de la calle; la formación de la cultura de todos los días, aquella que no se hace en las academias. Creo que después fue saliendo de manera muy natural y espontánea en otros textos, incluso no solo en mis poemas, sino en diversas reflexiones que he recogido en colecciones de ensayos, en conferencias. Es un momento seminal porque como escritora contribuí a incrementar a un público que iba a leerme después; es decir, mientras yo escribía poemas, estaba contribuyendo a que muchas de las personas que me rodeaban, que no sabían leer, ni escribir, entrasen a formar parte de eso que yo respeto tanto y que es el lector.

JCC: Tú has estudiado y traducido a tantos escritores francófonos: Arthur Rimbaud, Paul Éluard, Aimé Césaire, Jacques Roumain, René Depestre, Paul Laraque, Ernest Pépin y Édouard Glissant, entre otros. ¿De qué modo esa cultura y su literatura han influido en tu desarrollo personal y tu creación?

NM: La poesía cubana tiene una larga tradición de poetas que fueron iluminados traductores. Es el caso de José Martí que la apreciaba grandemente y que tradujo, por ejemplo, infinidad de autores de su época, como lo es la significativa escritora norteamericana Helen Hunt Jackson, cuya novela *Ramona* es un momento inolvidable de la historia narrativa de los Estados Unidos. Martí fundó entre nosotros esa hermosa vocación por las traducciones. En el siglo XX, poetas como Mariano Brull —cuya traducción de *La mer*, de Paul Valéry, fue proverbial en su tiempo—, Cintio Vitier, Eliseo Diego y el propio Nicolás Guillén cultivaron ese noble oficio. He traducido mucho y traducir es uno de mis placeres. No hay nada que me entusiasme más que acometer una versión de alguna pieza teatral, sobre todo si se trata de la obra de un clásico. Fue una enorme experiencia realizar y trabajar en la puesta que de una obra de Molière *(El burgués gentilhombre)* hiciera la Compañía Rita Montaner que me había pedido su director, mi entrañable Gerardo Fulleda León. Una de mis últimas obras lo ha sido el cuaderno *Fastos y otros poemas* de Édouard Glissant que seleccioné y traduje para una nueva colección del Fondo Editorial de la Casa de las Américas dirigido por el poeta Pablo Armando Fernández, también traductor. A propósito de Glissant, un caribeño de vocación y prácticas universales, acaba de ser nominado para el Premio

Nobel. Concebimos otros dos títulos *Como antaño,* de Patrick Chamoiseau, traducido por Aitana Alberti, y *El Cuaderno de Jonathan,* de Daniel Maximin, en traducción de Lourdes Arencibia. Fue un momento especial. Lanzados en la Feria del Libro de La Habana, estas obras de tres ilustres antillanos dieron un toque muy especial a una serie de seminarios que acerca de la francofonía fueron animados en la ciudad.

Conocer otra lengua es entrar a un nuevo mundo de valores que te hace conocer los más sutiles secretos de la escritura. Mi obra no sería la misma sin la de Aimé Césaire cuyos noventa años de existencia acabamos de celebrar en la Casa de las Américas, sin la de Jacques Roumain o incluso la de Paul Éluard.

JCC: En otras oportunidades, Nancy, me has hablado de algunos de los textos que escribiste cuando tenías nueve años y que luego aparecieron en tu primera colección de poemas, Mutismos, *publicada por la editorial El Puente, en 1962, cuando tenías nada más que diecisiete años. Justamente, incluimos algunos de esos poemas en la antología* Looking within / Mirar adentro.

NM: "Viento" es uno de los primeros poemas de *Mutismos* que yo quiero mucho porque corresponde a esa edad entre nueve o diez años que aparecían en aquel diario. Tenía un primo, Ángel Roberto Hernández Riverend, a quien quiero recordar con mucho cariño, con mucho amor, en esta entrevista, porque falleció de una forma estúpida hace algunos años en La Habana. Fue la persona que también tomó ese diario y mecanografió algunos poemas. Incluso inventó un seudónimo para que yo existiera y, para él y como tributo a su memoria, vamos a incluir este pequeñito poema que se llama "Viento".

JCC: Precisamente, creo que tú, como Nicolás Guillén, has tildado de "sonámbulo" ese momento poético tuyo. Otros han sugerido que revela una influencia de José Lezama Lima, quien, como tú, amaba y se identificaba con La Habana. ¿Podrías hablar un poco sobre Lezama Lima, su posible influencia o no, y ese amor a La Habana que también ha signado parte de tu propia creación?

NM: Fue Nicolás [Guillén] quien nombrara como sonámbula a cierta zona de mi poesía en un texto que nunca tuve cómo agradecerle. Es un nombramiento feliz porque es en sí mismo una preciosa metáfora. Yo creo que tenía razón. No es, precisamente, que esta zona sonámbula sea la que caracterice los poemas míos en donde asoma, a flor de piel, la ciudad de La Habana.

UN PATIO DE LA HABANA

a Gerardo Fulleda León

Un patio de La Habana,
como pedía Machado,
es caro a la memoria.
Sin altos muros,
sin esa lumbre intrépida
del arcoíris,
sin la flor andaluza
que tanto abuela reclamaba
en los búcaros...

Un patio de La Habana
conserva huesos de los muertos
porque ellos son anchos tesoros,
viejas semillas de labrador.

Un patio, ay, de donde sale
tanta estrella.

A Lezama lo recuerdo como un gran conversador. Era alguien sumido en lecturas inimaginables y, claro, en el mundo intangible que propiciaban esas lecturas y que él compartía con sus interlocutores y, en la mayoría de los casos, con la página en blanco. Yo lo visitaba en la Sociedad Económica de Amigos del País donde trabajaba, en el corazón de la avenida Carlos III. Nacido en La Habana y criado en ella, en la famosa esquina de Trocadero y Virtudes, vivió prendado de su historia familiar y, a través de ella, de la historia de la capital y de la Isla. Sostuvimos una bonita relación, sobre todo a partir de que *Richard trajo su flauta* obtuvo una primera mención en un concurso cuyo jurado integró. Me confesó que se había divertido mucho con el seudónimo que escogí: "Une négresse par le démon sécouée", que es un verso de Mallarmé. En esas conversaciones hablábamos mucho sobre la importancia de la traducción pues él era un traductor impenitente. Escribí artículos sobre él y un poema, a raíz de su muerte, que incluí en *Piedra pulida* (1986).

LEZAMA EN LA TARDE

Es la vieja pradera, afiliada a la madre,
al calor hervido de cada noche.
Un tarot de limo y natilla dice la eterna verdad
    del siglo mío:
Las palabras son palabras, que
pueden edificar miedos, hostilidades,
fortines limpios de heroicidad.

Lezama en la tarde creó su olorosa pradera
junto al mulo, en un discurso de tierra original.
Imagen oblicua, Baldovina, hermosas confluencias,
    generadores subterráneos.
Sus palabras son palabras que inspiran dardos
    del mismo Trocadero,
como diademas y perlas, como pirámides azuladas,
como velo argelino, como pus encefálico.
Es un canto salvaje su palabra en la tarde
porque aspira a una estatuilla blanca de marfil,
portando a un Góngora fiel,
aceitunado espécimen de poesía subalterna,
hombreparaísoinfierno en un sillón de viejo inmóvil,
deglutiendo las páginas en serie de *Oppiano Licario,*
la rueda del tiempo inflexible
y esa madrina en alas cuidándolo en el siglo de mí.
Olor del estallido
y la ciudad aniquilada, abroquelada,
en la sintaxis brusca, en las miles de vidas vividas,
en las miles de muertes muertas también
    en el espíritu.
Se ha esfumado el sabor de la tarde habanera.
Lezama está mirándonos,
quiere alcanzarnos; en su labio de muerto
me vela y sueña en lo sinuoso de un crepúsculo
    no funcional.
En la hora viva de agosto,
a las siete, el mirlo trina
encantado cantando
en una clarísima pradera de la Isla.

JCC: Continuando con tu formación intelectual, ¿qué lecturas de alguna manera han marcado tu creación?

NM: Bueno, déjame decirte que uno de los momentos más importantes de mi formación fueron mi estancia en la Escuela de Letras y Arte de la Universidad de La Habana, entre 1962 —cuando aparece mi primer libro—, y 1966. Allí disfruté realmente de una pléyade de profesores, sin duda los más destacados de las humanidades en mi país y en todo el ámbito hispanoamericano. Como emblema de esos profesores está Camila Henríquez Ureña, hermana de Max y de Pedro, entre otros muchos. José Antonio Portuondo, Mirta Aguirre... En fin, prefiero hablar de los que no están. Allí —quiero hacer ese paréntesis—, encontré yo la oportunidad de formar una vocación escondida que va a aparecer posteriormente. Fue haber podido seguir los cursos de Historia del Arte de Rosario Novoa y Adelaida de Juan, a quienes dediqué uno de mis libros más recientes —*Paisaje célebre*— porque ellas me enseñaron a apreciar el arte y a reconocerlo tanto en el arte de los antiguos como en el arte de la modernidad. Es una de las cosas que no tendré nunca cómo agradecer y cómo reciprocar.

Hablaba de la Universidad. Para entonces mi generación era la generación que quería liberarse, más atraída por el deslumbramiento de la ruptura que por la aparentemente cristalizada tradición. Estábamos muy al tanto de las vanguardias hispanoamericanas, de lo que eran Vallejo, Neruda, Guillén, otros muchos autores como Gabriela Mistral, Oliverio Girondo, Vicente Huidobro, en fin. Ya para cuando nosotros empezamos a escribir y cuando ya había iniciado mis estudios universitarios, esa vanguardia era una realidad innegable. Teníamos como referencia inmediata de esa realidad a la generación del 27. Hoy, como se sabe, muchos críticos cuestionan si es una generación o si no lo es, lo cual es lo que menos interesa. Lo que importa es que fueron estos poetas españoles quienes se dieron cuenta de que la lengua es, de alguna manera, una suerte de patria. La renovación o la frescura que necesitaba esa poesía los hizo inclinar su mirada hacia este otro lado, hacia esta otra orilla, es decir, hacia nuestro mundo americano.

Creo que el emblema de esta actitud fue Federico García Lorca quien vivió y estudió en Nueva York hasta escribir su célebre *Poeta en Nueva York*. Al pasar por La Habana, en tránsito hacia su tierra natal, dejó escrito uno de los testimonios más vibrantes de su obra, su famoso "Son de negros en Cuba". Son íconos de la expresión poética de la lengua española del siglo xx.

En esos años de formación fue que tuve todas las inquietudes de una adolescente. Leía todo lo que me caía en la mano, pero tenía a estos profesores que me crearon esa conciencia de que ya había clásicos de nuestra expresión ya fundada por el cubano José Martí y el nicaragüense Rubén Darío, a fines del siglo xix. Bebimos en esas fuentes, así como también de una vanguardia que tenía aquellos antecedentes. Durante los 60, se desataron polémicas sobre las formas; hubo un apego, quizás por otras razones, a pensar de que la poesía solo alentaba en las formas métricas tradicionales. Nosotros, por supuesto, nos inclinamos más hacia las formas libres, hacia un verso más whitmaniano, si se quiere. Walt Whitman fue un poeta admirado por José Martí sobre el que escribió páginas memorables.

Corrían los 60. Fueron años de una perenne confrontación de formas, de libertades, de estilos realmente audaces. Yo creo que mi poesía se metió en el vórtice de toda esa confrontación. He llegado a la conclusión, por eso mismo, de que el soneto reside en mi producción aunque no la caracteriza. Igual sucede con la décima que he cultivado pero que apenas aparece en mis libros, pues la considero un género de circunstancia.

Pienso yo que en la vida actual cubana son muy interesantes los poetas repentistas que han aparecido en nuestro medio con gran espontaneidad, que ciertos poetas cultos que han querido hacer de la décima un código cerrado. Estos repentistas tienen una dinámica y una gracia que se emparienta con la de los pintores primitivos antillanos. A estos repentistas hay que disfrutarlos. La décima está viva en Cuba, más viva que nunca.

JCC: *Siempre has estado vinculada a las artes tanto de la alta cultura como de la popular trabajando frecuentemente en colaboración con pintores, artesanos, músicos, teatristas. Sabemos que las artes son no solo referentes, sino también ingredientes esenciales de tu poesía, lo que se hace evidente sobre todo en tres de tus colecciones de poemas,* Richard trajo su flauta y otros argumentos, Elogio de la danza *y* Paisaje célebre. *Incluso hace ya unos años que venías dibujando lo que modestamente has llamado "garabatos", pero que han merecido ya varias exposiciones en Cuba a partir del 2002. ¿Podrías comentar sobre ese interés tuyo en las artes plásticas y su inserción en tu poesía?*

DAMA DEL UNICORNIO

Junto a los tapices franceses
que el polvo mira y talla a través
 de los tiempos;
en la bóveda helada del corredor
(muy *belle époque* y muy *art-nouveau*)
ya sin condes o reinos,
despojado de frailes y corsarios,
refulge el torso con su frígida mano
y la mirada fofa de una dama a la antigua.

Dama fatal del unicornio,
anacrónica fruta de lo imprevisto
a quien nadie compuso un madrigal,
ni un sencillo *haiku*.
¿Qué pensamientos, náufragos de un imperio,
cruzarían por su frente
en el instante en que el pintor
la hizo posar por mil maravedíes
sin sospechar jamás este otro instante
en que una muchacha de las islas
(de las llamadas Indias Occidentales)
iba a reír con los ojos perplejos
y a imaginar cómo les fue posible
vivir sin golondrinas
echando sangre necia por cada célula virreynal?
Dama asexual del unicornio,
¿habrá visto los prados del Alcázar
o las mezquitas de Sevilla? ¿Habrá leído
sonetos apolíneos, habrá soplado
la chirimía de sus antepasados
que plantaban rocíos para las aves del jardín?
¿Quién iba a imaginarlo?
¿Quién pudo prever
que llegaría a nosotros
hecha pana y damasco y frustración
sujeta al aberrado marco
de este camafeo?
Sortijas, plumas, dádivas, esmaltes,
sátiros, porcelanas, enanos del mercado...
Y tú, muchacha, con el instinto natural
de quien ama la vida y la justicia,
la ves, la intentas comprender

en su polémica belleza,
aunque no halles la justificación,
la palabra propicia a tanto deterioro,
a tanta pompa insulsa, a tanto escarnio
sobre los ojos de tus seres queridos,
constructores de las pirámides
que salpican con gusto su unicornio.

LOS ARTESANOS

a la memoria de Lidia Lavallée

Lidia, mira
esas manos, tan sabias e industriosas,
que componen con hilos, rosas y papeles
esos mundos preciosos que tú nos enseñaste
    a descubrir,
hasta quererlos y necesitarlos todos los días.
Lidia,
donde quiera que estés,
con tu pamela única,
mira estas criaturas sin afeites, hechas de pompa
    y voluntad,
flotando en el silencio de la madrugada,
entre el aroma fiero de las comparsas,
sobre los tejados de Ayestarán
y el polvo del Juanelo.
Lidia,
¿cómo has podido dejarnos
tanta belleza,
tanta felicidad urbana

si no estás tú
sino en las curvas finas
que redondean los dedos de los artesanos
que aman la cábala y la piedrafina?

Lidia, ¿será posible?

NM: Es un misterio como todo lo relativo a la creación.
Descubrí tardíamente un amor, una indudable vocación por
las artes plásticas. Alumna como ya te dije de Rosario Novoa
y Adelaida de Juan, nunca después dejé de frecuentar cuanto
museo, cuanta galería fueran posibles, en cualquier rincón del
planeta. Tengo que decir que mis garabatos son una especie
de puente entre la poesía y su realización por tanteo a través
de esos garabatos que Nisia Agüero acogió, con tanta buena
voluntad, en la Galería René Portocarrero del Teatro Nacional
que ella dirige. Todo comenzó en la década de los 90 cuando
teníamos constantes y prolongados apagones. Mi madre estaba muy enferma. Yo tenía que enfrentar muchas tareas,
entre otras la de priorizar el cuidado de su salud. Cuando
volvía la luz, muy tarde en la noche, me sentaba a escribir. Por
razones inexplicables, no podía hacerlo, no aparecían las
palabras. Tratando de vadear la angustia que me producía
aquella ausencia, empecé a trazar figuras, recuerdos, visiones
que han constituido la base esencial de esos garabatos. Un
buen día, al llevarle unos poemas a Aitana Alberti para la
revista *Litoral,* de Málaga, y, hojeando ella en la carpeta donde
estaban los poemas, descubrió mis primeros garabatos que
para mi azoro recibieron un elogio que nunca esperé. Fue
Aitana quien en realidad me hizo ver que había en ellos un
lenguaje expresivo. Debo mucho a los dibujos de Lorca cuya
contemplación también me aliviaba de tanto pesar. Nunca
estudié pintura pero fui testigo privilegiado, por ejemplo, de

la incipiente obra de Manuel Mendive a quien mucho le deben mis garabatos.

PAISAJE CÉLEBRE

Ver la caída de Ícaro desde la bahía de
azules y verdes de Alamar.

Un valle al que se asoma
un misántropo encapuchado.
Árboles frutales alrededor de las aguas
y un hombrecillo, solo, arando sobre ellas
hasta incorporarse al arcoíris.

Ese hombrecillo
es un pariente de Brueghel, el viejo,
hermano mío,
que pinta la soledad del alma
cercada por espléndidos labradores.

Es el atardecer y necesito las alas de Ícaro.

JCC: Hablemos sobre un tema de considerable interés para algunos estudiosos de tu obra: el proceso de creación, de elaboración verdaderamente textual de tu poesía a partir de la inspiración.

NM: Bueno, yo creo en la inspiración. Pero creo como Hemingway que debe llegar mientras trabajamos. Con esto quiero decir que hay una zona irracional inherente al proceso creador. Ese momento en el cual una —sin saber por qué, sin poder explicar por qué— necesita ir a una página en blanco y llenarla con palabras. Pero, luego del regreso de ese viaje que es la inspiración, se necesita el dominio del lenguaje, incluida esa pirotecnia de la que abusan ciertos narradores. No obstante, en el caso exacto de la poesía, tampoco habría que decir que uno puede escribir todos los días un poema. Es una forma realmente fatal de entender la creación literaria. Como entiendo fatal el hecho de que uno pueda recibir un salario por el hecho de escribir sonetos, o madrigales, o elegías. A mí me parece que el escribir todos los días de Dios es un ejercicio propio de los narradores, de los prosistas. Incluso, de esa otra forma de la escritura que yo valoro tanto y que tiene tanta tradición en las Américas como es el periodismo. Yo creo que entre el rigor y la inspiración no debe haber exclusiones; en el *ínterin* hay un acto, todo un acto moral de afirmación personal y de independencia, por lo tanto yo creo que hay que tener el equilibrio entre ambas cosas, es decir, saber que hay que estar inspirado para escribir pero también cultivarse y trabajar.

ALFOMBRA

para Lourdes Casal

La idea del poema
entra por la ventana,
perfumada quizás, sin avisarme.
¿Logré acaso engañar
tanto anhelo extraviado...?
Es como si una alfombra,
como si alguien me pusiera

a los pies una alfombra
y firme ya pudiera emprender
limpio vuelo, con la benevolencia yo
de aquel lector cuyo sueño anidaba
la lectura de Boti...
No puedo...
Oh sueño firme,
oh velámenes claros hacia mi cuerpo rojo...
Y la idea del poema
ya no está,
ya no está.

JCC: En realidad, subyacente a todo esto, como también en tu vida de todos los días, hay una ética del trabajo, Nancy.

NM: Tiene que haberla, tiene que haberla. Mucha gente común piensa que leer no es un trabajo, siendo uno de los trabajos más abnegados y nobles que pueda haber. Escribir es, entonces, un trabajo mucho más complejo todavía.

JCC: Continuemos con tu proceso de escritura, con las motivaciones de tu hablante lírico: ¿Por qué? ¿Para qué? Y, ¿para quién escribes?

NM: ¿Por qué? Es un misterio que me hace escribir todavía. Si tuviera la respuesta para esa pregunta, no escribiría. ¿Para quién? Bueno, en esto hay una cuestión fundamental y es la cuestión de la lengua. No tengo ni que decirlo: mi lengua materna es la española pero no soy española yo. Por otra parte, llegué a la literatura cuando el español de América y la literatura hispanoamericana habían sentado una serie de bases muy profundas, y esas bases, en alguna medida, resultaron ser aleccionadoras. Según Mario Benedetti, entre España y

América, hay dos poesías y una lengua. Y esta idea es una idea que yo encuentro sumamente feliz. Puesto que siempre me remito a las fuentes originales de la lengua española que es la mía, pero también creo que hay un español de este lado, de esta otra orilla del Océano, y hay una literatura y una expresión originalmente hispanoamericanas. Creo que uno tiene que conocer su lengua como un zapatero tiene que diferenciar entre un clavo y un gusano. Nunca olvidaré esta imagen que me diera conversando Roberto Fernández Retamar cuando aún era un poeta joven. Un escritor en plena posesión de su lengua no puede confundirse, ni darse el lujo de tener faltas de ortografía. Sería un fraude al lector y al editor que ha sufragado un libro con faltas de ortografía o de sintaxis. Para mí hay todo un cuerpo de vivencias que uno agrega, que son únicas y, por eso mismo, originarias de esta orilla. Y en el caso de los narradores tienen que tener una gran libertad para incorporar a sus obras la lengua hablada, es decir, el habla popular y sus más ingeniosas expresiones que no tenemos que seguir llamando localismos. Porque habría que llamar localismos también a ciertos giros y expresiones al uso en determinados pueblos de España, puesto que son muy particulares regiones. La propia diversidad étnica de España ha propiciado la riqueza lingüística y, de hecho, literaria, del castellano de todos los tiempos.

DICTADO DE ALCATRAZ

Con un murmullo
vuelan las palabras
y van depositándose

en el musgo solemne de la piedra,
y van depositándose
entre cuerpos antiguos del amanecer.

Viejos humos de la ciudad
envuelven la conversación
de los que habitan sus canales.
Calles del ayer
que salen hacia el mar.
Calles del porvenir
que entraron desde el cielo.
Patios, llenos de luz, acomodándonos.
La flor de cada tronco amaina el aguacero.

Hemos llegado en el instante azul
        de las conversaciones.
Hemos llegado en el momento tibio de las redes
que viven con sus válvulas en las aguas dormidas.

Como un murmullo
volaron las palabras
que me dicta la voz del alcatraz,
su cuello intacto degollado extramuros,
su pluma amena volando entre las ceibas.

JCC: Todos sabemos que en tu poesía el elemento racial ha sido fundamental. Quisiera que hablaras sobre la africanía en tu obra, ¿de qué manera fue un ingrediente esencial en tu creación y de qué manera lo es aún hoy también?

NM: Lo es, porque lo es para la cultura cubana; es decir, la cultura cubana no se puede explicar si no explicamos la africanía que alienta en su raíz. Naturalmente esa africanía es una esencia, transculturada. Tanto la producción literaria de Nicolás Guillén como su experiencia personal son realmente una biblia de lo que afirmo. Al fenómeno de la transculturación dediqué todo un capítulo de mi libro de ensayos *Nación y mestizaje en Nicolás Guillén* (1982). Ese concepto de la cultura cubana entendida y aceptada como un vasto proceso de transculturación de componentes africanos e hispanos pertenece al siglo XX. Es un concepto que reverdece y que florece en medio de una Revolución, en los últimos cuarenta años de nuestra existencia. Porque el elemento africano en el siglo XIX, era un elemento escamoteado, pues se argumentaba que carecía de peso y, en casos extremos, que no existía. Hubo un proyecto de nación que descartó el componente africano de su origen.

La vida había demostrado todo lo contrario, no solo porque lo dijeran los etnólogos y los antropólogos, sino porque es una realidad de la cultura cubana. En la medida en que yo concibo esa africanía como un factor decisivo, integrante de una simbiosis conformada, a su vez, por esos componentes hispanos, no somos ni españoles ni africanos, somos cubanos, un resultado irreversible de esa simbiosis y ese mestizaje. Es el mismo concepto de mestizaje que tanto cantara Guillén en poemas tan maravillosos como la "Balada de los dos abuelos", "El abuelo" o el "Son número seis". Este concepto de mestizaje no puede confundirse. Ha habido algunas traducciones al inglés de estas ideas mías —herederas de las de Guillén—, y se ha traducido de una manera quizás un poco equívoca, que desvirtúa el empleo del término. Porque mestizaje no es *miscegenation,* puesto que el mestizaje supone no solo el fenómeno racial —que también forma parte, sin dudas, de ese mestizaje—, el biológico que se asienta sobre intercambios culturales. Quiere decir esto que un cubano de piel negra puede llegar a cualquier confín de África y encontrarse que no puede establecer un diálogo con aquellas personas que comparten el mismo color de la piel y hasta una historia compartida que ha conformado el pasado de ambos, puesto que el cubano lleva en su ser otros componentes culturales, en principio, uno definitivo: el de la lengua. Porque aunque me reconozco en el legado de esa africanía no hablo bantú, ni hablo swahili; es decir, mi lengua materna es el castellano. En esta dimensión ya se prueba, por lo menos, la primera fase de un enorme fenómeno de transculturación. Sin embargo, no admito regirnos por ninguna nomenclatura, ningún código que venga de Nigeria, aunque Nigeria sea uno de los centros que más esclavos exportó, o de Angola o de donde fuera. Nosotros somos otra cosa. No es extraño, por ejemplo, que para los países africanos de cultura portuguesa, Brasil sea un reino de cultura que atienden tanto o más que aquellos provenientes de Portugal o de otras zonas de África. De modo que, al final del siglo XX, hemos comprobado que el factor étnico, como tú sabes, es un factor esencial. Pero no podemos confundirnos. Yo lo que creo es que las culturas no pueden estar cerradas, no pueden estar enclaustradas y que, de hecho, toda cultura es sincrética. O ¿qué es la historia de Europa, de todas las Américas, sino un ir y venir, un movimiento de incesantes cruces culturales?

PREGUNTAS PARA WIFREDO LAM

Y, ¿quién vio a Li-Po sentarse,
añorando sus algas de Cantón,
sobre las ruedas de la ciudad,
posado, así, sobre el muro del Malecón
y sus madréporas?

Y, ¿quién presenció el aleteo de una paloma
entre los dedos de Ma'Antoñica Wilson?

Y, ¿qué hay en la mirada de aquel Taita
cuyo cuerpo tapiza la proa de un velero innombrable
sino una lluvia de azahares bajo la cruz del sur?

¿Quién los viera mejor sino tu pulso
perfumado por estas islas de coral?

JCC: ¿Qué poemas tuyos representarían mejor tu noción de transculturación y de africanía cultural?

NM: "Humus inmemorial", "El loto y el café", un poemita de *Richard trajo su flauta...*, "Negro", "Hablando con una culebra", entre otros. Quiero mencionar un poema que tiene una cita de Nicolás Guillén, "galeotes dramáticos", que tiene mucho que decir en relación con todos estos pensamientos: "Junto al golfo" y también "Botella al mar". También hay un poema muy breve que entra a tocar este tema de una manera muy lírica: "Mirar adentro".

JUNTO AL GOLFO

"galeotes dramáticos, galeotes dramáticos"
NICOLÁS GUILLÉN

La meseta del indio
nos avisa
la fragancia del golfo.
Manatí,
        flecha en boca,
atrapa el archipiélago de su jardín.

Orillas enlutadas,
dientes de tiburón,
las gubias y las conchas,
los valles olorosos,
transparencias del cielo a la corriente,
entre las firmes playas del golfo:

Islas sobre islas. Islas del canto.
Islas. Canto del mar sobre las Islas.
Y mis ojos que bogan
por los bordes humeantes de las hierbas.

Caribe de la asfixia, tu pasado perdido,
tu habla y tu pulmón.
El verde de la flecha,
las ciudades perpetuas de la Luna,
los calendarios,
las humaredas
pero veo
          "los galeotes dramáticos",
el corsario sombrío
con su arco de napalm
en el fondo del golfo.

Cimarrón en la noche estamos en las aguas
azules y encuentras nuevas islas
nuevos seres
          que nadan junto al mar.
La brisa en el atardecer de cobre,
el sol naciente
sobre la espalda de mil años,

vibración del lagarto,
puente de las bodegas,
el rayo de Changó y el chivo.

La sangre es quien nos pide
la urgencia
           de este mundo:
Alzad las lanzas,
                      las retinas,
la miel y el garabato
que somos el golfo para siempre.

EL LOTO Y EL CAFÉ

en la misma ciudad, cuando la noche va a caer,
aparecen dos esclavas muy viejas, apertrechadas
en la volanta de su ama, con loto del Oriente
y café de Santiago. Las dos esclavas están
en el vehículo, y sin embargo necesitan el sol,
necesitan el alba. Una, va a descender de la volanta
porque quiere mirar a las estrellas.
La segunda, prefiere caminar hasta llegar
       a la plaza más vieja.

Respeto extraordinariamente todo el discurso contemporáneo que se desprende de los estudios postcoloniales. Hijo le-
gítimo del pensamiento anticolonial de Frantz Fanon que reveló a la humanidad la existencia de nuestro Tercer Mundo, es un
discurso que debería afincarse en el estudio del fenómeno de la
esclavitud. No porque la esclavitud como sistema económico
exista aún, eso se sabe. Pero hay muchos enigmas, una cantidad

de fenómenos, por lo menos sociales, que partieron de ese espantoso complejo que todavía está soterrado en nuestras conciencias. Y muchos comportamientos provienen de allí y nos parece que tienen otro origen, y uno de los orígenes o el más importante es el de la esclavitud.

Entonces para mí esto es importante también porque la cuestión racial, que ha de tenerse muy en cuenta, en ese marco, desempeña un papel esencial. No puede estar por encima de ese sistema. Como dice Guillén, en su elegía "El apellido", nos reconocemos en un gesto común a través del cual muchas personas han pasado por la misma experiencia histórica. Tal vez el grito de los excluidos exprese mejor lo que quiero decir y no el hecho, o el accidente, o la circunstancia de que tengamos el mismo color de la piel. Porque muchos movimientos de liberación han sido ahogados por personas del mismo color de aquellos que los han iniciado. Y es como si yo pensara que por ser mujer hay mujeres que no suscriben un pensamiento conservador o un pensamiento reaccionario. Las hay también que se comportan como trasmisoras de valores machistas, de la supremacía masculina y eso me parece a mí que es injusto y, sin embargo, hay hombres también que tienen una actitud totalmente en contra de esos comportamientos y reaccionan en su contra. El tema racial se bifurca en dos caminos complementarios: raza y sexo.

JCC: *Justamente cuando estás hablando sobre este tema de la esclavitud, sobre el tema de la opresión hacia sus pares, pienso en el caso de Henri Christophe, el primer rey negro de Occidente que encarna exactamente ese fenómeno. Pues, una vez que los esclavos fueron emancipados en Haití, vino a ejercer las mismas tácticas represivas e inhumanas de los colonizadores franceses contra sus propios compañeros de lucha.*

NM: Es cierto lo que has afirmado en relación con la figura del rey Henri Christophe y la transposición de su atractiva y, a la vez, trágica leyenda a buena parte de la producción literaria antillana de expresión francesa o créole. Para mí, la fuente es Haití, tierra madre de la independencia americana. No hay Henri Christophe sin Toussaint Louverture y sin Jean-Jacques Dessalines. Son los tres un ciclo inaugurado por las convulsiones de la Revolución Haitiana producida en un lapso que nace en 1791 y culmina triunfal en 1804. Ahí está *El reino de este mundo* de Alejo Carpentier, novela emblemática de este largo proceso. Quiero recordar que justamente en el 2004 celebraremos el centenario del natalicio de Carpentier así como el bicentenario de la Revolución Haitiana, la primera gran revolución independentista de las Américas, forjada por esclavos de origen africano que vieron en la Revolución Francesa el lenguaje de una libertad que tuvieron que arrancarle a la vida. Por otra parte, no puede explicarse la historia del Caribe sin el concurso de Haití, sin este capítulo glorioso en cuyo centro alientan Toussaint, Dessalines y Christophe.

JCC: Cierto, Nancy, incluso, a mediados del siglo XX, en la cuenca caribeña, se crearon varias obras dramáticas protagonizadas por Henri Christophe. Se había despertado una gran fascinación por el mundo mágico religioso haitiano. Ahora bien, en tu obra, varios santos del panteón Yoruba-lucumí están presentes como en "Los ojos de eleggua", "Elogio de Nieves Fresneda", así como en muchos otros. ¿Podrías comentar sobre la santería, ese mundo sincrético que parece permear todo lo cubano y que entra a formar parte de tu poesía?

LOS OJOS DE ELEGGUA

    esta noche
junto a las puertas del caserón rojizo
he vuelto a ver los ojos del guerrero
    eleggua
    la lengua
roja de sangre como el corazón de los hierros
los pies dorados desiguales
la tez de fuego el pecho encabritado y sonriente

acaba de estallar en gritos
    eleggua salta
imagina los cantos
roza el espacio con un puñal de cobre
    quién le consentirá
    si no es la piedra
    o el coco blanco
quién recogerá los caracoles de sus ojos

ya no sabrá de Olofi si ha perdido el camino
    ya no sabrá de los rituales
ni de los animales en su honor
    ni de la lanza mágica
ni de los silbidos en la noche

si los ojos de eleggua regresaran
volverían a atravesar el río pujante
donde los dioses se alejaban donde existían los peces
    quién sabrá entonces del cantar de los pájaros
el gran eleggua ata mis manos

y las abre y ya huye
y bajo la yagruma está el secreto
las cabezas el sol y lo que silba
            como único poder del oscuro camino

ELOGIO DE NIEVES FRESNEDA

Como un pez volador: Nieves Fresneda.

Olas de mar, galeotes,
azules pétalos de algas
cubren sus días y sus horas,
renaciendo a sus pies.

Un rumor de Benín
la trajo al fondo de esta tierra.

Allí están
sus culebras,
sus círculos,
sus cauris,
sus sayas,
sus pies,
buscando la manigua,
abriendo rutas desconocidas
hacia Olókun.

Sus pies marítimos,
al fin,
troncos de sal,

perpetuos pies de Nieves,
alzados como lunas para Yemayá.

Y en el espacio,
luego,
entre la espuma,
Nieves
girando sobre el mar,
Nieves
por entre el canto
inmemorial del sueño,
Nieves
en los mares de Cuba,
Nieves.

Hay varios aspectos en esta pregunta. Prefiero comenzar diciendo que la *santería* cubana forma parte del fenómeno religioso del Caribe y América. Un fenómeno que conlleva en sí mismo todo un sistema mágico en cuyo eje encontramos valores prelógicos y un surtidor de componentes irreversiblemente marcados por la mezcla cultural. Tiene características que la asemejan con el *vodú* haitiano y el *candomblé* brasileño. Estas tres vertientes forman la cuenca más poderosa de los fenómenos religiosos de esta índole en todo el Continente. Estos tres complejos presentan en su seno un denominador común que es la mitología Yoruba, etnia determinante, originaria de la costa occidental africana, especialmente de lo que es hoy Nigeria. En Cuba conocemos popularmente este término como panteón *lucumí* que no es otra cosa que la forma en que el pueblo nombró las manifestaciones de origen Yoruba. Los dioses de ese panteón se llaman en Cuba santos. Últimamente hay aportes en relación con ellos, pues son conocidos también como *orishas.* Hay obras fundamentales al respecto de Rogelio Martínez Furé, Natalia Bolívar y Miguel Barnet; todos ellos discípulos, de una forma u otra, del legado de los maestros Rómulo Lachatañeré, Don Fernando Ortiz y Lydia Cabrera. Eleggúa, Yemayá y Changó son figuras tutelares de mis poemas porque lo son también del imaginario popular cubano. Sin embargo, no todas las expresiones culturales cubanas tienen a la santería como surtidor, como centro. Muchos valores suyos integran la vida popular, en ciudades y campos; no todo lo popular proviene de esa raíz.

JCC: *Hasta no hace mucho, se creía que no existían antecedentes de escritoras afrocubanas pero justamente en nuestra conversaciones en los últimos años, tú has mencionado que has encontrado esos antecedentes. Sería muy interesante que comentaras al respecto.*

NM: Siempre me preguntaban que cuáles eran mis antecedentes literarios. Yo respondía sin titubear: Nicolás Guillén; porque realmente lo es, en muchas líneas. Pero, no había una mujer. Busqué sobre el tema incesantemente a lo largo de toda la literatura cubana, sobre todo en la poesía cubana de los años 30, período durante el cual afloró el movimiento llamado negrista, afrocubano, como quiera llamársele. No había una mujer, a excepción de la recitadora y actriz Eusebia Cosme.

En el XIX aparecía la gran figura de Doña Gertrudis Gómez de Avellaneda, a quien admiré porque en mis libros de lectura siempre volvía sobre su famoso soneto "Al partir" que me impresionaba mucho y que me ha inclinado, de alguna manera, a escribir poesía. No entendí nunca por qué. Muchos años después me expliqué por qué. Era un texto que siempre me había sobrecogido tremendamente. Luego, otras figuras que iban desde Luisa Pérez de Zambrana hasta Juana Borrero pasando por Mercedes Matamoros. En las antologías de la época, aunque se recogía la escritura femenina, no aparecía una sola "mujer de color".

Fue Nina Menéndez, una investigadora radicada entonces en la Universidad de la Florida, quien me puso sobre las huellas de Cristina Ayala. Buscando en La Habana, en la Biblioteca Nacional, encontré un precioso libro de poemas llamado *Ofrendas mayabequinas* (1926), de esta poetisa. Este cuaderno, publicado póstumamente por el historiador de Güines, llevaba en las primeras portadillas una foto de esta mujer. Era una mujer negra con un velo sobre su rostro. Allí disfruté de varias décimas, algunos buenos sonetos. Según reza en el prólogo de este historiador, esta mujer era una feminista natural puesto que había creado algunas revistas femeninas, así con este nombre. Había sido amiga de Juan Gualberto Gómez quien, a su vez, era el gran amigo de José Martí. Cristina escribió poemas, por ejemplo, a Salvador Rueda y, lo más importante, escribió un poema a favor de la abolición de la esclavitud en 1888, lo cual le valió no poder matricular en la universidad, en la carrera que había elegido en aquel momento. Es una mujer que estuvo a caballo entre finales del siglo XIX y principios del XX. Murió a mediados de la década del 20. No aparece registrada en ninguna antología, ni tampoco en las historias de la literatura cubana de la época. Cristina Ayala fue una revelación y un descubrimiento.

Luego, consultando con algunos historiadores nacionales interesados no exactamente en el tema de la literatura, de los antecedentes de la escritura femenina en Cuba, no encontré ningún dato. Sin embargo, hablando con amigos cubanos radicados en Estados Unidos, escuché que en la tradición oral de algunas familias, de algunas personas oriundas de la zona central de la Isla, había al menos un nítido recuerdo de dos poetisas, Dámasa Joba y Juana Pastor, ambas posteriores a Cristina Ayala. Una de las personas que me refirió mucho sobre Dámasa Jova, que era de Santa Clara, fue el doctor Carlos Pérez Mesa quien, en su casa de Missouri, me confesó haber oído hablar y hasta de haber escuchado programas de radio de Dámasa Jova porque su madre la había conocido personalmente; era una amiga de su familia. Hubo un escritor cubano, radicado en París, también actor, Esteban Cobas (*Sócrates*) quien, aunque naciera en Santiago de Cuba, tenía referencias exactas acerca de estas mujeres. Naturalmente, en el mundo de la academia no tuvieron trascendencia, ni tuvieron resonancia alguna.

Yo creo que es justo que cuando a mí me pregunten por alguno de esos antecedentes, yo me refiera con orgullo a ellas. Quizás en ese único libro póstumo, Cristina no haya hecho nacer ninguna estética particular, ni nada del otro jueves. De todos modos, su existencia y su breve obra me parecen documentos extraordinariamente importantes para comprender mejor nuestro pasado; son una dolorosa fe de vida de una mujer negra a quien no le permitieron matricular en la universidad por haber publicado un texto en favor de la abolición de la esclavitud en Cuba. De paso, es bueno recordar ahora que fueron Cuba y Brasil los últimos países del Continente en abolir la esclavitud, al menos teóricamente.

JCC: Tu obra, Nancy, ha sido objeto de estudio por muchos críticos que se apoyan en las teorías feministas y han tomado tu poesía como adalid del feminismo afrocaribeño. Me gustaría que elaboraras un poco tu idea sobre el feminismo.

NM: De hecho, lo soy y lo son mis textos, pero quiero decir que yo no milito en ninguna organización ni soy activista del feminismo. Yo no milito en ninguna organización ni política, ni social, ni de ningún otro orden. "Mujer negra" es un poema emblemático, en este sentido. Creo que lo he dicho en otras partes: en esa entrevista que te concedí hace algunos años en Missouri y en la Universidad de Puerto Rico, en 1979. Yo había terminado de leer el poema y una muchacha me pregunta: "¿Y usted escribió ese poema más como negra o más como mujer?". Yo me quedé muy sorprendida; me quedé mirándola y empecé a mirarme yo misma. ¿Cómo iba yo a poder dividirme? Recuerdo que le dije: "Yo escribí ese poema como Nancy Morejón".

MUJER NEGRA

Todavía huelo la espuma del mar que me hicieron
        atravesar.
La noche, no puedo recordarla.
Ni el mismo océano podría recordarla.
Pero no olvido al primer alcatraz que divisé.
Altas, las nubes, como inocentes testigos presenciales.
Acaso no he olvidado ni mi costa perdida,
        ni mi lengua ancestral.
Me dejaron aquí y aquí he vivido.
Y porque trabajé como una bestia,
aquí volví a nacer.
A cuanta epopeya mandinga intenté recurrir.

                Me rebelé.

Su Merced me compró en una plaza.
Bordé la casaca de Su Merced y un hijo macho le parí.

Mi hijo no tuvo nombre.
Y Su Merced, murió a manos de un impecable *lord* inglés.

Anduve.

Esta es la tierra donde padecí bocabajos y azotes.
Bogué a lo largo de todos sus ríos.
Bajo su sol sembré, recolecté y las cosechas no comí.
Por casa tuve un barracón.
Yo misma traje piedras para edificarlo,
pero canté al natural compás de los pájaros nacionales.

Me sublevé.

En esta misma tierra toqué la sangre húmeda
y los huesos podridos de muchos otros,
traídos a ella, o no, igual que yo.
Ya nunca más imaginé el camino a Guinea.
¿Era a Guinea? ¿A Benin? ¿Era a Madagascar?
       ¿O a Cabo Verde?

Trabajé mucho más.

Fundé mejor mi canto milenario y mi esperanza.
Aquí construí mi mundo.

Me fui al monte.

Mi real independencia fue el palenque
y cabalgué entre las tropas de Maceo.

Sólo un siglo más tarde,
junto a mis descendientes,
desde una azul montaña,

bajé de la Sierra

para acabar con capitales y usureros,
con generales y burgueses.
Ahora soy: sólo hoy tenemos y creamos.
Nada nos es ajeno.
Nuestra la tierra.
Nuestros el mar y el cielo.
Nuestras la magia y la quimera.
Iguales míos, aquí los veo bailar
alrededor del árbol que plantamos para el comunismo.
Su pródiga madera ya resuena.

Creo que esas condiciones son indivisibles. Yo no me puedo picar y de aquí para allá soy negra y de aquí para acá soy mujer. Soy una entidad. Ese poema ha sido muy bien recibido. Es el poema mío que más recepción ha tenido, incluso ha sido más feliz que yo. Pero tendría que decirte que en el momento de escribir ese poema, yo no tenía conciencia realmente de su alcance posterior. El poema nace de una visión. Ya lo he contado antes también. Estaba yo —no sé si fue realmente un sueño o fue un momento de transición entre el sueño y la vigilia— en esa pequeña casa de Peñalver. En una de las ventanas del dormitorio vi a una negra, una negra delante de mí, una negra enorme, abrazando algo así como un mástil de barco. Me dije, voy a contar la historia de esa mujer. Y la conté y por eso su *yo*, que no es autobiográfico naturalmente, es un *nosotros*. Y es la historia de las mujeres de origen africano transplantadas como esclavas a Cuba, al Caribe, a las Américas. Sin embargo, tengo que decirte que cuando escribí el poema no creí que fuera a tener esos usos, ni que iba a brindar semejantes servicios. También es un poema de tema racial, del tema de la mujer, en cualquier caso. Si es un poema que sirve a la causa de los que luchan por la igualdad racial, bienvenido, y me siento orgullosísima. Y si es un poema que sirve a la causa de la igualdad de género, bienvenido también, y, para mí, es maravilloso. Pero yo no lo escribí como una pancarta. Por eso creo realmente en esas zonas inconscientes y en esas zonas irracionales propias del proceso de la escritura.

JCC: Nancy, como sabes, ha existido poesía negrista, afrocubana, donde críticos muy notables, como Vera Kutzinsky, en su libro Sugar Secrets, *ha observado la presencia de la mulata como objeto erotizado. En mi lectura de tu obra, veo que esa poesía tuya surge como contradiscurso frente al discurso androcéntrico que ha objetivado a la mulata, en particular en "Amo a mi amo", tu otro poema emblemático. En verdad, "Mujer negra" y "Amo a mi amo" están íntimamente relacionados.*

AMO A MI AMO

Amo a mi amo.
Recojo leña para encender su fuego cotidiano.
Amo sus ojos claros.
Mansa cual un cordero
esparzo gotas de miel por sus orejas.
Amo sus manos
que me depositaron sobre un lecho de hierbas:
Mi amo muerde y subyuga.

Me cuenta historias sigilosas mientras
abanico todo su cuerpo cundido de llagas y balazos,
de días de sol y guerra de rapiña.
Amo sus pies que piratearon y rodaron
por tierras ajenas.
Los froto con los polvos más finos
que encontré, una mañana,
saliendo de la vega.
Tañó la vihuela y de su garganta salían
coplas sonoras, como nacidas de la garganta
     de Manrique.

Yo quería haber oído una marímbula sonar.
Amo su boca roja, fina,
desde donde van saliendo palabras
que no alcanzo a descifrar
todavía. Mi lengua para él ya no es la suya.

Y la seda del tiempo hecha trizas.

Oyendo hablar a los viejos guardieros, supe
que mi amor
da latigazos en las calderas del ingenio,
como si fueran un infierno, el de aquel Señor Dios
de quien me hablaba sin cesar.
¿Qué me dirá?
¿Por qué vivo en la morada ideal para un murciélago?
¿Por qué le sirvo?
¿Adónde va en su espléndido coche
tirado por caballos más felices que yo?
Mi amor es como la maleza que cubre la dotación,
única posesión inexpugnable mía.

Maldigo

esta bata de muselina que me ha impuesto;
estos encajes vanos que despiadado me endilgó;
estos quehaceres para mí en el atardecer sin girasoles;
esta lengua abigarradamente hostil que no mastico;
estos senos de piedra que no pueden siquiera
    amamantarlo;
este vientre rajado por su látigo inmemorial;
este maldito corazón.

Amo a mi amo pero todas las noches,
cuando atravieso la vereda florida hacia el cañaveral
    donde a hurtadillas hemos hecho el amor,
me veo cuchillo en mano, desollándole como a una res
    sin culpa.

Ensordecedores toques de tambor ya no me dejan
oír ni sus quebrantos, ni sus quejas.
Las campanas me llaman...

NM: Yo considero que "Mujer negra" y "Amo a mi amo" son
dos caras de una misma moneda. Este último toca el tema de
la mujer, de una esclava ante el amo, un poema de amor,
también, y toda esta cosa tremenda, de las contradicciones y
del drama interior que causa la esclavitud del que yo digo que
todavía no hemos despejado muchos enigmas. Tenemos una
literatura que ha hablado del látigo y de los terribles azotes, del
daño corporal al esclavo y del espanto que es eso. Pero todavía
poco se ha dicho en relación del mundo interior de los que
hemos descendido y los que hemos participado de alguna
manera en esa experiencia. Creo que las escritoras negras

norteamericanas como Toni Cade Bambara, Audre Lorde, June Jordan, Gwendolyn Brooks, Margaret Burroughs, Jayne Cortez, Alice Walker y Tony Morrison, entre otras muchas, han comenzado a fijar ese cuerpo literario. Sin embargo, creo que nosotros tenemos mucho que mirar hacia dentro en otras zonas de América, en la América hispana, en el Caribe hispano, entrar a desentrañar ese mundo interior.

PERSONAS

¿Cuál de estas mujeres soy yo?
¿O no soy yo la que está hablando
tras los barrotes de una ventana sin estilo
que da a la plenitud de todos estos siglos?
¿Acaso seré yo la mujer negra y alta
que corre y casi vuela
y alcanza *records* astronómicos,
con sus oscuras piernas celestiales
en su espiral de lunas?
¿En cuál músculo suyo se dibuja mi rostro,
clavado allí como un endecasílabo importado
de un país de nieve prohibida?

Estoy en la ventana
y cruza "la mujer de Antonio";
"la vecinita de enfrente", de una calle sin formas;
"la madre —negra Paula Valdés—".
¿Quién es el señorito que sufraga
sus ropas y sus viandas
y los olores de vetiver ya desprendidos de su andar?
¿Qué permanece en mí de esa mujer?
¿Qué nos une a las dos? ¿Qué nos separa?

¿O seré yo la "vagabunda del alba",
que alquila taxis en la noche de los jaguares
como una garza tendida en el pavimento
después de haber sido cazada
    y esquilmada
    y revendida
por la Quinta de los Molinos
y los embarcaderos del puerto?
Ellas: ¿quiénes serán? ¿o soy yo misma?
¿Quiénes son éstas que se parecen tanto a mí
no sólo por los colores de sus cuerpos
sino por ese humo devastador
que exhala nuestra piel de res marcada
por un extraño fuego que no cesa?
¿Por qué soy yo? ¿Por qué son ellas?

¿Quién es esa mujer
que está en todas nosotras huyendo de nosotras,
huyendo de su enigma y de su largo origen
con una incrédula plegaria entre los labios
o con un himno cantado
después de una batalla siempre renacida?

Todos mis huesos, ¿serán míos?
¿de quién serán todos mis huesos?
¿Me los habrán comprado
en aquella plaza remota de Gorée?
¿Toda mi piel será la mía
o me han devuelto a cambio
los huesos y la piel de otra mujer
cuyo vientre ha marcado otro horizonte,
otro ser, otras criaturas, otro dios?

Estoy en la ventana.
Yo sé que hay alguien.
Yo sé que una mujer ostenta mis huesos
    y mi carne;
que me ha buscado en su gastado seno
y que me encuentra en la vicisitud y el extravío.
La noche está enterrada en nuestra piel.
La sabia noche recompone sus huesos y los míos.
Un pájaro del cielo ha trocado su luz en nuestros ojos.

JCC: Frecuentemente, la crítica te ha señalado como una poeta de la Revolución Cubana. En verdad, el Primero de Enero de 1959 tenías solo catorce años. Te formaste en un mundo conmocionado, auspiciado y signado por la Revolución. Sería muy interesante que comentaras sobre la influencia y la presencia de la Revolución en tu obra, en tu creación.

NM: Yo creo que mi obra no puede explicarse sin ese proceso en mi país y tampoco puede entenderse sin la Revolución Cubana. Sin embargo, mi poesía no le ha cantado a la Revolución en términos convencionales y creo que soy una de sus criaturas indudablemente como la obra que esa criatura ha creado no le es ajena tampoco. Yo creo que soy una esencia. Es un poco como el componente africano nuestro, que no podemos concebirlo como una influencia pues no se trata de eso. Somos una esencia. Creo que el hecho más trascendental es que yo lo sea y que me haya proclamado como una de sus criaturas. Que esa criatura se haya equivocado y que haya sido victoriosa en otros momentos y que entre ambas existan tantas contradicciones, tanto amor y tanta riqueza.

MITOLOGÍAS

Furias del huracán acostumbrado,
vientos misteriosos golpeando el arrecife,
palos de muerte y de coral
inundaron las bahías de la Isla
y se tragaron el aire de Camilo.

Sus pulmones fueron hélices negras
que naufragaron en un soplo,
desde donde las turbonadas de la misericordia
están girando,
como troncos de manigua varados,
enjaulados
en una eterna comandancia boreal.
Las chalupas y las bocas jadeantes
navegan por los mares
y Camilo perdido.

Habrá lluvias de octubre en su sombrero alón.
Pero, ¿dónde encontrar su barba fina,
acorralada entre esas aguas frías e imprevisibles?
¿Cómo apretar su firme mano
ebria de pensamiento y ebria de acto?
¿Dónde posar sus ojos,
aves anidadas del héroe?
Oh pueblo mío insurrecto,
tú que lo vieras nacer en el discurso
y arder en los vertiginosos ríos de la Invasión:

Para ti derribó madrigueras impías.
Oh pueblo mío de nubes.
Oh pueblo suyo el que lo halla
con una flor silvestre,
amable,
deshojable,
lanzada a la intemperie,
sobre este mar de las mitologías.

Como he dicho en otras ocasiones: lo importante no es triunfar; lo importante no es dar en el blanco sino el flechazo.

CRONOLOGÍA DE NANCY MOREJÓN

1944: Nació el 7 de agosto en el Hospital Maternidad Obrera, en Marianao, La Habana, Cuba. Creció en el barrio de Los Sitios en La Habana. Entre 1950 y 1956, realizó estudios de primaria en el Colegio Academia Laplace. En 1957, matriculó estudios de Segunda Enseñanza en el Instituto de La Habana.

1961: Se graduó de Bachiller en Letras en el Instituto de La Habana.

1962: Inició la Licenciatura en Lengua y Literatura Francesas en la Universidad de La Habana.

Primer poema publicado en la antología *Novísima poesía cubana,* de Ana María Simo y Reynaldo García Ramos (La Habana: Ediciones El Puente).

Se publicó *Mutismos* (poemario) (La Habana: Ediciones El Puente).

1964: Se publicó *Amor, ciudad atribuida* (poemario) (La Habana: Ediciones El Puente).

El poema "Los heraldos negros" recibió el Premio de Poesía Rubén Martínez Villena de la Universidad de La Habana.

1966: Terminó la licenciatura en Lengua y Literatura Francesas, *Suma Cum Laude,* en la Universidad de La Habana. Tesis de grado sobre la obra del martiniqueño

Aimé Césaire de quien tradujo *Una temporada en el Congo* para ser puesta en escena por el director Roberto Blanco.

Primera mención por *Richard trajo su flauta y otros argumentos* en el Premio de Poesía Julián del Casal de la UNEAC, 1966. Jurado integrado por Nicolás Guillén, Regino Pedroso, José Lezama Lima, José Agustín Goytisolo, Roque Dalton, Yannis Ritzos, Jaime Augusto Shelley y Oscar Oliva.

1967: Se publicó *Richard trajo su flauta y otros argumentos* (poemario) (La Habana, Ediciones Unión, Colección Cuadernos).

Formó parte del Encuentro por el Centenario de Rubén Darío que convocara la Casa de las Américas en Varadero (Cuba) al que asistieron los poetas más destacados de la época: Carlos Pellicer (México), Mario Benedetti (Uruguay), Enrique Lihn (Chile), Thiago de Melo (Brasil), René Depestre (Haití), César Calvo (Perú), Francisco Urondo (Argentina), Roque Dalton (El Salvador), César Fernández Moreno (Argentina), Ida Vitale (Uruguay), Heberto Padilla, Roberto Fernández Retamar, Pablo Armando Fernández y Miguel Barnet (Cuba), entre otros.

1971: Se publicó *Lengua de pájaro,* en colaboración con Carmen Gonce (monografía etno-histórica sobre Nicaro) (La Habana: Editorial de Ciencias Sociales).

1972: Prologó, seleccionó y anotó el volumen *Recopilación de textos sobre Nicolás Guillén* (La Habana: Casa de las Américas, Serie Valoración Múltiple).

1975: Se publicó "Mujer negra", en la revista *Casa de las Américas* en un número especial dedicado al Año Internacional de la Mujer.

1979: Se publicó *Parajes de una época* (poemario) (La Habana: Letras Cubanas, Colección Mínima).

Se publicó su traducción de *Las armas cotidianas,* de Paul Laraque (La Habana: Casa de las Américas, Colección Premio).

Asistió al Festival Internacional de Poesía Pushkin, en Moscú.

Participó en el congreso "Rompiendo Barreras", organizado por la Universidad Interamericana de Puerto Rico, en San Juan.

1980: Se publicó *Poemas* (antología). Selección y prólogo de Efraín Huerta. Ilustración de cubierta de Wifredo Lam (México, D.F.: Universidad Autónoma de México [UNAM]).

Primera mención por *Elogio de la danza,* en el Concurso de Poesía del Taller Coreográfico de Gloria Contreras auspiciado por la UNAM, 1980.

Premio de Ensayo Enrique José Varona por su libro *Nación y mestizaje en Nicolás Guillén,* 1980.

1982: Se publicó *Elogio de la danza* (poemario) (México: UNAM, Colección Cuadernos de Poesía).

Se publicó *Octubre imprescindible* (poemario) (La Habana: Unión).

Tradujo versiones de las piezas teatrales *La duodécima noche,* de William Shakespeare, y *El burgués gentilhombre,* de Molière, para puestas en escena del cubano Vicente Revuelta y la uruguaya Sara Larocca, respectivamente, en el Festival Internacional de Teatro de La Habana.

Se publicó *Nación y mestizaje en Nicolás Guillén* (La Habana: Ediciones Unión). Premio Nacional de Ensayo Enrique José Varona de la UNEAC.

1983: Premio "Mirta Aguirre" por el libro *Nación y mestizaje en Nicolás Guillén.*

Primera visita a los Estados Unidos. Ofreció un recital en el Poetry Room de la Universidad de Harvard, el primero de los numerosos recitales que ofreciera habitualmente en el mundo académico de los Estados Unidos hasta el 2003.

1984: Se publicó *Grenada Notebook/Cuaderno de Granada* (poemario). Traducción de Lisa Davis (Nueva York: Círculo de Cultura Cubana). La edición Príncipe fue publicada por la Casa de las Américas.

Ofreció un recital de poesía en el St. Catherine's College de la Universidad de Oxford (Inglaterra).

1985: Se publicó *Where the Island Sleeps Like a Wing* (Primera antología bilingüe). Traducción de Kathleen Weaver (San Francisco: The Black Scholar Press). Antología seleccionada entre los diez mejores libros de poesía del año por el diario *The San Francisco Chronicle,* de California.

Se publicó *Poems* (antología). Selección de Sandra, Levinson (Nueva York: Center for Cuban Studies) (libro y audio-cassette).

1986: Se publicó *Piedra pulida* (poemario) (La Habana: Editorial Letras Cubanas). Premio de la Crítica.

Es nombrada Directora del Centro de Estudios del Caribe de la Casa de las Américas, donde trabajará hasta 1993.

1987: El 18 de noviembre falleció su padre, Felipe Morejón Noyola.

1988: Se publicó *Fundación de la imagen: Ensayo* (La Habana: Editorial Letras Cubanas).

Participó en el Festival Mundial de Poetas Latinos en la Ciudad de México, D.F.

1989: Se publicó *Dos poemas de Nancy Morejón,* plaquette con dibujos y diseño de Rolando Estévez (Matanzas, Cuba: Ediciones Vigía).

Invitada de Honor al 54 Congreso Internacional del Pen Club Internacional de Toronto y Montreal.

1990: Se publicó *Ours the Earth* (antología). Traducción de Joseph Pereira (Mona: Instituto del Caribe de la University of the West Indies).

1991: Tradujo *Remolino de palabras libres,* de Ernest Pepin (La Habana: Casa de las Américas).

Se publicó *Baladas para un sueño* (poemario) (La Habana: Ediciones Unión, Colección Ciclos).

Participó con la compositora Marta Valdés en el Festival Internacional de Poesía de *Trois Rivières* (Québec, Canadá) y en el coloquio "Dos poesías: una lengua", durante los Cursos de Verano de la Universidad Complutense de Madrid (España).

1992: Invitada al Congreso Nacional de Escritores Sudafricanos (COSAW), visitó la República Sudafricana donde ofreció recitales y talleres literarios. Invitada de honor a la III Conferencia de Escritores del Caribe, celebrada en Curazao; así como a la V Edición de CARIFESTA en Trinidad y Tobago.

Primera mención por *Paisaje célebre* en el Premio Internacional de Poesía Antonio Pérez Bonalde de Venezuela.

1993: Se publicó *Paisaje célebre* (Caracas: Editorial Fundarte). Primera mención en el Premio Internacional de Poesía "Antonio Pérez Bonalde" de Venezuela.

Es nombrada Directora de la Editorial PM de la Fundación Pablo Milanés hasta 1995.

Se publicó *Poemas de amor y de muerte* (antología) (Toulouse: Revista *Caravelle*).

1994: Se publicó *Le Chaînon Poétique* (antología bilingüe). Traducción del francés de Sandra Monet-Descombey. Ilustración de cubierta del pintor dominicano José Castillo. Prefacio de Delia Blanco y Pilar Paliès (Paros: Champigny-sur-Marne, Edition L.C.J.).

1995: Designada asesora de la Dirección del Teatro Nacional de Cuba que dirigió Nisia Agüero hasta el 2000.

28-29 de abril: Simposio Internacional en Honor a la obra de Nancy Morejón, organizado por Juanamaría Cordones-Cook, Universidad de Missouri, Columbia.

1996: Se publicó *El río de Martín Pérez y otros poemas* (antología). Plaquette con dibujos y diseño de Rolando Estévez (Matanzas, Cuba: Ediciones Vigía).

Se publicó *Botella al mar* (antología). Selección y prólogo de Adolfo Ayuso (Zaragoza: Editorial Olifante).

Se publicó su traducción de *Arco iris, la esperanza,* de Nicole Cage Florentiny (La Habana: Casa de las Américas, Colección Premio).

Se publicó Número Especial de *Afro-Hispanic Review* (Spring 1996), dedicado a la obra de Nancy Morejón (ponencias e intervenciones del Simposio Internacional en Honor a la obra de Nancy Morejón en la Universidad de Missouri, en abril de 1995).

1997: Se publicó *Elogio y paisaje* (La Habana: Ediciones Unión, Colección La Rueda Dentada). Premio de la Crítica.

El 15 de febrero murió su madre, Angélica Hernández Domínguez.

1998: Se publicó *Divertimento y otros poemas* (antología) (Madrid-La Habana: Sureditors, Colección Milhojas).

Se publicó su traducción de *Fastos y otros poemas,* de Édouard Glissant. Plaquette con dibujos y diseño de Rolando Estévez (Matanzas, Cuba: Ediciones Vigía).

1999: Ingresó como Miembro de Número en la Academia Cubana de la Lengua.

Se publicó *Richard trajo su flauta y otros poemas* (antología). Selección y prólogo de Mario Benedetti (Editorial Visor: Madrid, España).

Se publicó *Singular Like a Bird,* una recopilación de estudios críticos sobre su obra que realizara Miriam De Costa-Willis (Washington, DC: Howard University Press).

Conversación de Nancy Morejón con Juanamaría Cordones-Cook (Universidad de Missouri, Columbia) (Video presentado en el Festival Internacional del Nuevo Cine Latinoamericano, en diciembre, en La Habana).

2000: Se publicó *La Quinta de los Molinos* (poesía) (La Habana: Editorial Letras Cubanas). Ilustraciones de Reynaldo González. Premio de la Crítica.

Es nombrada Directora del Centro de Estudios del Caribe de la Casa de las Américas hasta el 2006.

2001: Recibe el Premio Nacional de Literatura.

Se publicó *Rumreiche Landschaft.* Versión alemana de *Paisaje célebre.* Traducción de Ineke Phaf-Reinberger (Berlin: Colega Verlag).

Se publicó *Black Woman and Other Poems* (antología bilingüe). Traducción e introducción de Jean Andrews (Londres: Editorial Mango).

2002: Se publicó *Cántico de la huella* (poema). Plaquette con dibujos y diseño de Rolando Estévez (Matanzas, Cuba: Ediciones Vigía, Colección Inicios).

Se publicó *Cuerda veloz* (Antología de poemas 1962-1992). Prólogo y selección de la autora (La Habana: Editorial Letras Cubanas, Colección Premio Nacional de Literatura).

Se publicó la segunda edición de *La Quinta de los Molinos*. Ilustración de cubierta: óleo de Amelia Peláez de título homónimo. Ilustraciones interiores de Reynaldo González (La Habana: Editorial Letras Cubanas).

Se publicó la segunda edición de *Lengua de pájaro,* en colaboración con Carmen Gonce (monografía etnohistórica sobre Nicaro) (Santiago de Cuba: Edición Oriente).

Se publicó su traducción de *Fastos y otros poemas,* de Édouard Glissant (La Habana: Casa de las Américas, Colección Pasamanos).

Primera exposición de dibujos (54 obras), *Pasatiempos,* que presentara Pablo Armando Fernández en la Galería René Portocarrero, del Teatro Nacional de Cuba. Curadora: Orquídea García. Palabras al catálogo de Aitana Alberti. Dicha exposición se trasladó también al vestíbulo de la Sala Avellaneda del TNC en donde se mantuvo los meses de junio y julio.

2003: Se publicó *Looking within / Mirar Adentro: Selected Poems. Poemas escogidos. 1954-2000* (antología bilingüe) (Detroit: Wayne State University Press, African American Life Series). Edición, introducción y notas de Juanamaría Cordones-Cook. Traducción de Gabriel Abudu, David Frye, Nancy Abraham Hall, Mirta Quintanales, Heather Rosario Sievert y Kathleen Weaver (Bestseller de Wayne State University Press). Esta antología fue presentada en el marco de un coloquio en la Conferencia Internacional de LASA, el 27 de marzo (Dallas, Texas).

Se publicó *Där ön sover som en vinge*. Traducción al sueco de Lasse Sóderberg (Malmo, Suecia: Aura Latina).

2004: Se publicó *Ana Mendieta* (poema, versión bilingüe), plaquette con dibujos y diseño de Rolando Estévez (Matanzas, Cuba: Ediciones Vigía, Colección del Estero).

Se publicó *With Eyes and Soul: Images of Cuba* (antología bilingüe). Fotografías de Milton Rogovin. Traducción de Pamela Carmell y David Frye (Buffalo: White Pine Press).

Se publicó *Poética de los altares* (ensayos) (La Habana: Editorial Letras Cubanas, Colección Mínima).

Se publicó *El dulce abismo* (cartas, dibujos, apuntes de los familiares de los Cinco Héroes cubanos prisioneros en los Estados Unidos). Presentación de Alice Walker. Prólogo de Nancy Morejón (La Habana: Editorial José Martí).

Segunda exposición de dibujos (35 obras), *Pensamientos en La Habana,* que presentara el poeta Sigfredo Ariel en la Galería "Raúl Martínez", en el Palacio del Segundo Cabo, sede del Instituto Cubano del Libro, frente a la Plaza de Armas de La Habana Vieja (noviembre).

Por el conjunto de su obra recibió el Premio "Yari-Yari", de la Universidad de Nueva York (NYU).

2005: Se publicó *Carbones silvestres* (poemario). Ilustración de cubierta de Eduardo Roca (*Choco*) (La Habana: Editorial Letras Cubanas).

Se publicó *Ensayos.* Selección y prólogo de Trinidad Pérez Valdés (La Habana: Editorial Letras Cubanas).

Se publicó *Estos otros argumentos (Antología de poemas 1967-2005).* Introducción y selección de Teresa Melo. Prólogo de Marino Wilson Jay. Ilustraciones de Jorge Knight Vera (Santiago de Cuba: Edición Oriente).

Cuerda veloz (Antología de poemas 1962-1992). Segunda edición. Prólogo y selección de la autora (La Habana: Editorial Letras Cubanas, Colección Premio Nacional de Literatura, 2005).

Nancy Morejón: "The Cuban Five: A Remarkable Family Story" in *Letters of Love and Hope; the Story of the Cuban Five* (Melbourne-New York, ed. Ocean Press, 2005).

Se publicó *Entre leopardos* (antología). Prólogo de Carilda Oliver Labra. Dibujos de la autora (Matanzas: Manglar y Uvero, Colección Homenaje).

Nación y mestizaje en Nicolás Guillén. Segunda edición. La Habana: Ediciones Unión, Colección Contemporáneos, 2005.

Se publicó *España en Nicolás Guillén*. Discurso de ingreso a la Academia Cubana de la Lengua. Dibujo de la cubierta de la autora (La Habana: Ediciones Unión, Colección Vagabundo del Alba).

Se publicó Número Especial dedicado a Nancy Morejón de *Callaloo: A Journal of African Diaspora Arts and Letters* (Volumen 28, Número 4). Edición a cargo de Juanamaría Cordones-Cook.

Participó en un congreso de LART (Latin Artists Round Table de la ciudad de Nueva York) que auspiciara la Universidad de Santo Domingo (República Dominicana).

Conferencia magistral en el Congreso Internacional de "Letras Femeninas", en octubre, en Tegucigalpa (Honduras).

9 de agosto: recibió la Orden Majadahonda de la Unión de Escritores y Artistas de Cuba por la proyección internacional de su obra.

2006: La XV Feria Internacional del Libro de Cuba fue dedicada a Nancy Morejón y Ángel Augier en el transcurso de la cual, a lo largo de la Isla, recibió innumerables premios y distinciones.

Se publicó *Pierrot y la luna* (Poema dramático). Estudio preliminar de Juanamaría Cordones-Cook. Diseño, dibujos y caligrafía de Rolando Estévez (Matanzas, Cuba: Ediciones Vigía).

Se publicó *Antología poética (1962-2000)*. Selección y prólogo de G. F. León (Caracas: Monteávila).

Antología poética, San José de Costa Rica, ed. Lunes Literarios-Asociación Casa de Poesía, col. San José 2006, Capital Iberoamericana de la Cultura.

8 de febrero: "Coloquio en honor de Nancy Morejón", organizado por la UNEAC, en La Habana, con la participación de Miguel Barnet, Juanamaría Cordones-Cook, Pablo Armando Fernández, Teresa Melo e Ineke Phaf-Rheinberger.

Se publicó *Dos estudios sobre Nicolás Guillén* (Camagüey: Ácana, Colección Suma y Reflejo).

Se publicó *Pluma al viento: Prosa periodística* (Santiago de Cuba: Edición Oriente).

13 de febrero: Coloquio "La palabra como manto". Homenaje a Nancy Morejón organizado por Ediciones Vigía que tuviera lugar en la sede de la Asociación Cubana de Artesanos Artistas, Matanzas. Participantes: Carilda Oliver Labra, Georgina Herrera, Juanamaría Cordones-Cook y Sigfredo Ariel.

13 de febrero: Cuarta exposición de dibujos en Matanzas en ocasión de la inauguración de la XV Feria Internacional del Libro en Matanzas.

21 de marzo: Día Mundial de la Poesía, fue anunciado, en la sede de la UNESCO, en París, el Premio de Poesía Corona de Oro que le sería otorgado, durante el mes de agosto, en la XLV edición del Festival Internacional de Poesía de Struga, Macedonia.

Agosto: Premio de Poesía Corona de Oro, en el XLV Festival Internacional de Poesía de Struga,* de Macedonia, proclamado el 21 de marzo del 2006, en la sede de la UNESCO, en París, por el Día Mundial de la Poesía. El premio fue recibido el domingo 27 de agosto del 2006, sobre el puente que cruza el río Drim, a las 8:30 p.m. durante la 45 edición del Festival *Noches de Poesía* de Struga, Macedonia.

Se publicó *Poemas selectos. Antología trilingüe.* "Palabras para aceptar la Corona de Oro", de Nancy Morejón. Introducción de Mairym Cruz-Bernal. Traducción al macedonio de Ognena Nikuljska (español) y Zoran Ančevski (inglés). Struga, ed. Golden Wreath of Struga Poetry Evenings, 2006. Foto de Liborio Noval.

Durante el mes de septiembre fue invitada por diversas instituciones culturales para ofrecer recitales en varias ciudades de Bulgaria. Visitó la Unión de Escritores de Atenas, Grecia.

28 de septiembre: Muestra de dibujos de los Pierrot de Morejón como tributo a García Lorca a los setenta años de su ejecución, en la Galería Espacio Abierto de la revista *Revolución y Cultura,* en La Habana.

---

* También han recibido este galardón, entre otros, W. A. Auden, Eugenio Montale, Léopold Sédar Senghor, Eugene Guillevic, Arthur Lundkvist, Andrej Voznesenski, Joseph Brodsky, Ted Hughes, Yves Bonnefoy, Edoardo Sanguinetti, Thomas Transtroemer, Vasco Grassa Moura, William S. Merwin, Yannis Ritzos, Hans Magnus Enzensberger, Allen Gingsberg, además de Pablo Neruda, Rafael Alberti y Justo Jorge Padrón, en lengua española.

En noviembre participó en Caracas, en la II Feria Internacional del Libro de Venezuela. En ese marco se produjo el lanzamiento de la *Antología poética* que fuera publicada recientemente por la editorial Monteávila.

Pasó a integrar el Jurado Permanente del Premio Carbet presidido por Édouard Glissant que tuviera lugar en la ciudad de Pointe-à-Pitre, capital de la Guadalupe, Antillas francesas.

2007: En abril recibió el Premio de Poesía Rafael Alberti auspiciado por Andalucía, en el XII Festival Internacional de Poesía de La Habana.* Este importante premio fue otorgado en el marco del XII Festival Internacional de Poesía de La Habana que presidiera Rogelio Martínez Furé, el martes 29 de mayo del 2007, a las seis de la tarde, en la velada inaugural del evento efectuada en la Basílica Menor del Convento de San Francisco de Asís en La Habana Vieja. El jurado, presidido por el poeta Pablo Armando Fernández, Premio Nacional de Literatura, estuvo integrado además por Aitana Alberti y por Manuel José Vallejo, quien preside la Sociedad de Beneficencia de los Naturales de Andalucía y sus descendientes. Leída el acta, en la que el jurado expresa que este premio se otorga "por la relevancia de la totalidad de la obra" de Nancy Morejón, el presidente del Jurado le hizo entrega a la premiada de una hermosa serigrafía de Rafael Alberti que data de 1973.

---

* Han sido galardonados hasta ahora: Cintio Vitier, Fina García Marruz, Roberto Fernández Retamar, Ángel Augier, César Lopez, Frank Fernández, Alfredo Guevara, Luis Carbonell y Pablo Armando Fernández.

2008: En abril fue elegida Presidenta de la Asociación de Escritores de la UNEAC.

En mayo recibió el premio internacional Escritora Galega Universal entregado por la Asociación de Escritores en *Lingua Galega* (AELG) por el conjunto de su obra en la *Cea das letras galegas,* en Santiago de Compostela, España.* Se publicará una antología de sus poemas traducida al gallego en Galicia.

En el mes de octubre, la Universidad de Salamanca publicó *El huerto magnífico de todos.* Antología en homenaje a Nancy Morejón, con motivo del XX aniversario de la declaración de Salamanca como Patrimonio de la Humanidad por la UNESCO. Ilustraciones de Miguel Elías Sánchez. Selección, prólogo y notas de Alfredo Pérez Alencart, Salamanca, ed. Universidad de Salamanca, XI Encuentro de Poetas Iberoamericanos, 2008.** La edición incluye textos introductorios sobre Nancy Morejón de Julián Lanzarote Sastre, alcalde de Salamanca; de Isabel Bernardo Fernándea, concejal

* Estuvo presente el gran escritor gallego Manuel Rivas. Los escritores anteriormente premiados en el 2005 y el 2006, fueron el poeta palestino Mahmud Darwich y el narrador angoleño Artur Carlos Maurício Pestana dos Santos (*Pepetela*). En el 2009 fue galardonada, asimismo, la escritora mexicana Elena Poniatowska. En el 2010 lo fue el argentino Juan Gelman.

** La antología incluye también poemas de los poetas participantes en el encuentro, a saber, Vasco Graça Moura (Portugal), Juan Cameron (Chile), Vicente Valero, Xavier Oquendo Troncoso (Ecuador), Sonia Luz Carrillo (Perú), Miguel Aguilar Carrillo (México), María Do Cebreiro Rábade Villar, Luis Felipe Comendador, Juan Antonio Bernier, Mario Pérez Antolín, María Antonia Ricas, Isla Correyero, Ángel Luis Luján Atienza, todos de España.

delegada de Cultura del Ayuntamiento, y María José Salgueiro Cortiñas, Presidenta de la Fundación Camino de la Lengua Castellana.

Salamanca la condecoró con la condición de Visitante Ilustre en el marco del XI Encuentro de Poetas Iberoamericanos que le rindiera homenaje a la poeta.

2009: Recibió el Doctorado *Honoris Causa* de manos de Françoise Moulin-Civil, Rectora de la Universidad de Cergy-Pontoise, de París, Francia. También fueron distinguidos en la ceremonia las siguientes personalidades: Michael Aizenman (Estados Unidos), físico y matemático, profesor de la Universidad de Princeton; Eros Roberto Grau (Brasil), juez del Tribunal Supremo de su país y profesor de la Universidad de São Paulo, así como el poeta y traductor libanés Salah Stétié.

Se publicó el pergamino *Cascadas,* de Édouard Glissant, con traducción de Nancy Morejón, y diseño, dibujos y caligrafía de Rolando Estévez (Matanzas: Ediciones Vigía).

En junio, la UNESCO le hizo entrega de la *Medalla Víctor Hugo* (1802-1885).

Se publicó *Soltando amarras y memorias: mundo y poesía de Nancy Morejón,* estudio monográfico de Juanamaría Cordones-Cook (Santiago de Chile: Cuarto Propio, Colección Ensayo y Literatura).

2010: *Peñalver 51.* Dibujos de la autora (Zamora: España, ed. Fundación Sinsonte. Diciembre del 2009).

Persona (Antología poética Premio Rafael Alberti 2007). Selección y prólogo de G. F. León (ed.). Festival de Poesía de La Habana, col. Sureditores.

Carbones silvestres. / Wilde Kohlen. Traducción al alemán de Ineke Phaf-Rheinberger. Edición bilingüe. Selección y estudio crítico (epílogo) de Ineke Phaf-Rheinberger. Grabado de la cubierta de Nancy Morejón (Berlin: ed. Wissenschaftlicher Verlag Berlin VWB).

Peñalver 51. Ilustraciones de Nancy Morejón (La Habana: Editorial Letras Cubanas, 2010).

Tra La Lá. Muestra de quince dibujos en el Museo de Arte de Matanzas en el marco de la celebración de los veinticinco años de Ediciones Vigía. Se inauguró el 30 de abril del 2010.

2011: Se publicó el Número Especial de *Revista Iberoamericana, Nancy Morejón: El eco de las palabras* (Volumen LXXVII, Número 235, abril-junio). Edición a cargo de Juanamaría Cordones-Cook con Keith Ellis.

2012: Se publicó *La Habana Expuesta: Antología poética / Havana on Display: Poetic Anthology.* Selección, coordinación y prólogo de Juanamaría Cordones-Cook. Diseño, dibujos y caligrafía de Rolando Estévez. Traducción al inglés de David Frye (Matanzas, Cuba: Ediciones Vigía, Col. del San Juan, febrero).

En febrero, la Cátedra de Estudios del Caribe de la Universidad de La Habana le hizo entrega de la distinción *Este Caribe nuestro* por el conjunto de su obra.

En mayo recibió en la ciudad de San Francisco el Premio LASA por la obra de toda una vida.

Se publicó su traducción de *Fastos,* de Édouard Glissant, segunda edición (Matanzas, ed. Matanzas, col. Manglar y Uvero, febrero). Edición especial con motivo del primer aniversario de la desaparición física de Édouard Glissant.

En mayo es elegida por unanimidad de la Junta Directiva, Directora de la Academia Cubana de la Lengua.

En noviembre, en la Universidad de Missouri, en el contexto de la conferencia internacional *Cultural Bricolage* se realiza la premiere de *La Habana expuesta, un diseño de Estévez / Havana on Display, a Design by Estévez* (21 minutos), documental producido y dirigido por Juanamaría Cordones-Cook, sobre la antología poética de Nancy Morejón del mismo nombre, editada por Juanamaría Cordones-Cook.

En noviembre, en el contexto de la conferencia internacional *Cultural Bricolage* en la Universidad de Missouri, se realiza la premiere de *Un libro único de Estévez / A One-of-a-Kind Book by Estevéz* (14 minutos), documental producido y dirigido por Juanamaría Cordones-Cook, sobre la concepción y creación de un libro único del poema "Amo a mi amo", de Nancy Morejón, por Rolando Estévez Jordán.

2013: En febrero se realiza en la Feria Internacional del Libro en La Habana la premiere de *Nancy Morejón: Paisajes célebres / Nancy Morejón: Famous Landscapes* (54 minutos), documental producido y dirigido por Juanamaría Cordones-Cook sobre la obra y el mundo de la poeta.

En febrero de 2013 recibió las insignias de Oficial de la Orden Nacional de las Artes y las Letras de la República Francesa.

BIBLIOGRAFÍA

ABUDU, GABRIEL A.: "An Interview". *Singular Like a Bird: The Art of Nancy Morejón,* Myriam DeCosta-Willis, editora. Washington, DC: Howard University Press, 1999. 37-42.

ÀJÁYÍ, OMÓFOLÁBÒ S.: *Yoruba Dance: The Semiotics of Movement and Body Attitude in a Nigerian Culture.* Trenton: Africa World Press, 1998.

ALCANTUD RAMÓN, MARÍA DOLORES: "Nancy Morejón: poeta vital, mujer comprometida con la realidad", *Biblioteca Autores Contemporáneos,* 14 de mayo del 2000.

<http://www.cervantesvirtual.com/bib_autor/Nancy/entrevistas.shtml>

Alegría, Fernando: "Blurb on Nancy Morejón's work", in Nancy Morejón: *Where the Island Sleeps Like a Wing* (Antología bilingüe). Traducción, selección e introducción de Kathleen Weaver. Prólogo de Miguel Barnet. San Francisco (California): ed. The Black Scholar Press, 1985.

ALFONSO, ISABEL: "Cruzando El Puente en las encrucijadas de la historia", *La Gaceta de Cuba,* no. 4, julio-agosto del 2005, pp. 8-9.

ALLEN, PAULA GUNN: "Where I Come From Is Like This". *Recovering the Feminine in American Indian Traditions.* Boston: Beacon Press, 1986. 43-50.

ALONSO YODÚ, ODETTE: "Poetas cubanas del exilio y la diáspora: Bastiones de un mismo borrón", octubre 21 del 2005 (inédito).

ANZALDÚA, GLORIA: *Borderlands/La Frontera: The New Mestiza.* San Francisco: Spinsters/Aunta Lute, 1987.

ARANDIA COVARRUBIA, GISELA: "A Panoram of Afrocuban Culture and History: One Way to Strengthen Nationality". *AfroCubaWeb.* 8 de septiembre del 2003.

<http://www.afrocubaweb.com/arandia-art.htm>

ARANGO, ARTURO: "Josefina Suárez, la memoria de El Puente", *La Gaceta de Cuba,* no. 4, julio-agosto del 2005, pp. 7-8.

ARIAS, SALVADOR: "Literatura cubana (1959-1975)", *Casa de las Américas,* Vol. 29, No. 113, 1979, pp. 14-26.

ARROM, JOSÉ JUAN: *Certidumbre de América: Estudios de letras, folklore y cultura.* 2da. edición ampliada. Madrid: Gredos, 1971.

ARRUFAT, ANTÓN: "Preocupaciones compartidas". *Consenso desde Cuba,* 2007.

<http://www.desdecuba.com/polemica/articulos/2_01.shtml>

ASHCROFT, BILL, GARETH GRIFFITHS and HELEN TIFFIN: *The Empire Writes back. Theory and Practice in Post-Colonial Literatures.* New York: Routledge, 1989.

ASHCROFT, BILL, GARETH GRIFFITHS and HELEN TIFFIN (editores): *The Post-Colonial Reader.* New York: Routledge, 1995.

AUTOKOLETZ, JUANA CANABAL: "A Psychoanalytic View of Cross-Cultural Passages". *The American Journal of Psychoanalysis.* 53. 1 (1993): 35-54.

Baloyra, Enrique A. and James A. Morris (editores): *Conflict and Change in Cuba*. Albuquerque: University of New Mexico Press, 1993.

Barnet, Miguel: *Biografía de un cimarrón*. Barcelona: Ediciones Ariel, 1968.

_____: *La fuente viva*. La Habana: Editorial Letras Cubanas, 1983.

_____: "The Poetry of Nancy Morejón". Prólogo (en traducción de Jane McManus) a Nancy Morejón: *Where the Island Sleeps Like a Wing* (Antología bilingüe). Traducción, selección e introducción de Katheen Weaver. San Francisco (California): ed. The Black Scholar Press, 1985.

_____: *Cultos afrocubanos, la Regla de Ocha, la Regla de Palo Monte*. La Habana: Ediciones Unión, 1995.

_____: *Afro-Cuban Religions*. Christine Ayorinde, traductora. Kingston, Jamaica: Ian Randle Publishers, 2001.

_____: *Autógrafos cubanos* (fragmento). *Cuba Literaria*, 2005A.
<http://www.cubaliteraria.cu/autor/miguel_barnet/seleccion_de_textos.html>

_____: "La casa templo". *Miscelanea II of studies dedicated to Fernando Ortiz*. 2005B.
<http://digilib.nypl.org/dynaweb/ortiz/ortizfin/@Generic__BookTextView/695>

Barquet, Jesús J.: "Nueve criterios para armar y una conclusión", en Jesús J. Barquet y Norberto Codina (editores): *Poesía cubana del siglo XX*. Selección, notas y prólogo de Jesús J. Barquet. México: Fondo de Cultura Económica, 2002A, pp. 7-39.

BARQUET, JESÚS J.: *Teatro y Revolución Cubana-Subversión y utopía en* Los siete contra Tebas *de Antón Arrufat / Theater and the Cuban Revolution-Subversion and Utopia in* Seven against Thebes *by Antón Arrufat*. Lewinston: The Edwin Mellen Press, 2002B.

BARQUET, JESÚS J. y NORBERTO CODINA (editores): *Poesía cubana del siglo XX*. Selección, notas y prólogo de Jesús J. Barquet. México: Fondo de Cultura Económica, 2002.

BARRADAS, EFRAÍN: "Nancy Morejón o un nuevo canto para una vieja culebra". *Afro-Hispanic Review*. 15, 1. (Spring 1996): 22-28.

BASSIN, DONNA, MARGARET HONEY and MARYLE MAHRER KAPLAN (editoras): *Representation of Motherhood*. New Haven: Yale University Press, 1994.

BEAUJOUR, MICHEL: *Poetics of the Literary Self-Portrait*. Yara Milos, traductora. New York: New York University Press, 1991.

BEHAR, RUTH (editora): *Bridges to Cuba / Puentes a Cuba*. Ann Arbor: University of Michigan Press, 1995A.

BEHAR, RUTH and LUCÍA SUÁREZ: "Two Conversations with Nancy Morejón". *Bridges to Cuba / Puentes a Cuba*. Behar, Ruth, editora. Ann Arbor: University of Michigan Press, 1995B. 129-139.

BEJEL, EMILIO: *Escribir en Cuba: Entrevistas con escritores cubanos: 1979-1989*. Río Piedras: Editorial de la Universidad de Puerto Rico, 1991.

BENÍTEZ ROJO, ANTONIO: *La isla que se repite: El Caribe y la perspectiva posmoderna*. Hanover, NH: Ediciones del Norte, 1989.

BHABHA, HOMI K.: "Signs Taken for Wonders: Questions of Ambivalence and Authority under a Tree Outside New Delhi, May 1817". *"Race", Writing, and Difference*. Henry Louis Gates, Jr., editor. Chicago: University of Chicago Press, 1985. 163-184.

_____: *The Location of Culture*. New York: Routledge, 1994.

_____: "Cultural Diversity and Cultural Differences". *The Post-Colonial Reader*. Bill Ashcroft, Gareth Griffiths and Helen Tiffin, editores. New York: Routledge, 1995.

BHABHA, HOMI K. and JONATHAN RUTHERFORD: "The Third Space: Interview with Homi Bhabha". *Identity: Community, Culture, Difference*. Jonathan Rutherford, editor. London: Lawrence & Wishart, 1998. 207-221.

BIANCHI ROSS, CIRO: *Las palabras del otro*. La Habana: Ediciones Unión, 1982.

BISHOP, CLIFFORD: "El alma de lo afro cubano". *New York Times*, 28 de febrero de 1996.
<http://www.folkcuba.cult.cu/criticas.htm>

BLOCKER, JANE: *Where Is Ana Mendieta? Identity, Performativity, and Exile*. Durham: Duke University Press, 1999.

BRAIDOTTI, ROSI: *Nomadic Subjects: Embodiment and Sexual Difference in Contemporary Feminist Theory*. New York: Columbia University Press, 1994.

BRANCHE, JEROME C.: *Colonialism and Race in Luso-Hispanic Literature*. Columbia: University of Missouri Press, 2006.

BRANCHE, JEROME C. (editor): *Lo que teníamos que tener: Raza y Revolución en Nicolás Guillén*. Pittsburgh: Instituto Internacional de Literatura Iberoamericana, 2003.

BRANDON, GEORGE: *Santería from Africa to the New World: The Dead Sell Memories.* Bloomington: Indiana University Press, 1993.

BRATHWAITE, EDWARD KAMAU: "Nation Language". *The Post-Colonial Reader.* Bill Ashcroft, Gareth Griffiths and Helen Tiffin, editores. New York: Routledge, 1995. 309-313.

BROCK, LISA and OTIS CUNNINGHAM: "Race and Cuban Revolution: A Critique of Carlos Moore's *Castro, the Blacks, and Africa*". *AfroCubaWeb.* Noviembre, 2008.

<http://www.afrocubaweb.com/brock2.htm>

BRUGAL, YANA ELSA y BEATRIZ RIZK (editoras): *Rito y representación: Los sistemas mágico-religiosos en la cultura cubana contemporánea.* Madrid: Iberoamericana, 2003.

CABRERA, LYDIA: *Yemayá y Ochún: Kariocha, Iyalorichas y Olorichas.* Madrid: Forma Gráfica, 1974.

_____: *El monte (Igbo-Finda, Ewe Orisha, Vititi Nfinda).* Miami: Colección de Chicherekú, 1986.

_____: "Camilo Cienfuegos". Noviembre del 2006. <http://www.tribuna.islagrande.cu/organizaciones/camilo.htm>

CAMPBELL, JOSEPH: *The Hero with a Thousand Faces.* Princeton: Princeton University Press, 1949.

CANIZARES, RAÚL: *Walking with the Night: The Afro-Cuban World of Santería.* Rochester, VT: Destiny Books, 1993.

CASAL, LOURDES (editora): *El caso Padilla: Literatura y Revolución en Cuba. Documentos.* Introducción, selección, notas, guía y bibliografía de L. Casal. Miami: Ediciones Universal, 1971A.

_____: "Literature and Society". *Revolutionary Change in Cuba.* Carmelo Mesa-Lago, editor. Pittsburgh: University of Pittsburgh Press, 1971B. 447-469.

CASTELLANOS, ISABEL: "A River of many Turns: The Polisemy of Ochún in Afro-Cuban Tradition". *Osun accross the Waters: A Yoruba Goddess in Africa and the Americas.* Joseph M. Murphy and Mei-Mei Sandord, editores. Bloomington: Indiana University Press, 1998. 34-45.

CASTELLANOS, JORGE e ISABEL CASTELLANOS: *Cultura Afrocubana,* tomo 3, *Las religiones y las lenguas.* Miami: Ediciones Universal, 1992.

CASTRO RUZ, FIDEL: "Palabras a los Intelectuales", en *Política cultural de la Revolución Cubana: Documentos.* La Habana: Editorial de Ciencias Sociales, 1977.

_____: Discurso: "El futuro desarrollo de nuestra educación tendrá una enorme connotación política, social y humana", *Digital Granma Internacional.* 7 de febrero del 2003.

<http://www.granma.cu/documento/espanol03/003.html>

CAVAFY, C. P.: *Collected Poems.* George Savidis, editor. Edmund Keeley and Philip Sherrad, traductores. Princeton, N.J.: Princeton University Press, 1975.

CEPERO, IRIS: "Los mundos poéticos de Nancy Morejón", *La Jiribilla,* febrero del 2002.

<http://www.lajiribilla.cu/2002/n40_febrero/1085_40.html>

CÉSAIRE, AIMÉ: *Discourse on Colonialism.* New York: Monthly Review Press, 1972.

CHÁVEZ, ARMANDO: *"Canto y piel*: Entrevista con Nancy Morejón", *Arenas Blancas. Revista Literaria.* No. 4 (Fall 2005): 13-23.

CHEVALIER, JEAN et ALAIN GHEERBRANT: *Dictionnaire des symboles: Mythes, rêves, Coutumes, gestes, formes, figures, couleurs, nombres.* Paris: Robert Laffon / Jupiter, 1989.

CHOMSKY, AVIVA, BARRY CARR and PAMELA MARIA SMORKALOFF (editores): *The Cuba Reader: History, Culture, Politics.* Durham: Duke University Press, 2003.

CHRISTIAN, BARBARA: *Black Women Novelists: The Development of a Tradition, 1892-1976.* Westport, Connecticut: Greenwood Press, 1980.

_____: *Black Feminist Criticism: Perspectives on Black Women Writers.* New York: Pergamon, 1985.

_____: "The Race for Theory". *The Post-Colonial Studies Reader.* Bill Ashcroft, Gareth Griffiths and Helen Tiffin, editores. New York: Routledge, 1995. 457-460.

CIRLOT, J. E.: *A Dictionary of Symbols.* 2nd edition. New York: Routledge, 1972.

CLARK, STEPHEN: "Literatura y política en la Cuba revolucionaria: Conversación con Eduardo Heras León", *Letralia: Tierra de Letras: La revista de escritores hispanoamericanos en Internet.* Año V, no. 91, 3 de julio del 2000.

<http://developmentresearcher.civiblog.org/blog/_archives/2006/4/11/1879115.html>

COLLINS, PATRICIA HILL: *Black Feminist Thought: Knowledge, Consciousness, and the Politics of Empowerment.* New York: Routledge, 1990.

_____: "Shifting the Center: Race, Class, and Feminist Theorizing about Motherhood". *Representation of Motherhood*. Donna Bassin, Margaret Honey and Maryle Mahrer Kaplan, editoras. New Haven: Yale University Press, 1994. 56-74.

CORBETT, BEN: *This is Cuba: An Outlaw Culture Survives.* Cambridge, MA: Westview Press, 2002.

CORDONES-COOK, JUANAMARÍA: "Voz y poesía de Nancy Morejón". *Afro-Hispanic Review* 15 (Spring 1996): 60-71.

_____: *Conversación de Nancy Morejón con Juanamaría Cordones-Cook*. Video. Columbia: University of Missouri, 1999A.

_____: "Hibridez cultural/africanía religiosa en el Uruguay", *Revista Iberoamericana,* no. 188-189 (1999B): 649-670.

_____: "Selección antológica de poemas de Nancy Morejón", *El hilo de Ariadna,* 2002.

<http://www.elhilodeariadna.com.>

_____: "El mimetismo del colonizado... *La tragedia del rey Christophe*", *Anales del Caribe,* Número especial dedicado al bicentenario de Haití, 2004A.

_____: "Umbrales de exilio en la obra de Nancy Morejón", *La Revista del Vigía.* "Estación de las Lluvias y la Seca" Sección "Venablos de la Luz" 27 (2004B): 139-149.

_____: "Genealogía matrilineal en la obra de Nancy Morejón", *Revista de Estudios Hispánicos.* 38 (2004C): 509-532.

_____: "Una sublimación del exilio". Prólogo de *Pierrot y la luna,* de Nancy Morejón. Matanzas, Cuba: Ediciones Vigía, 2005.

CORDONES-COOK, JUANAMARÍA: "Entrevista con Georgina Herrera", La Habana, febrero del 2006A (inédita).

_____: "Entrevista con Gerardo Fulleda León", La Habana, febrero del 2006B (inédita).

_____: *Pedro Pérez Sarduy conversa con Juanamaría Cordones-Cook.* Columbia, Missouri, 2006C (video inédito).

_____: *Rogelio Martínez Furé conversa con Juanamaría Cordones-Cook.* La Habana, 2006D (video).

CORDONES-COOK, JUANAMARÍA (editora): *Looking within / Mirar adentro: Selected Poems / Poemas escogidos, 1954-2000.* Detroit: Wayne State University Press, 2003.

CORDONES-COOK, JUANAMARÍA (editora invitada): "Nancy Morejón: Special Section". *Callaloo.* Volume 28, Number 3. Fall 2005.

CORDONES-COOK, JUANAMARÍA y MARÍA MERCEDES JARAMILLO (editoras): *Mujeres en la Antología crítica de teatro biográfico hispanoamericano.* Buenos Aires: Editorial Nueva Generación, 2005, pp. 365-393.

CORDONES-COOK, JUANAMARÍA y KEITH ELLIS: *Nancy Morejón: El eco de las palabras.* Dossier aparecido en *Revista Iberoamericana,* de la Universidad de Pittsburgh, vol. LXXVII, Núm, 235, abril-junio del 2011.

CORTEZ, JAYNE: "Blurb on Nancy Morejón's work", in Nancy Morejón: *Where the Island Sleeps Like a Wing* (Antología bilingüe). Traducción, selección e introducción de Kathleen Weaver. Prólogo de Miguel Barnet. San Francisco (California): ed. The Black Scholar Press, 1985.

CROSS SANDOVAL, MERCEDES: *La religión afro-cubana.* Madrid: Playor, 1975.

CUADRA, ÁNGEL: "El tema de lo cubano en el escritor exiliado", *Plural. Revista Cultural de Excelsior,* no. 262, julio de 1993, pp. 32-39.

DANA, RICHARD: "The Trade in Chinese Laborers". *The Cuba Reader: History, Culture, Politics.* Aviva Chomski, Barry Carr and Pamela Maria Smorkaloff (editores). Durham: Duke, University Press, 2003. 79-80.

"Dance in West Africa". August 2005.
<http://www.batadrums.com/dance/dance.htm>

DANIEL, IVONNE: *Rumba: Dance and Social Change in Contemporary Cuba.* Bloomigton: Indiana University Press, 1995.

DASH, MICHAEL: "Marvellous Realism: The Way out of Négritude". *The Post-Colonial Reader.* Ashcroft, Bill, Gareth Griffiths and Helen Tiffin, editores. New York: Routledge, 1995. 199-201.

DAVIES, CAROL BOYCE: *Black Women, Writing, and Identity: Migrations of the Subject.* New York: Routledge, 1994.

DAVIES, CAROLE BOYCE and ELAINE SAVORY FIDO (editoras): *Out of the Kumbla: Caribbean Women and Literature.* Trenton, N.J.: Africa World Press, 1990.

DAVIS, ANGELA: *Women, Race, and Class.* New York: Random House, 1981.

DE CERTEAU, MICHEL: *The Practice of Everyday Life.* Berkeley: University of California Press, 1984.

DECOSTA WILLIS, MYRIAM (editora): *Singular Like a Bird: The Art of Nancy Morejón.* Washington, D.C.: Howard University Press, 1999.

"Deidades afro-cubanas: Yemayá", *La Bijirita,* octubre del 2005.

<http://www.soycubano.com/bijirita/musica/
yemaya.asp>

DESCHAMPS, HUBERT: *Les Réligions de l'Afrique noire.* Paris:
Presses Universitaires de France, 1965.

DE LA FUENTE, ALEJANDRO: *A Nation for All: Race Inequality,
and Politics in Twentieth-Century Cuba.* Chapel Hill:
University of North Carolina Press, 2001.

DÍAZ, JESÚS: "Homenaje", *Areíto,* no. 9, 1984, pp. 119-122.

DICK, KAY: *Pierrot.* London: Hutchinson & Co., 1960.

DIEDRICH, MARIA, HENRY LOUIS GATES, JR., and CARL PEDERSEN
(editores): *Black Imagination and the Middle Passage.*
New York: Oxford University Press, 1999.

DUHARTE, RAFAEL y ELSA SANTOS GARCÍA: *El fantasma de la
Esclavitud. Prejuicios raciales en Cuba y América Latina,* enero del 2006.
<http://www.caribenet.info/pensare_06_duharte_
racismocuba.asp?l=>

ESPINOSA, NORGE: "Para cruzar sobre las aguas turbulentas",
La Gaceta de Cuba, no. 4, julio-agosto del 2005, pp. 10-14.

FAÏK-NZUJI, CLÉMENTINE M.: *La Puissance du sacré: L'home, la
nature et l'art en Afrique noir.* Paris: La Renaissance du
Livre, 1993.

FANON, FRANTZ: *Black Skin, White Masks.* New York: Grove
Press, 1967.

FEIJÓO, SAMUEL: *Mitología cubana.* La Habana: Editorial Letras Cubanas, 1986.

FELSKI, RITA: *Literature after Feminism.* Chicago: University
of Chicago Press, 2003.

Fernández Olmos, Margarita and Lizabeth Paravisini-Gebert (editoras): *Sacred Possesssions: Vodou, Santería, Obeah, and the Caribbean*. New Brunswick, NJ:
Rutgers University Press, 2000.

Fernández Retamar, Roberto: "Treinta años de la Casa de las
Américas". *Scielo Brasil* (*Estudios Avanzados*.Estud.
av. vol. 3 no. 5 São Paulo Jan./Apr. 1989) Noviembre
20, 2008.
<http://www.scielo.br/scielo.php?script=sci_arttext
&pid=S0103-40141989000100007&lng=es&nrm=
iso&tlng=es>

Fernández Robaina, Tomás: *El negro en Cuba. 1902-1958*. La
Habana: Instituto Cubano del Libro, 1994.

_____: "La prosa de Guillén en defensa del negro cubano",
en Jerome C. Branch (editor): *Lo que teníamos que
tener: raza y revolución en Nicolás Guillén*. Pittsburgh:
Instituto Internacional de Literatura Iberoamericana,
2003, pp. 124-145.

_____: "Para mi maestro: El gran Walterio". La Habana,
9 de abril del 2005 (inédito).

Fido, Elaine Savory: "A Womanist Vision of the Caribbean:
An Interview". *Out of the Kumbla: Caribbean Women
and Literature*. Carole Boyce Davies and Elaine Savory
Fido, editoras. Trenton, NJ: Africa World Press, 1990.
265-269.

Fischer, Michael M. J.: "Ethnicity and the Post-Modern Arts
of Memory". *Writing Culture: The Poetics and Politics of
Ethnography*. James Clifford and George E. Marcus,
editores. Berkeley: University of California Press, 1986.

FORNET, AMBROSIO: "La diáspora como tema", *La Jiribilla*, 2001.

<http://www.lajiribilla.cu/2001/n15_agosto/425_15.html>

_____: "Quinquenio Gris: Revisitando el término", *La Ventana*, 30 de enero del 2007
<http://laventana.casa.cult.cu/modules.php?name=News&file=article&sid=3551>

FORNET AMBROSIO (editor): *Memorias recobradas: Introducción al discurso literario de la diáspora*. Santa Clara, Cuba: Ediciones Capiro, 2000.

FORTES, M. and G. DIETERLEN: *African Systems of Thought: Studies Presented and Discussed at the International African Seminar in Salisbury, December, 1960*. New York: International African Institute by the Oxford University Press, 1965.

FOUCAULT, MICHEL: *Power / Knowledge: Selected Interviews and Other Writings, 1972-1977*. New York: Panteón, 1982.

FULLEDA LEÓN, GERARDO: "Aquella luz de La Habana", *La Gaceta de Cuba*, no. 4, julio-agosto del 2005, pp. 4-6.

_____: "Mensaje de Gerardo Fulleda León", *Consenso desde Cuba*, 2007.

<http://www.desdecuba.com/polemica/articulos/6_01.shtml>

_____: "Sociedad, género e identidad en la poesía de Nancy Morejón" (inédito).

GALLIMORE, RANGIRA BÉATRICE: *L'œuvre romanesque de Calixthe Beyala: Le renouveau de l'écriture féminine en Afrique francophone sub-saharienne*. Paris: L'Harmattan, 1997.

García Marruz, Fina: "Introducción a un debate sobre la poesía joven cubana", *Areíto,* Vol. 7, no. 27, 1981, pp. 14-18.

García Puñales, Miguel A.: "La ley y la trampa: Un acercamiento al racismo en Cuba", *Encuentro en la red,* 3 de agosto del 2004.

<http://arch1.cubaencuentro.com/sociedad/20040803/9bd46bed25edec60b733c5f035084cd2/1.html>

Garve, Lucas: "La otra cara del racismo", *Cubanet Independiente,* 22 de agosto del 2000.

<http://www.cubanet.org/CNews/y00/ago00/agosto00.html>

Gayol Mecías, Manuel: "Entrevista a Amir Valle", *Opinión Digital,* 19 de noviembre del 2006.

<http://baracuteycubano.blogspot.com/2006/11/entrevista-amir-valle-autor-del-libro.html>

Goldberg, David Theo: "Modernity, Race, and Morality". *Race Critical Theories.* Philomena Essed and David Theo Goldberg, editores. Malden, MA: Blackwell Publishers, 2002. 283-306.

González, Flora: "Cultural Mestizaje in the Essays and Poetry of Nancy Morejón". "Nancy Morejón: Special Section", Juanamaría Cordones-Cook, editora invitada. *Callaloo.* Volume 28, No. 4 (Fall 2005): 990-1011.

_____: *Guarding Cultural Memory: Afro-Cuban Women in Literature and the Arts.* Charlottesville: University of Virginia Press, 2006.

González, Reynaldo: "Mensajes de Reynaldo González", *Consenso desde Cuba,* 4 de febrero del 2007.

<http://www.desdecuba.com/polemica/articulos/3_01.shtml>

González, Servando: "Is Castro's Cuba a Racist Society?", *Earthlink,* 1999.

<http://home.earthlink.net/~servando/tyrant/race.htm>

González Pérez, Tomás: "La posesión (privilegio de la teatralidad)", en Yana Elsa Brugal y Beatriz Rizk (editoras): *Rito y representación: Los sistemas mágico-religiosos en la cultura cubana contemporánea.* Madrid: Iberoamericana, 2003.

González Rojas, Antonio Enrique: "...y Nancy trajo su Poesía", marzo del 2007.

<http://www.rcm.cu/noticias/ferialibro2006/entrevistas/nancy.htm>

González-Wippler, Migene: *Santería: The Religion, Faith, Rites, Magic.* St. Paul, MN: Llewellyn Publicaciones, 1999.

Gorer, Geoffrey: *Africa Dances: A Book about West African Negroes.* New York: W.W. Norton & Company, 1962.

Grant, María: "En Los Sitios de Nancy Morejón", *Opus Habana,* vol. IV, no. 1, 2002, pp. 16-25.

Green, Martin and John Swan: *The Triumph of Pierrot: The Commedia dell'Arte and the Modern Imagination.* New York: MacMillan Publishing Company, 1986.

Grinberg, Leon and Rebeca Grinberg: *Psychoanalytic Perspective on Migration and Exile.* New Haven: Yale University Press, 1989.

GUANCHE, JESÚS: "El legado indígena a la cultura cubana", en *Cuba: Una identidad en movimiento,* 2007.

<http://www.archivocubano.org/legado_indigena.html>

GUEVARA, ERNESTO CHE: "A Camilo", en *Escritos y discursos,* tomo I. La Habana: Editorial de Ciencias Sociales, 1977, pp. 27-29.

GUILLÉN, CLAUDIO: *Múltiples moradas: Ensayo de literatura comparada.* Barcelona: Tusquets, 1998.

GUILLÉN, NICOLÁS: *Obra poética, 1920-1972.* Tomos I-II. Compilación, prólogo y notas de Ángel Augier. La Habana: Editorial Letras Cubanas, 1974.

_____: *Summa poética.* Luis Iñigo Madrigal, editor. Madrid: Ediciones Cátedra, 1980.

HALE, THOMAS A.: *Griots and Griottes: Masters of Words and Music.* Bloomington, Indiana: Indiana University Press, 1998.

HARRIS, WILSON: "History. Fable, and Myth in the Caribbean and Guianas". *Selected Essays of Wilson Harris: the Unfinished Genesis of the Imagination. (Readings in Postcolonial Literature).* Andrew Bundy, editor. New York: Routledge, 1999. 152-166.

HENRÍQUEZ UREÑA, CAMILA: "La literatura cubana en la Revolución", en *Panorama de la literatura cubana. Conferencias.* La Habana: Centro de Estudios Cubanos, 1970.

HERRERA, GEORGINA: "Poetry, Prostitution, and Gender Esteem". *Afro-Cuban Voices: On Race and Identity in Contemporary Cuba.* Pedro Pérez Sarduy and Jean Stubbs, editores. Gainsville: University of Florida Press, 2000. 118-125.

HERRERA, GEORGINA: *El penúltimo sueño de Mariana. Mujeres en la Antología crítica de teatro biográfico hispanoamericano.* Juanamaría Cordones-Cook y María Mercedes Jaramillo, editoras. Buenos Aires: Editorial Nueva Generación, 2005, pp. 365-393.

_____: "Oshún" (poema inédito).

HIRSCH, MARIANNE: "Mothers and Daughters". *Sings.* 7-1 (Autumn 1981): 200-222.

_____: *Mother/Daughter Plot: Narrative, Psychoanalysis, Feminism.* Indianapolis: Indiana University Press, 1989.

hooks, bell: *Ain't I a Woman: Black Women and Feminism.* Boston: South End Press, 1989.

HORSFIELD, KATE, NEREYDA GARCIA-FERRAZ y BRANDA MILLER: *Ana Mendieta: Fuego de Tierra* (video), 1987. <http://www.hispanocubana.org/revistahc/paginas/revista8910/REVISTA6/articulos/laveridica.html>

IPPOLITO, EMILIA: *Caribbean Women Writers: Identity and Gender.* Rochester, NY: Camden House, 2000.

IRIGARAY, LUCE: "Body against Body: In Relation to the Mother". *Sexes and Genealogies.* New York: Columbia University Press, 1993. 7-21.

JAHN, JANHEINZ: *Muntu: African Culture and the Western World.* Marjorie Grene, traductora. Calvin C. Hernton, introducción. New York: Grove Weindfeld, 1961.

JOHNSON, PETER T.: "The Nuanced Lives of the Intelligentsia". *Conflict and Change in Cuba.* Enrique A. Baloyra and James A. Morris, editores. Albuquerque: University of New Mexico Press, 1993. 137-163.

JORDAN, JUNE: *On Call.* Boston: South End Press, 1985.

_____: "Blurb on Nancy Morejón's work", in Nancy Morejón: *Where the Island Sleeps Like a Wing* (Antología bilingüe). Traducción, selección e introducción de Kathleen Weaver. Prólogo de Miguel Barnet. San Francisco (California): ed. The Black Scholar Press, 1985.

JOSÉ MARIO: "La verídica historia de Ediciones El Puente: La Habana, 1961-1965", *Revista Hispano-Cubana,* no. 6, enero-abril del 2000, pp. 89-99.

<http://www.hispanocubana.org/revistahc/pdf/REVISTA_HC_6.pdf>

JOSEPH, MARGARET PAUL: *Caliban in Exile: The Outsider in Caribbean Fiction.* New York: Greenwood Press, 1992.

JUNG, CARL and CARL KENÉRYI: *Essays on a Science of Mythology: The Myths of the Divine Child and the Mysteries of Eleusis.* Princeton: Princeton University Press, 1969.

KIRBY, KATHLEEN M.: "Thinking through the Boundary: The Politics of Location, Subjects, and Space". *Boundary.* 220 (1993): 173-189.

KRISTEVA, JULIA: *Desire in Language: A Semiotic Approach to Literature and Art.* Leon S. Roudiez, editor. New York: Columbia University Press, 1980.

_____: *Tales of Love.* Leon S. Roudiez, traductor. New York: Columbia University Press, 1986.

_____: *Strangers to Ourselves.* Leon S. Rourdiez, traductor. New York: Columbia University Press, 1991.

_____: *El genio femenino: Melanie Klein.* Buenos Aires: Editorial Paidós, 2001.

KUBAYANDA, JOSAPHAT B.: *The Poet's Africa: Africanness in the Poetry of Nicolás Guillén and Aimé Césaire.* New York: Greenwood Press, 1990.

KUTZINSKY, VERA M.: *Sugar's Secrets: Race and the Erotics of Cuban Nationalism.* Charlottesville: University of Virginia Press, 1993.

LACAN, JACQUES: *Ecrits. A Selection.* Alan Sheridan, traductor. New York: Norton, 1977.

LACHATAÑERÉ, RÓMULO: *El sistema religioso de los afrocubanos.* La Habana: Colección de Ciencias Sociales, 2001.

LANGSTON, JOHN GWALTNEY: *Drylong so, A Self Portrait of Black America.* New York: Vintage, 1980.

LAPLANCHE, JEAN y JEAN-BERTRAND PONTALIS: *Diccionario de psicoanálisis.* Buenos Aires: Editorial Labor S.A., 1981.

LAWAL, BALUNDE: "The Living Dead: Art and Inmortality among the Yoruba of Nigeria". *Africa.* 47, 1 (1977), 59.

LEEMING, GLENDA: *Poetic Drama.* New York: Saint Martin Press, 1989.

LEJEUNE, PHILIPPE: *Le pacte autobiographique.* Paris: Editions du Seuil, 1975.

LERNER, GERDA: *The Mayority Finds its Past: Placing Women in History.* New York: Oxford University Press, 1979.

LOEWENBERG, BERT J. and RUTH BOGIN (editores): *Black Women in Nineteenth-Century American Life.* University Park: Pennsylvania State University Press, 1976.

LORDE, AUDRE: "Blurb on Nancy Morejón's work", in Nancy Morejón: *Where the Island Sleeps Like a Wing* (Antología bilingüe). Traducción, selección e introducción de Kathleen Weaver. Prólogo de Miguel Barnet. San

Francisco (California): ed. The Black Scholar Press, 1985.

LUDMER, JOSEFINA: "Las tretas del débil", en Patricia Elena González y Eliana Ortega (editoras): *La sartén por el mango: Encuentro de escritoras hispanoamericanas.* Río Piedras, Puerto Rico: Ediciones Huracán, 1985, pp. 47-54.

LUIS, WILLIAM: *Literary Bondage: Slavery in Cuban Narrative.* Austin: University of Texas Press, 1990.

MALOOF, JUDYS: "Nancy Morejón". *Hispamérica: Revista de Literatura (Hispam)*, 25 de abril del 1996, pp. 47-58.

MARTÍ, JOSÉ: "Nuestra América". Memorial José Martí. Mayo del 2007.

<http://www.cuba.cu/memorial/america.htm>

MARTIATU TERRY, INÉS MARÍA: "Expresión popular, singularidad y misterio en la poesía de Nancy Morejón", (inédito).

MARTÍNEZ FURÉ, ROGELIO: *Diálogos imaginarios.* La Habana: Editorial Arte y Literatura, 1979.

_____: *Briznas en la memoria.* La Habana: Editorial Letras Cubanas, 2005.

_____: "Descargas: ritual y fiesta de la palabra", *La Gaceta de Cuba: Nación, raza y cultura,* no. 1, enero-febrero del 2005, pp. 28-31.

MASON, MICHAEL ATWOOD: *Living Santería: Rituals and Experiences in an Afro-Cuban Religion.* Washington: Smithsonian Institution Press, 2002.

MASUD-PILOTO, FÉLIX ROBERTO: "From Welcomed Exiles to Illegal Immigrants". *The Cuba Reader: History, Culture, Politics.* Aviva Chomski, Barry Carr and Pamela Maria

Smorkaloff (editores). Durham: Duke University Press, 2003. 561-565.

MATAS, JULIO: "Theater and Cinematography". *Revolutionary Change in Cuba*, Carmelo Mesa-Lago, editor. Pittsburgh: University of Pittsburgh Press, 1971. 427-445.

MATIBAG, EUGENIO: *Afro-Cuban Religious Experience: Cultural Reflections in Narrative.* Gainsville: University of Florida Press, 1996.

MAZZEI, MARCELA: "Mi poesía burló el bloqueo", *ClarínX.com.* 6 de mayo del 2006.
<http://weblogs.clarin.com/feriadellibro/archives/2006/05/nancy_morejon_mi_poesia_burlo_el_bloqueo.html>

MBITI, JOHN: *African Religions and Philosophy.* New York: Doubleday, 1970.

MC DOWELL, DEBORAH: "Reading Family Matters". *Changing Our Own Words: Essays on Criticism, Theory and Writing by Black Women.* Cheryl Wall, editora. New Brumswick, NJ: Rutgers University Press, 1989.

McCOY, TERRY (editor): *Cuba on the Verge: An Island in Transition.* "Introduction" de William Kennedy. "Epilogue" de Arthur Miller. New York: Bulfinch Press, 2003.

MENÉNDEZ, LÁZARA: "Por los *peoples* del barrio", *La Gaceta de Cuba: Nación, raza y cultura,* no. 1, enero-febrero del 2005, pp. 18-21.

MENTON, SEYMOUR: *Prose Fiction of the Cuban Revolution.* Austin: University of Texas Press, 1975.

MESA-LAGO, CARMELO (editor): *Revolutionary Change in Cuba.* Pittsburgh: University of Pittsburgh Press, 1971.

MILLER, IVOR: "Religious Symbolism in Cuban Political Performance". *The Drama Review*. Vol. 44, No. 2 (166), Summer 2000. 30-55.

MONASTERIOS, ELIZABETH: *Dilemas de la poesía de fin de siglo: José Emilio Pacheco y Jaime Saenz*. La Paz: Plural, 1999.

MONTES HUIDOBRO, MATÍAS: *Persona: Vida y máscara en el teatro cubano*. Miami: Ediciones Universal, 1973.

MOORE, CARLOS: *Castro, the Blacks, and Africa*. Los Angeles: Center for Afro-American Studies, University of California Press, 1988.

MOREJÓN, NANCY: *Mutismos*. La Habana: Ediciones El Puente, 1962.

_____: *Amor, ciudad atribuida*. La Habana: Ediciones El Puente, 1964.

_____: *Richard trajo su flauta y otros argumentos*. La Habana: Unión de Escritores y Artistas de Cuba, 1967.

_____: *Parajes de una época*. La Habana: Editorial Letras Cubanas, 1979.

_____: *Elogio de la danza*. México, D.F.: Universidad Autónoma de México, 1982A.

_____: *Nación y mestizaje en Nicolás Guillén*. La Habana: Unión de Escritores y Artistas de Cuba, 1982B.

_____: *Octubre imprescindible*. La Habana: Unión de Escritores y Artistas de Cuba, 1982C.

_____: *Cuaderno de Granada*. La Habana: Casa de las Américas, 1984.

_____: *Where the Island Sleeps Like a Wing* (Antología bilingüe). Traducción selección e introducción de

Kathleen Weaver. Prólogo de Miguel Barnet. San Francisco (California): The Black Scholar Press, 1985.

_____: *Piedra pulida*. La Habana: Editorial Letras Cubanas, 1986.

_____: "En torno a Nicolás Guillén", en *Fundación de la imagen*. La Habana: Editorial Letras Cubanas, 1988*A*, pp. 103-134.

_____: *Fundación de la imagen*. La Habana: Editorial Letras Cubanas, 1988*B*.

_____: "Manuel Mendive: el mundo de un primitivo", en *Fundación de la imagen*. La Habana: Editorial Letras Cubanas, 1988*C*, pp. 150-162.

_____: "Presencia del mito en el Caribe", en *Fundación de la imagen*. La Habana: Editorial Letras Cubanas, 1988*D*, pp. 176-187.

_____: *Baladas para un sueño*, Ediciones Unión, 1991.

_____: *Paisaje célebre*. Caracas: Fondo Editorial Fundarte, 1993.

_____: *Botella al mar*. Selección y prólogo de Adolfo Ayuso. Zaragoza: Oliphante, Colección Poesía, 1996*A*.

_____: "Lengua, cultura y transculturación en el Caribe: unidad y diversidad", *Temas*, no. 6, abril-junio, 1996*B*, pp. 4-7.

_____: *Pierrot y la luna. Afro-Hispanic Review*. Vol. 5, 1 (Spring 1996*C*): 56-59.

_____: "Las poéticas de Nancy Morejón". *Afro-Hispanic Review*. 15, 1 (Spring 1996*D*): 6-11.

_____: *Elogio y paisaje*. Ilustraciones de la autora. La Habana: Ediciones Unión, col. La rueda dentada, 1986*E*.

_____: *Richar trajo su flauta y otros poemas*. Selección y prólogo de Mario Benedetti. Madrid: ed. Visor, 1999.

_____: "Cultura y Revolución" (inédito), 5 de enero del 1999.

_____: "Grounding the Race Dialogue: Diaspora and Nation". *Afro-Cuban Voices: On Race and Identity in Contemporary Cuba*. Pedro Pérez Sarduy and Jean Stubbs, editores. Gainsville: University of Florida Press, 2000A. 162-169.

_____: *La Quinta de los Molinos*. La Habana: Editorial Letras Cubanas, 2000B.

_____: "Elogio de Manuel Mendive", Discurso en el Museo Nacional de Bellas Artes de La Habana, 12 de diciembre del 2001.

_____: "Palabras por el Premio Nacional de Literatura". *Afrocubaweb*, 12 de febrero del 2002A.
<http://www.afrocubaweb.com/NancyMorejon.htm#Recibe%20Nancy>

_____: "Toward a Poetics of the Caribbean". Alan West-Durán, traductor. *World Literature Today*, Vol. 2, Nos. 3-4 (Summer / Autumn 2002B): 52-53.

_____: "Cuba, Guillén y su profunda africanía", en Jerome C. Branche (editor): *Lo que teníamos que tener: Raza y revolución en Nicolás Guillén*. Pittsburgh: Instituto Internacional de Literatura Iberoamericana, 2003A, pp. 181-198.

_____: "Cuba y lo afro-cubano, ¿una metáfora?", versión en español de "Cuba and the Afro-Cuban Essence: A Metaphor?", *Cuba on the Verge: An Island in Transition*, Terry McCoy, editor, William Kennedy, introducción,

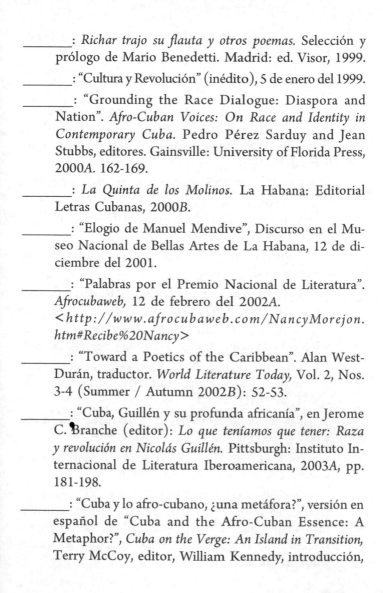

y Arthur Miller, epílogo. New York: Bullfinch Press, 2003*B* (inédito en español).

_____: *With Eyes and Soul: Images of Cuba*. New York: White Pine Press, 2004*A*.

_____: "Discurso de aceptación de la Orden Nacional del Mérito de la República de Francia". Residencia de la Embajada de Francia (inédito) (La Habana, 12 de febrero del 2004*B*).

_____: "Gracias, Yari-Yari", noviembre del 2004*C* (inédito).

_____: "Aproximación a una poética del Caribe", en *Poética de los altares*. La Habana: Editorial Letras Cubanas, Colección Mínima, 2005*A*, pp. 14-27.

_____: *Carbones silvestres*. La Habana: Editorial Letras Cubanas, 2005*B*.

_____: "Cosmopoética", en *Ensayos*. La Habana: Editorial Letras Cubanas, 2005*C*, pp. 306-319.

_____: *Ensayos*. Selección y prólogo de Trinidad Pérez Valdés. La Habana: Editorial Letras Cubanas, 2005*D*.

_____: "Imago y escritura de la mujer negra en el Caribe", en *Ensayos*. La Habana: Editorial Letras Cubanas, 2005*E*, pp. 131-154.

_____: *Pierrot y la luna*. Prólogo de Juanamaría Cordones-Cook. Matanzas: Ediciones Vigía, 2005*F*.

_____: *Poética de los altares*. La Habana: Editorial Letras Cubanas, Colección Mínima, 2005*G*.

_____: " La belleza en todas partes", Prólogo a *Cuerda veloz* (Antología de poemas 1962-1992). Segunda edición. Ilustración de cubierta de Maykel Herrera. Prólogo y selección de la autora. La Habana: Editorial Letras Cubanas, 2005*H*.

_____: *Antología poética (1962-2000)*. Selección y prólogo de Gerardo Fulleda León. Caracas: ed. Monte Ávila, colección Altazor, 2006.

_____: "Apariencia y razón de una poética" (inédito).

_____: "La Casa de las Américas y el Caribe en su porvenir" (ensayo inédito).

MOREJÓN, NANCY (compiladora): *Recopilación de textos sobre Nicolás Guillén*. Compilación y prólogo de Nancy Morejón. La Habana: Casa de las Américas, 1974.

MORRISON, TONI: "Living Memory". *City Limits* (March-April, 1988), s/p.

_____: "The Site of Memory". *Out There: Marginalization and Contemporary Cultures*. Russell Ferguson, Cornel West, Trinh Minh-ha and Marta Gever, editores. Cambridge, MA: MIT Press, 1990. 299-305.

MUELLER, SEVERO: "Cuba: Como un baile de máscaras: El Arte Cubano desde la Revolución". *Caiman.de archivo,* 2008.
<http://www.caiman.de/cuba/mascaras/mascaras.shtml>

MURPHY, JOSEPH M.: *Santería African Spirits in America*. Boston: Beacon Press, 1993.

_____: "Yéyé Cachita: Ochún in a Cuban Mirror". *Osun accross the Waters: A Yoruba Goddess in Africa and the Americas*. Joseph M. Murphy and Mei-Mei Sanford, editores. Bloomington: Indiana University Press, 1998. 87-101.

MURPHY, JOSEPH M. and MEI-MEI SANFORD (editores): *Osun accross the Waters: A Yoruba Goddess in Africa and the Americas*. Bloomington: Indiana University Press, 1998.

NESBITT, NICK: *Voicing Memory: History and Subjectivity in French Caribbean Literature.* Charlottesville: University of Virginia Press, 2003.

NEUMAN, ERICH: *The Great Mother: An Analysis of the Archetype.* Princeton: Princeton University Press, 1963.

NNAEMEKA, OBIOMA (editora): *The Politics of (M)othering: Womanhood, Identity, and Resistance in African Literature.* New York: Routledge, 1997.

"Nos pronunciamos". *El Caimán Barbudo* [La Habana] 1, *Opus* 2 (1966): 1-2.

O'BARR, JEAN F., DEBORAH POPE and MARY WYERS (editoras): *Ties that Bind: Essays on Mothering and Patriarchy.* Chicago: University of Chicago Press, 1990.

OBEJAS, ACHY: "We came all the Way from Cuba So You Could Dress Like This?". *The Cuba Reader: History, Culture, Politics.* Aviva Chomski, Barry Carr and Pamela Maria Smorkaloff, editores. Durham: Duke University Press, 2003. 568-587.

OMOLADE, BARBARA: "The Silence and the Song: Toward a Black Woman's History Through a Language of Her Own". *Wild Women in the Whirlwind: Afro-American Culture and the Contemporary Literary Renaissance.* Andrée McLaughling and Joanne Braxton, editoras. New Brumswick, NJ: Rutgers University Press, 1990. 282-295.

ORTIZ, FERNANDO: *Un catauro de cubanismos: Apuntes lexicográficos.* Extracto de la *Revista Bimestre Cubana.* La Habana: Colección Cubana de Libros y Documentos inéditos o raros, 1923.

_____ : *Estudios etnosociológicos.* La Habana: Editorial de Ciencias Sociales, 1991.

_____: "Los factores humanos de la cubanidad", en *Estudios etnosociológicos*. La Habana: Editorial de Ciencias Sociales, 1991, pp. 10-30.

ORTIZ, FERNANDO: *Travesía y trata negrera*. La Habana: Publicigraf, 1993.

_____: *Los tambores batá de los Yorubas*. Selección de Norma Suárez Suárez. La Habana: Publicigraf, 1994.

_____: *Los bailes y el teatro de los negros en el folklore de Cuba*. Madrid: Editorial Música Mundana Maqueda, 1998.

_____: "Del fenómeno social de la 'transculturación' y su importancia en Cuba", en *Contrapunteo cubano del tabaco y el azúcar. (Advertencia de sus contrastes agrarios, económicos, históricos y sociales, su etnografía y su transculturación)*. Introducción de Bronislaw Malinowski. Prólogo de María Fernanda Ortiz Herrera. Madrid: EditoCubaEspaña, 1999, pp. 78-83.

PAGNIER, MARIE-FRANCE: "Discurso", La Habana, 12 de febrero del 2004 (inédito).

PAPASTERGIADIS, NIKOS: *Modernity as Exile: The Stranger in John Berger's Writing*. New York: Manchester University Press, 1993.

PAVIS, PATRICE: *Diccionario del teatro: Dramaturgia, estética, semiología*. Buenos Aires: Paidós, 1990.

PAZ, OCTAVIO: *El arco y la lira*. México D.F.: Fondo de Cultura Económica, 1956.

_____: "La tradición del haikú", en *El signo y el garabato*. México: J. Mortiz, 1975, pp. 103-128.

_____: "Signos en rotación", en Octavio Paz y Luis Mario Schneider (editores): *Generaciones y semblanzas:*

Escritores y letras de México. México D.F.: Fondo de Cultura Económica, 1987.

PESCATELLO, ANN M. (editora): *Female and Male in Latin America: Essays*. Pittsburgh: University of Pittsburgh Press, 1973.

PÉREZ SARDUY, PEDRO and JEAN STUBBS (editores): *Afro-Cuba: An Anthology of Cuban Writing on Race, Politics, and Culture*. New York: Ocean Press, 1994.

_____: *Afro-Cuban Voices: On Race and Identity in Contemporary Cuba*. Gainsville: University of Florida Press, 2000.

PÉREZ VALDÉS, TRINIDAD: "Concerning an Unforgetable Notebook". *Singular Like a Bird: The Art of Nancy Morejón*. Myriam DeCosta-Willis, editora. Washington, D.C.: Howard University Press, 2001. 115-127.

_____: "La obra ensayística de Nancy Morejón", en *Ensayos*. La Habana: Editorial Letras Cubanas, 2005, pp. V-XVII.

PETERS, JOHN DURHAM: "Exile, Nomadism, and Diaspora: The Stakes of Mobility in the Western World". *Home, Exile, Homeland: Film, Media, and Politics of Place*. Hamid Naficy, editor. New York: Routledge, 1999. 17-41.

PHAF-RHEINBERGER, INEKE: "Un *continuum* afroamericano en la poesía de Cuba", *Revista Aleph*, no. 116, año XXXV, 2001, pp. 78-87.

_____: *Ruhmreiche Landschaft* [*Paisaje célebre*]. Gedichte. Triesen, Umschlagmotive und Zeichnungen: Nancy Morejón. Übersetzung und Nachwort: Ineke Phaf-Rheinberger, Coleba Verlag, 2001.

_____: "Universos múltiples dentro de una tradición cubana única: Entrevista con Nancy Morejón", La Habana, 30 de junio del 2002.

_____: "El trópico y su nexo con la naturaleza muerta: Una epistemología poética de Nancy Morejón", en *Memorias de la fragmentación. Tierra de libertad y paisajes del Caribe*. Berlín: ed. Wissenschaftlicher Verlag, 2005.

_____: "*Wilde Kohlen* von Nancy Morejón; die Erinnerung, das Schiff, der Ozean und Arthur Rimbaud". Posfacio a *Carbones silvestres. Wilde Kohlen*. Traducción al alemán de Ineke Phaf-Rheinberger. Edición bilingüe. Selección y estudio crítico (epílogo) de Ineke Phaf-Rheinberger. Grabado de la cubierta de Nancy Morejón. Berlín: ed. Wissenschaftlicher Verlag Berlin (VWB), 2010.

PIEDRA, JOSÉ: "From Monkey Tales to Cuban Songs: On Signification". *Sacred Possessions: Vodou, Santería, Obeah, and the Caribbean*. Margarita Fernández Olmos y Lizabeth Paravisini-Gebert, editoras. New Brunswick, NJ: Rutgers University Press, 2000. 122-150.

PIÑERA, VIRGILIO: *Electra Garrigó. Teatro cubano contemporáneo: Antología*. Carlos Espinosa Domínguez, coordinador. Madrid: Fondo de Cultura Económica, 1992.

Política cultural de la Revolución Cubana: Documentos. La Habana: Editorial de Ciencias Sociales, 1977.

PORTES, ALEJANDRO and ALEX STEPICK: "City on the Edge". *The Cuba Reader: History, Culture, Politics*. Aviva Chomski, Barry Carr and Pamela Maria Smorkaloff, editores. Durham: Duke University Press, 2003. 581-587.

RADULESCU, DOMNICA (editora): *Realms of Exile: Nomadism, Diasporas, and Eatern European Voices*. New York: Lexington Books, 2002.

RICH, ADRIENNE: *On Lies, Secrets and Silence: Selected Prose. 1976-1978.* New York: W.W. Norton, 1979.

_____: *Of Woman Born: Motherhood as Experience and Institution.* New York: W.W. Norton and Company, 1986.

RIVERA VALDÉS, SONIA: "Celebración para un 7 de agosto". *Afro-Hispanic Review.* 15, 1 (Spring 1996): 10-11.

_____: "De verdad, ¿por qué te fuiste de Cuba?" (inédito).

RIVERO, ELIANA: "Cubanos y cubanoamericanos: Perfil y presencia en los Estados Unidos", en Ambrosio Fornet (editor): *Memorias recobradas: Introducción al discurso literario de la diáspora.* Santa Clara, Cuba: Ediciones Capiro, 2000, pp. 30-50.

_____: "Lourdes Casal o la experiencia del biculturalismo", en Ambrosio Forner (editor): *Memorias recobradas: Introducción al discurso literario de la diáspora.* Santa Clara, Cuba: Ediciones Capiro, 2000, pp. 68-73.

RODRÍGUEZ, SILVIO: "Silvio Rodríguez Sings of the Special Period". *The Cuba Reader: History, Culture, Politics.* Aviva Chomski, Barry Carr and Pamela Maria Smorkaloff, editores. Durham: Duke University Press, 2003. 509-512.

ROJAS, RAFAEL: *Tumbas sin sosiego. Revolución, disidencia y exilio del intelectual cubano.* Barcelona: Anagrama, 2006.

RUSHING, ANDREA BENTON: "Images of Black Women in Afro-American Poetry". *The Afro-American Woman: Struggles and Images.* Sharon Hartly and Rosalind Teborg-Penn, editoras. Port Washington, New York: National University Publications-Kennikat, 1978. 74-84.

SAID, EDWARD W.: *The World, the Text, and the Critic.* Cambridge, Massachussets: Harvard University Press, 1983.

_____: "Relections on Exile". *Out there: Marginalization and Contemporary Culture.* Martha Russell Ferguson, editora. Cambridge: The MIT Press, 1996. 357-366.

SALKEY, ANDRADEW: "Blurb on Nancy Morejón's work", in Nancy Morejón: *Where the Island Sleeps Like a Wing* (Antología bilingüe). Traducción, selección e introducción de Kathleen Weaver. Prólogo de Miguel Barnet. San Francisco (California): ed. The Black Scholar Press, 1985.

SAPPHIRE: "Nancy Morejón". *Bomb.* 78 (Winter 2002): 69-75.

SCHEUB, HAROLD: *A Dictionary of African Mythology: The Mythmaker as Storyteller.* New York: Oxford University Press, 2000.

SCHWARZ-BART, SIMONE and ANDRÉ SCHWARZ-BART: *In Praise of Black Women.* Volume 2. *Heroines of the Slavery Era.* Rose-Myriam Réjouis, Stephanie Daval and Val Vinokurov, traductores. Madison: The University of Wisconsin Press, 2002.

SEGRE, ROBERTO: "La arquitectura antillana del siglo XX: Raíces del universo antillano", abril del 2007.
<http://www.archivocubano.org/segre.htm>

SHREIBER, MAEERA Y.: "The End of Exile: Jewish Identity and its Diasporic Poetics". *P.M.L.A.* (March 1998): 273-287.

SOLER CÉDRE, GERARDO: "Nancy Morejón: El encantado ejercicio de la palabra", en *La letra del escriba,* marzo del 2002.
<www.arquitrave.com/Nancy%20Morejon%20 Gerardo%20Soler.htm>

SOYINKA, WOLE: *Myth, Literature and the African World.* Cambridge: Cambridge University Press, 1992.

SPIVAK, GAYATRI: *A Critique of Post-Colonial Reason: Toward a History of the Vanishing Present.* Cambridge, MA: Harvard University Press, 1999.

STEVENS, EVELYN: *Machismo* and *Marianismo. Society.* 10 (1973A): 57-63.

_____: *"Marianismo:* The Other Face of *Machismo". Female and Male in Latin America.* Anna Pescatello, editora. Pittsburgh: University of Pittsburgh Press, 1973B. 90-101.

TANNER, NANCY: "Matrifocality in Indonesia and Africa and Among Black Americans". *Woman, Culture, and Society.* Michelle Z. Rosaldo and Louise Lamphere, editoras. Stanford: Stanford University Press, 1974. 129-156.

TAUSSIG, MICHAEL: *Defacement: Public Secrecy and the Labor of the Negative.* Palo Alto: Stanford University Press, 1999.

THOMPSON, ROBERT FARRIS: "Orchestrating Water and the Wind: Oshun's Art in Atlantic Context". *Osun across the Waters Goddess in Africa and the Americas.* Joseph M. Murphy and Mei-Mei Sanford, editores. Bloomington: Indiana University Press, 1998. 251-262.

THOUGHLESS, PRISCILLA: *Modern Poetic Drama.* Freeport, N.Y.: Books for Library Press, 1968.

TORRE, MIGUEL A. DE LA: *Santería: The Beliefs and Rituals of a Growing Religion in America.* Grand Rapids, Michigan: William B. Eerdmans Publishing Company, 2004.

VALDÉS, MARTA: "And Still the Song Lingers". *Singular Like a Bird: The Art of Nancy Morejón.* Myriam DeCosta

Willis, editora. Washington, D.C.: Howard University Press, 1999. 311-321.

VALLE, AMIR: *Habana Babilonia o Prostitutas en Cuba* o una manera accidental de acceder a la fama, febrero del 2005.

<http://www.amirvalle.com/titulo.htm>

_____: *Jineteras.* Bogotá: Planeta, 2006.

_____: "Habana Babilonia o prostitución en Cuba" (inédito).

VINCENT, MAURICIO: "El recuerdo del 'quinquenio gris' moviliza a los intelectuales cubanos". *Unión Liberal Cubana,* enero del 2006.

<http://www.cubaliberal.org/encuba/070114-recuerdodelquinqueniogris.htm>

VIÑOLES, PEPE: "Con Nancy Morejón, escritora cubana: Tenemos que resistir y defendernos", *La Jiribilla,* 13 de junio del 2003.

<http://www.lajiribilla.cu/2002/n40_febrero/1085_40.html>

WALCOTT, DEREK: "The Muse of History". *The Post-Colonial Studies Reader.* Bill Ashcroft, Gareth Griffiths and Helen Tiffin, editores. London & New York: Routledge, 1995. 370-374.

WALKER, ALICE: "In Search of our Mothers' Gardens: The Creativity of the Black Woman in the South". *MS.* (May 1974): 64-77.

_____: *In Search of our Mother's Garden.* San Diego: Harcourt Brace Jovanovich, 1983.

_____: "Blurb on Nancy Morejón's work", in Nancy Morejón: *Where the Island Sleeps Like a Wing* (Antología bilingüe). Traducción, selección e introducción de Kathleen Weaver. Prólogo de Miguel Barnet. San Francisco (California): ed. The Black Scholar Press, 1985.

WALKER, BARBARA G.: *The Woman's Encyclopedia of Myths and Secrets*. New York: Harper San Francisco, 1983.

WALSH, BRYAN O., MONSIGNOR: "Cuban Refugee Children". *The Cuba Reader: History, Culture, Politics*. Aviva Chomsky, Barry Carr and Pamela Maria Smorkaloff, editores. Durham: Duke University Press, 2003. 557-560.

WASHINGTON, MARY ELLEN: "I Sign my Mother's Name: Alice Walker, Dorothy West, Paule Marshall". *Mothering the Mind: Twelve Studies of Writers and their Silent Partners*. Ruth Perry and Martine Watson Brownley, editoras. New York: Homes and Meir, 1984.

_____: "An Essay on Alice Walker". *Alice Walker: Critical Perspectives Past and Present*. Henry Louis Gates, Jr., and K. A. Appiah, editores. New York: Amistad, 1993. 37-49.

WILLIAMS, CLAUDETTE M.: *Charcoal and Cinnamon: The Politics of Color in Spanish Caribbean Literature*. Gainsville: University of Florida Press, 1999.

WOOLF, VIRGINIA: *To the Lighthouse*. New York: Harcourt, Brace, and Company, 1927.

_____: *A Room of One's Own*. New York: Harcourt Brace Jovanovich, 1957.

_____: *Moments of Being*. New York: Harcourt Brace Jovanovich, 1985.

YOUNG, ROBERT: *Colonial Desire: Hybridity in Theory, Culture and Race*. New York: Routledge, 1995.

ZUESSE, EVAN M.: *Ritual Cosmos: The Sanctification of Life in African Religions.* Athens: Ohio University Press, 1979.

ZURBANO, ROBERTO: "Re-pasar El Puente", *La Gaceta de Cuba,* no. 4, julio-agosto del 2005, pp. 2-3.

_____: "El triángulo invisible del siglo XX cubano: raza, literatura y nación", *Temas,* abril-junio del 2006, pp. 111-122.

ÍNDICE

OTROS TÍTULOS DE LA COLECCION SUR

Empresa de Artes Gráficas
Federico Engels